HYBRID VERLAG

HYBRID VERLAG
Vollständige Taschenbuchausgabe
10/2021

Puppenmoor

Umschlaggestaltung: © 2021 by Creativ Work Design
Stock-Fotografie-ID: 869402154, Bildnachweis: PatriciaDz
Stock-Fotografie-ID: 91740398, Bildnachweis: toxawww
Lektorat: Paul Lung
Korrektorat: Johanna Günther
Buchsatz: Paul Lung
Autorenfoto: Alena Schuirmann

Coverbild ›Zeitloswelt‹ © 2019 by Creativ Work Design, Homburg
Coverbild ›Wonders Macht‹
© 2018 by Creativ Work Design, Homburg
Coverbild ›Halbwesen‹ © 2018 by Creativ Work Design, Homburg
Coverbild ›Phönixerwachen‹
© 2021 by Creativ Work Design, Homburg
Stock-Fotografie-ID: 1223696895, Bildnachweis: cihatatceken
Coverbild ›Cataleya‹ © 2021 by Creativ Work Design
Stock-Fotografie-ID: 1144576959, Bildnachweis: Denis-Art
Stock-Fotografie-ID: 502933463, Bildnachweis: RazoomGames

ISBN 978-3-96741-126-3

www.hybridverlag.de
www.hybridverlagshop.de

Bibliografische Informationen der Deutschen Nationalbibliothek:
Die Deutsche Nationalbibliothek verzeichnet diese Publikation in der Deutschen Nationalbibliografie; detaillierte bibliografische Daten sind im Internet über http://dnb.de abrufbar.
Printed in Germany

Heike Schulz

Puppenmoor

Horror

Für Kaspar

Lausche mit dem Herz

Kapitel 1

Per

Per drehte die Musik seines Handys lauter, öffnete die Tür des Kleiderschranks einen Spaltbreit und lugte hinein. Was ihn hier zwischen den mit Alufolie verkleideten Wänden unter der LED-Leiste anlachte, übertraf alle seine Erwartungen. Der Tipp aus dem *Lemon Haze Forum*, während der Blühphase mit der Beleuchtung auf 800 Watt aufzustocken, hatte voll ins Schwarze getroffen. Er nestelte sein Handy aus der Tasche und rief seinen Kumpel Malte an.

»Alter, was gibt's?«, meldete der sich nach dem zweiten Klingeln und gähnte herzhaft.

»Ey, sag mal, hast du etwa schon gepennt?« Per sah auf seine Uhr. »Es ist grade mal sechs. Nicht mal Zeit fürs Sandmännchen.«

Malte gähnte erneut. »Nee, nur 'n bisschen gechillt, wenn du verstehst, was ich meine. Gelobt sei das Ganja.«

Per grinste. »Wie wahr. Und das ist auch mein Stichwort. Rate mal, was ich hier gerade vor mir sehe.«

Er hörte Leder knarzen und sah regelrecht vor sich, wie Malte sich in seinem abgewetzten und durchgelegenen Monster von Sofa aufsetzte. »Ich bin ganz Ohr, Bruder«, klang er nun deutlich wacher.

»Ich steh vor meiner Growbox und seh mir das Weed an. Das ergibt eine Ernte von locker einem halben Pfund. Genug für deinen und meinen Eigenbedarf.«

»Super!« Malte schien ganz aus dem Häuschen. »Dann mach mal hinne mit der Verarbeitung, ich freu mich schon auf eine erste Kostprobe.«

»Worauf du wetten kannst. Also dann bis später im *Fizz.*« Per beendete das Gespräch und weidete sich voller Vorfreude am Anblick seiner Plantage. Mit etwas Glück amortisierten sich mit dem Verkauf des Überschusses die Kosten für die neue Lampe. Nicht jeder hatte wie er das Glück, einen alten Rübenkeller im Hof zu haben, der ausreichend Platz und eine diskrete Belüftung für eine eigene Plantage bot. Da war die Nachfrage für gutes Gras groß, selbst oder gerade in einem Fünftausend-Seelen-Nest wie Gremmershoven, dessen Hauptattraktion der Supermarkt war. Er band sich eine gummierte Schürze um, stopfte seine Dreads unter eine Plastikhaube und stülpte seine Gummihandschuhe über, bevor er die Schranktür ganz öffnete. Ein strenger Geruch nach Limone und Kräutern schlug ihm entgegen. Dieses Aroma und vor allem seine Wirkung galt es nun zu bewahren. Begleitet von den Songs von *Mono und Nikitaman* begann er mit der Ernte. Dieser Teil der Produktion machte ihm besonders viel Spaß, denn hier offenbarte sich zum ersten Mal der Lohn seiner Mühen. In zwei Wochen würde er in seinem Zimmer mit Malte schön gechillt bei sanfter Musik eine sorgfältige Qualitätskontrolle vornehmen. Aber bis dahin dauerte es noch ein Weilchen. Zeit genug, um sich Gedanken um sein zweites großes Vorhaben zu machen, und zwar eins, das nicht das Geringste mit Kiffen zu tun hatte. Zumindest sah die süße Kleine, die jeden Samstag mit ihren Freundinnen ins *Fizz* kam, nicht wie eine Kifferin aus. Mit ihrem dunkelblonden Bob, der randlosen Brille und den braven Klamotten wirkte sie, als würde sie nicht einmal bei Rot über die Straße gehen. Insgesamt machte sie auf den ersten Blick einen unauffälligen Eindruck, den seine Kumpels vielleicht langweilig nannten. Er aber fand ihre zurückhaltende Art äußerst anziehend und er glaubte, dass tief in ihr etwas Aufregendes schlummerte. Was es war, das wollte er herausfinden.

Er schnitt die letzten Dolden ab, schlüpfte aus seiner Schutzkleidung und hängte diese an einen Haken.

Alles lief nach Plan und wenn es mit dem Mädchen im *Fizz* heute ebenso glatt lief, stand ihm ein toller Sommer bevor.

Senta

»Und denk bitte daran, Anton auf dem Rückweg einzusammeln. Spätestens um neun sind wir zurück. Kuss, Mama und Papa.«

Senta zupfte den gelben Haftnotizzettel von der Kühlschranktür und verzog das Gesicht. Damit war ihr Abstecher ins *Fizz* nach dem Handballtraining erledigt. Lea und die anderen würden nicht gerade begeistert sein, wenn sie mal wieder auf dem letzten Drücker absagte. Sie warf den zerknüllten Zettel in die Mülltonne und zog ihr Handy heraus. Lea ging schon nach dem zweiten Klingeln ran.

»Hi Süße!«, flötete ihre Freundin atemlos. »Ich wollte dich gerade anrufen. Weißt du, wer heute Abend ins *Fizz* kommt? Rastaman! Das ist deine große Chance! Vicki hat gesagt, dass ihr Bruder gesagt hat …«

»Ich kann nicht«, unterbrach Senta Leas Redeschwall und biss sich auf die Unterlippe. *Er* kam heute ins *Fizz*. Ausgerechnet.

Am anderen Ende der Leitung wurde es schlagartig still, bis Lea schließlich ihre Sprache wiederfand. »Was soll das heißen?«

»Ich muss gleich nach dem Training Anton von seiner Freundin abholen. Meine Eltern sind mal wieder auf Tour.«

Während sie mit Lea telefonierte, ging Senta in ihr Zimmer, schaltete das Gespräch auf laut und begann, ihre Trainingsklamotten aus dem Schrank zu nehmen.

»Der Furz ist gerade mal drei Jahre alt und hat schon eine Freundin? Die fangen ja immer früher damit an.«

»Kennst das doch. Schenk mir einen Lolli und ich bin deine Freundin. So läuft das in dem Alter. Knallharte Bestechung.« Sie warf ihre Turnschuhe aufs Bett. »Jedenfalls heißt das, ihr müsst heute ohne mich auskommen.«

Lea stieß hörbar die Luft aus. »Uncool. Süße, deine Erzeuger in allen Ehren. Ich finde es ja toll, dass sie in ihrem Alter noch so viel miteinander unternehmen. Aber denken sie auch mal daran, dass du ein Privatleben hast? Es kann doch nicht sein, dass du immer auf die Frucht ihrer Liebe aufpassen musst, wenn sie die Wanderlust packt. Sie stören ganz empfindlich dein Sexleben.«

»Wenn ich denn eins hätte!« Senta lachte trocken auf. Wo zum Geier steckte nur ihr Trikot?

»Eben! Du hast keins. Und das könntest du ändern, wenn du heute mit ins *Fizz* kommst. Falls ich es noch nicht erwähnt habe: Rastaman wird dort sein. Der zukünftige Vater deiner Kinder!«

»Nenn ihn nicht so.«

»Aber er hat doch Dreads.«

»Nuss. Den zukünftigen Vater meiner Kinder. Wir haben schließlich noch kein einziges Wort miteinander gesprochen.« Sie fand ihr Trikot unter dem Bett.

»Dazu muss man nicht miteinander sprechen.« Lea kicherte. »Aber zurück zu Problem Numero uno. Wie kriegen wir dich heute ins *Fizz*?«

»Gar nicht.« Senta seufzte. »Es sei denn, ich nehme den Zwerg mit.«

»Was äußerst unpassend wäre.« Lea schnalzte mit der Zunge. »Dann heißt das also, wir müssen tatsächlich ohne dich auskommen. Aber zum Training kommst du doch, oder?«

»Ja, klar.«

»Immerhin etwas. Also gut, bis später.«

Sie schmatzten einander Luftküsschen zu und legten auf.

Mist. Senta ließ sich auf die Bettkante fallen. Jetzt verpasste sie nicht nur einen schönen Abend mit ihren Freundinnen, sondern auch die Gelegenheit zu einer Begegnung mit *ihm*. Nicht, dass sie sich jemals getraut hätte, ihn anzusprechen. Aber alleine für ein paar Sekunden seinen fragenden und durchaus freundlichen Blick auf sich zu wissen und sein verschmitztes Lächeln geschenkt zu bekommen, dafür hätte sich das *Fizz* gelohnt. Stattdessen würde sie den Abend mit *Fang den Hut* und *Bob, der Baumeister* verbringen. Was würde eigentlich passieren, wenn sie Anton einfach bei seiner Freundin ließ? Den Gedanken durchspielend griff sie nach ihrer Sportasche, zog den Reißverschluss zu und machte sich auf den Weg zur Dreifachturnhalle.

Die Sprungwurfübungen und das Passtraining brachten Senta an den Rand der Erschöpfung und ließen zunächst keinen Raum für Grübeleien. Erst als sie viel später mit Anton vor seiner Playmobilburg saß und versuchte, einigermaßen glaubhaft die Stimme eines Ritters zu imitieren, kroch in ihr die Enttäuschung hoch. So sah also der Abend einer gesunden Sechzehnjährigen aus? Ritter spielen und Benjamin Blümchen hören? Und jetzt begann Anton auch noch zu quengeln. Zuerst lenkte Senta ihn noch mit einer ziemlich beeindruckenden Drachendarbietung von der Tatsache ab, dass ihre Eltern auf sich warten ließen, doch irgendwann fing er an zu weinen.

»Was meinst du? Sollen wir mal nachsehen, ob noch Eis da ist?«

Diesen Joker wollte sie eigentlich nicht ziehen, aber die Aussicht auf eine Portion Eiscreme zum Abendessen stoppte Antons Tränenflut auf der Stelle. Begeistert folgte er ihr in die Küche und sah zu, wie sie die Packung Vanilleeis aus dem Gefrierfach zog.

»Eine oder zwei Kugeln?« Grinsend hielt sie den Portionierer hoch.

Hochkonzentriert zählte er die gewünschte Anzahl an seinen knubbeligen Fingerchen ab. »Zwei!« Stolz reckte er drei Finger in die Luft.

»Fast.« Senta nahm seine Hand und rollte vorsichtig einen Finger wieder ein. »Jetzt sind es zwei.«

Anton nickte bekräftigend. »Zwei jetzt.«

»Eine doppelte Portion Vanille für den Herrn. Kommt sofort.« Sie verteilte je zwei extragroße Kugeln auf zwei Schälchen und trug sie ins Wohnzimmer.

Nach ein paar Folgen *Shaun, das Schaf* aus dem Stream schlummerte er endlich zufrieden und eisverschmiert auf dem Sofa ein. Behutsam trug sie ihn in sein Bett, drückte ihm seinen Plüsch-Findus in den Arm und deckte ihn zu. Spätestens um neun sind wir zurück. Wie witzig. Während Anton leise vor sich hin schnarchte, begann Senta sich zu sorgen. Ob ihnen etwas passiert war? Manchmal wanderten ihre Eltern in ziemlich abgelegenen Gegenden ohne Internet. Wenn dann auch noch das GPS ausfiel oder sie von der Dunkelheit überrascht wurden, konnte es leicht passieren, dass sie sich verirrten. Würden sie dann nicht anrufen? Normalerweise schon, und wenn die Akkus leer waren? Laut *Murphy's Law* nicht unwahrscheinlich. Senta griff zum Handy und wählte nach einigem Zögern die Nummer ihrer

Mutter. Beinahe kam es ihr albern vor, Samstag abends den eigenen Eltern hinterher zu telefonieren. Sie mussten sie ja für völlig hysterisch halten, denn normalerweise sollte es umgekehrt sein. Als eine elektronische Stimme verkündete, dass der gewünschte Gesprächsteilnehmer derzeit nicht erreichbar sei, kam ihr das alles nicht mehr albern vor. Dasselbe beim Handy ihres Vaters. Sie versuchte es daraufhin beinahe im Minutentakt, und je länger sie kein Lebenszeichen von ihren Eltern erhielt, desto stärker wuchs ihre Gewissheit, dass ihnen etwas zugestoßen war. Was sollte sie Anton sagen, wenn er morgen früh aufwachte und nach Mama fragte? Sie rechnete inzwischen fest damit, dass jeden Moment ernst blickende Polizeibeamte an der Tür klingelten und sie fragten, ob sie die Tochter von Yvonne und Thorsten Conrads sei. So war das doch immer im Film, oder? Dementsprechend bekam sie beinahe einen Herzkasper, als sie kurz nach Mitternacht einen Schlüssel im Türschloss hörte.

»Wo wart ihr?«, empfing sie ihre Eltern und ärgerte sich über den Klang ihrer Stimme, der dem ihrer Mama erschreckend ähnelte.

»Wenn wir das wüssten!« Erschöpft streifte ihr Vater seine Wanderschuhe ab und ließ den Rucksack neben den Garderobenschrank fallen.

»Wir haben uns total verfranzt. Das GPS-Signal muss irgendwo im Moor hängen geblieben sein. Wir sind dauernd im Kreis gerannt und dann wurde es auch schon dunkel.« Ihre Mutter hängte ihre Jacke an den Haken und zog den Reißverschluss ihres Rucksacks auf.

»Warum habt ihr nicht angerufen?« Senta verschränkte die Arme vor der Brust. Das konnte doch nicht wahr sein! Da hatte sie vor lauter Sorge schon Blut und Wasser geschwitzt, und nun marschierten die beiden einfach so herein und taten so, als wäre alles in bester Ordnung.

Ihr Vater zog die Stirn kraus. »Nun hab dich nicht so.«

Während er ins Bad ging, förderte ihre Mutter einen ziemlich dreckigen Lumpen aus ihrem Rucksack zutage. »Jetzt sind wir ja wieder da«, sagte sie abwesend. »Schläft Anton schon?«

»Es ist fast halb ein Uhr nachts. Natürlich schläft er, was sonst?« Ein Gähnen unterdrückend folgte Senta ihrer Mutter in die Küche, wo diese den Lumpen ins Spülbecken legte. Erst jetzt erkannte Senta eine ziemlich ramponierte Porzellanpuppe, die ihr aus starren Glasaugen entgegen glotzte. Sie steckte in einem grauen Fetzen, der entfernt an ein Brautkleid erinnerte. In früheren Zeiten musste sie blonde Locken besessen haben, von denen inzwischen nur noch ein schmutzig braunes Gestrüpp übrig geblieben war. An einer Stelle hatte es sich bereits abgelöst und gab den Blick auf das hohle Innere des Schädels frei.

»Was für ein widerliches Teil!« Senta verzog den Mund und trat einen Schritt zurück.

Ihre Mutter sah sie empört an. »Das ist eine original *Schönau und Hoffmeister*! Siehst du hier, den Stempel mit dem Stern und den Initialen? Und die 18 darunter ist sicher die Seriennummer.« Sie deutete auf eine Stelle im Nacken der Puppe. »Die ist sicher sehr wertvoll.«

»Sieht trotzdem ekelig aus«, beharrte Senta. »Anton hat übrigens dauernd gefragt, wo ihr bleibt, und da habe ich ihm erlaubt, ein paar Filme zu gucken und Eis zu essen«, setzte Senta ihren Bericht fort, doch ihre Mutter schien kaum richtig zuzuhören.

»Schau mal, ist sie nicht schön?« Sie hob die Puppe hoch und musterte sie von allen Seiten. »Ihr fehlen zwar zwei Fingerchen, aber das lässt sich sicher reparieren.«

»Allerdings hat er nicht die Zähne geputzt, weil …«

»Vielleicht bringe ich sie zu einem Gutachter. Sie ist sicher sechzig, siebzig Jahre alt. Mindestens.« Zärtlich nahm ihre Mutter den Porzellankopf zwischen die Hände und betrachtete das Gesicht.

»Mama? Hörst du mir überhaupt zu?« Senta legte die Hand auf die Schulter ihrer Mutter, doch sie schüttelte sie mit einer unwirschen Bewegung ab.

»Ja, ja. Filme geschaut, Eis gegessen, keine Zähne geputzt«, zählte sie ungeduldig auf. »Ich habe genau zugehört. Noch was?«

Senta zuckte zurück. »Ich meine ja nur. Brauchst mich deswegen nicht gleich anzupampen.«

Sentas Mama ließ die Puppe sinken. »Tut mir leid. Ich bin einfach ziemlich müde. Lass uns morgen reden, okay? Und nun ab ins Bett mit dir.« Sie drückte Senta einen Kuss auf die Wange, riss ein Blatt Küchenkrepp von der Rolle, feuchtete es an und betupfte das Puppengesicht.

»Okay, Mama, dann gute Nacht.« Senta gab ihrer Mutter ebenfalls einen Kuss auf die Wange. »Guckst du noch bei Anton rein?«

Statt einer Antwort gab ihre Mutter ein undefinierbares Schnauben von sich und drapierte die Puppe auf dem Abtropfgitter. Sie mussten wirklich eine ziemliche Ochsentour hinter sich haben, wortkarg, wie sie war, und auch ihr Papa fragte nicht wie üblich nach ihrem Tagesablauf. Nun gut, morgen war ja Sonntag und somit genug Gelegenheit, das Versäumte nachzuholen.

Per

Die Kleine mit der Brille hatte sich nicht im *Fizz* sehen lassen. Ihre Freundinnen waren zwar da, aber von ihr keine Spur. Per blieb noch eine Weile in der Hoffnung, sie würde vielleicht nachkommen. Als er aber ein paar Gesprächsfetzen der Mädchen entnahm, dass sie nicht mehr auftauchen würde, trollte er sich. Malte war auch nicht aufgekreuzt, vermutlich war er beim Chillen auf dem Sofa klebengeblieben. Was tun mit dem angebrochenen Abend? Flüchtig überlegte er, ob er sich seinen Laptop schnappen und zu Malte gehen sollte, aber wieder nur *World of Warcraft* zocken, darauf hatte er keine besondere Lust. Also beschloss er, sich in seinem Zimmer in die Hängematte zu baumeln, ein bisschen Bob Marley zu hören und sich dabei ganz gepflegt einen Joint reinzuziehen. Vielleicht hatte Malte sogar Bock, mitzumachen? Er tippte eine entsprechende Nachricht in sein Handy, die kurz darauf von einem *Jo, Diggah!* beantwortet wurde. Er schwang sich auf sein Fahrrad und machte sich auf den Heimweg. Hoffentlich schliefen seine Eltern schon. Sie hatten zwar nichts dagegen, dass er ab und zu mal einen durchzog, aber sie hatten die Angewohnheit, seine Freunde jedes Mal über sein Liebesleben auszuquetschen. Dauernd fragten sie sie, ob er eine Freundin hätte, und waren regelrecht enttäuscht, wenn sie verneinten. Doch, natürlich waren die Mädchen an ihm interessiert, aber er nicht an ihnen, zumindest an keinem Bestimmten. Und nein, er war definitiv nicht schwul, wie seine Mutter neulich Malte gegenüber betont beiläufig gemutmaßt hatte. Erleichtert über das Nein war sie dann trotzdem. Dabei taten seine Eltern doch immer so liberal. Kiffen? Kein Problem. Dreads? Sind doch witzig. Schwul sein? Wen interessierts? Sie hatten ihn weltoffen erzogen und seinen freien Geist gefördert. Aber insgeheim, so vermutete er, wäre seine Mutter doch froh, wenn er endlich eine Freundin mitbrächte und damit ihre Hoffnung auf Enkel lebendig hielt. Und wer weiß? Vielleicht konnte er ihr den Gefallen in mittelfristiger Zukunft tun, sofern er es endlich schaffte, diese Senta anzusprechen.

Er schloss das Tor zum Innenhof auf und ließ es für Malte angelehnt, damit er ohne zu klingeln einfach reinkommen konnte. Sobald er da war, würde Per es abschließen, es fehlte noch, das ungebetene Gäste seine Grasbestände plünderten. Durch das Wohnzimmerfenster flimmerte das Licht des Fernsehers. Gut, dann waren seine Eltern bestimmt abgelenkt und bemerkten ihn nicht. Er tippte eine Nachricht an Malte, in der er ihn bat, möglichst leise einfach reinzukommen, und ging ins Haus.

Alyssa

»Komm runter, und zwar ein bisschen plötzlich!«, gellte Patricks Stimme die Treppe rauf. Alyssa zuckte zusammen. Was war denn jetzt schon wieder? Sie klappte ihr Tagebuch zu und verschloss es mit dem kleinen Schlüssel an ihrer Halskette. »Eine Sekunde!«, rief sie zurück und sprang aus dem Bett. Jemanden wie seine Hoheit Pissfleck ließ man lieber nicht zu lange warten.

»Ein bisschen plötzlich, hab ich gesagt! Ich hab noch was Wichtigeres zu tun, kapiert?«

Na klar! Alyssa schnaubte verächtlich. Was konnte wichtiger sein, als den Tag vor der Glotze zu verbringen, Kippen zu stopfen und zu saufen? Hastig legte sie das Tagebuch unter die lose Bodendiele, verschloss ihr Geheimversteck mit einem Fußtritt und schob den Teppich drüber. Das fehlte noch, dass ausgerechnet er ihre geheimsten Gedanken zu fassen bekam. Wenn er las, für welchen Loser sie ihn hielt und welches Ende sie ihm wünschte, wäre sie fällig.

»Ja, Mann!«, rief sie, streifte ihre Jacke über und öffnete die Zimmertür. Wenn er so drauf war, machte man sich lieber für einen schnellen Abflug bereit.

»Ich geb‘ dir gleich *Ja, Mann*!«, kam es verwaschen von unten. »Ist ‘n bisschen mehr Respekt vielleicht zu viel verlangt?«

Statt zu antworten, eilte sie die Treppe runter. Schon auf halber Strecke erriet sie den Grund für Patricks Wutausbruch, dazu brauchte es nur einen Blick auf den Tabakeimer in seiner Hand. Verdammt, er hatte es bemerkt.

»Hast mich mal wieder beklaut, was?« Etwas Lauerndes lag in seiner Stimme. »Ich weiß, dass du rauchst, aber das ist mein verdammter Tabak! Meiner!«

Alyssas Mutter stand einen Schritt hinter ihm, knetete ein Geschirrtuch und mied ihren Blick. Ein roter Abdruck auf ihrer Wange verriet Alyssa, dass Patrick diese Angelegenheit bereits mit ihr auf seine sehr eigene Art diskutiert hatte. Zur Angst in Alyssas Magengrube gesellte sich eine ordentliche Portion Hass. Dieses Schwein! Nichts in diesem Haus gehörte ihm, nicht einmal das schmierige Unterhemd und die ausgebeulte Jogginghose an seinem knochigen Körper. Alles hatte ihre Mutter von ihrem mühsam verdienten Putzlohn bezahlt. Aber für Argumente war der Typ nicht zugänglich, schon gar nicht, wenn sie seine selbsternannte Position als Oberhaupt dieser sogenannten Familie beschädigten.

»Ich hab deinen beschissenen Tabak nicht geklaut!« Im nächsten Moment bereute sie ihre patzige Antwort. Aus dem Nichts klatschte es und ihre linke Gesichtshälfte brannte wie

Hölle. Scheiße, nie sah sie es kommen. Wie machte er das bloß? So träge und unkoordiniert er sonst war, beim Schläge verteilen hatte Patrick es im Laufe der Jahre zu erstaunlicher Geschicklichkeit gebracht.

Ihre Mutter schnappte nach Luft. Durch den aufsteigenden Tränenschleier sah Alyssa, wie sie das Geschirrhandtuch vor den Mund presste, um nicht zu protestieren. Auch das unterließ man lieber, wenn man gesund bleiben wollte.

»Ich hab deinen Tabak nicht geklaut«, wiederholte Alyssa und zwang sich, mutiger zu klingen, als sie sich fühlte. Die wahre Geschichte lautete, dass ihr der Eimer beim Aufräumen des Schlachtfelds namens Wohnzimmer umgekippt war. Ein paar der Tabakflocken waren unrettbar in einer Bierpfütze auf dem Couchtisch klebengeblieben. Sie hatte sie weggeworfen, aber das behielt sie für sich. Es interessierte ihn nicht und war ohnehin viel zu kompliziert für seine Gehirnwindungen.

»Dann lüg ich also. Willst du das sagen?« Er trat so nah an sie heran, dass sie seine Ausdünstungen riechen konnte. Eine Mischung aus Schweiß, alter Unterhose, kaltem Qualm und Alkohol. Eau de Versager nannte sie es in ihrem geheimen Tagebuch.

»Na, nennst du mich einen Lügner?«, fragte er so leise, dass sie vor Angst das Blut in ihren Ohren rauschen hörte. Auf diese Frage zu antworten, war gefährlich und obendrein müßig. Es gehörte gewissermaßen zum Vorgeplänkel. »Sieh mich an, wenn ich mit dir rede.« Er packte ihre Haare, zerrte ihren Kopf in den Nacken und zwang sie, ihm in die Augen zu blicken. Alyssas Adern vereisten. Zu der kranken Vorfreude, die normalerweise in seinem Blick flackerte, hatte sich noch etwas anderes gesellt. Etwas, das sie trotz seiner Freude am Quälen nie zuvor gesehen hatte:

blanke Mordlust. Sie wusste, diesmal käme sie nicht mit einer Tracht Prügel davon.

Einen Moment schien er sich an ihrer Erkenntnis zu weiden, dann ging alles blitzschnell. Reflexartig zog sie das Knie hoch und rammte es ihm mit aller Kraft zwischen die Beine. Es fühlte sich wie ein kurzer Triumpf an, als er ihre Haare losließ, in sich zusammensackte und seine erbärmlichen Eier hielt.

»Mach bloß, dass du wegkommst, sonst hat dein Hintern Kirmes«, quiekte er. Im Hintergrund erklang das panische Gezeter ihrer Mutter.

Das ließ sich Alyssa nicht zweimal sagen. Wie diese *Kirmes* aussah, hatte er ihr schon zur Genüge demonstriert. Mit dem Kleiderbügel, dem Handfeger – eigentlich mit allem, was ihm in seiner Wut in die Finger kam, und zwar nicht nur auf ihrem Hintern. So wählerisch war der feine Herr nicht und würde es jetzt erst recht nicht mehr sein. Ehe er sich aufrappeln konnte, flüchtete sie aus der Wohnung und rannte davon. Weg, nur weg von hier. Egal, wohin.

Erst am Spielplatz, der sich dunkel und verlassen vor ihr ausbreitete, machte sie Halt. Ihr Herz trommelte wild in ihrer Brust. Zur Erleichterung, ihrem Stiefvater vorerst entkommen zu sein, mischte sich Verzweiflung. Nach der Geschichte würde sie nie wieder nach Hause zurückkönnen. Der Typ gehörte in eine Irrenanstalt, so, wie er sie angesehen hatte. Aber wohin jetzt? Sie zog die Ärmel ihrer Jacke über die Hände und setzte sich auf den Rand des Sandkastens. Für Anfang Juni war es nachts noch immer empfindlich kalt draußen. Ihr fiel niemand anderes ein, also zog sie ihr Handy heraus und rief Amanda an. Als sie sich meldete, kam Alyssa ohne Erklärung gleich zur Sache.

»Kann ich eine Weile zu dir?«

»Wieder Stress mit Patrick?« Amanda gähnte. »Schlimm?«

Kurz stieg in Alyssa der Wunsch auf, ihrer großen Schwester alles anzuvertrauen, so wie damals, als sie noch dachte, Amanda könne sie vor allem beschützen. Dann unterdrückte sie den Wunsch. Amanda hatte nun wen anderes, der ihren Schutz brauchte.

»Geht so«, log sie und zog die Nase hoch. »Wär auch nur für ein paar Tage.«

»Sis, du weißt doch, dass es nicht geht.« Die Stimme ihrer Schwester klang gedämpft. Bestimmt schliefen Leon und das Baby bereits. »Es ist doch auch so schon viel zu eng in einem Zimmer. Warte mal.«

Im Hintergrund hörte Alyssa, wie ihr Neffe zu weinen anfing. Dann verriet ihr ein Klappern, dass ihre Schwester das Telefon beiseitegelegt hatte und nun versuchte, den kleinen Louis mit gemurmelten Worten zu beruhigen.

»Was'n hier los?«, kam nun eine Männerstimme dazu.

Scheiße, jetzt war auch noch Leon aufgewacht. Inzwischen hatte Alyssas Neffe zu schreien begonnen. Drei-Monats-Koliken. Amanda hatte neulich erzählt, dass die ihnen derzeit die Nächte zur Qual machten. Zuerst hatte Alyssa das als Scherz aufgefasst. Blähungen von einem Säugling? Die konnten unmöglich so stinken, dass man davon nachts nicht schlafen konnte. Aber dann hatte Amanda ihr erklärt, dass die dem kleinen Wurm ganz üble Krämpfe bescherten, von denen er manchmal nächtelang schrie.

Es war eine bescheuerte Idee, Amanda anzurufen und sie um Hilfe zu bitten. Sie hatte ja selbst alle Hände voll zu tun, und Leon war ihr auch nicht gerade eine große Unterstützung. Er war zwar lieb und fürsorglich, aber leider völlig verstrahlt. Eigentlich hatte Amanda jetzt zwei Kinder an der Backe – eins von knapp zwölf Wochen und eins von zwanzig

Jahren. Von schlechtem Gewissen gequält lauschte Alyssa noch eine Weile dem Chaos am anderen Ende der Leitung und legte dann auf. Tränen stiegen in ihr auf, aber sie erlaubte ihnen nicht, sich zu zeigen. Verfluchter Dreck, verfluchter. Wo sollte sie nun hin? Nach Hause war keine Option, das hatte das Arschloch von Patrick ihr mehr als deutlich gemacht.

Außer ihrer Schwester hatte sie keine näheren Verwandten, und Freundinnen hatte sie erst recht nicht. Bis jetzt hatte sie es immer als Vorteil betrachtet, eine Einzelkämpferin zu sein und sich nicht mit den Tussis aus ihrer Klasse abgeben zu müssen. Die hielten sie sowieso für einen Freak. Jetzt aber wäre eine Freundin, bei der sie für ein paar Tage unterkriechen konnte, gar nicht so übel. Wie auch immer, hier konnte sie nicht bleiben, es fehlte noch, dass die Bullen sie aufgriffen und zurück nach Hause brachten.

Nach Hause. Dabei war der Ort, an dem sie lebte, seit Papas Tod alles andere als das. Jetzt ließen sich ihre Tränen doch nicht länger zurückhalten. Papa. Wie sehr er ihr auch nach drei Jahren noch fehlte. Verdammter Scheißkrebs. Musste er ausgerechnet den Menschen holen, den sie am meisten auf der Welt liebte? Was hatte Gott sich nur dabei gedacht? Aber Patrick, der Drecksack, der würde wahrscheinlich hundert Jahre alt werden. Warum sich ihre Mutter ausgerechnet an diesen Versager klammerte, würde sie wohl nie verstehen. Klar, sie war einsam gewesen, aber der war doch wirklich kein Ersatz für Papa. Außerdem würde ihn wohl nie ein anderer ersetzen können. Jedenfalls nicht für Alyssa.

Sie wischte sich mit dem Ärmel die Tränen weg und schaute sich um. Der verlassene Spielplatz bot keinen bequemen Unterschlupf, aber irgendwo musste sie unterkommen.

Vielleicht in einem leeren Keller oder einer Scheune. Am Ende der Straße gab es doch diesen restaurierten Rübenhof. Die Leute, die dort wohnten, hatten nur einen Sohn. Wie hieß er noch gleich? Pit, Per, oder so ähnlich. Die Eltern arbeiteten auf irgendeinem Amt und hatten mit Landwirtschaft nichts am Hut. Sie nutzten ganz sicher nicht alle Nebengebäude. Vielleicht konnte sie sich dort einschleichen und einen Platz zum Schlafen finden.

Wie erhofft, war die Tür zum Innenhof nicht abgeschlossen. Nur eine Laterne im Torbogen spendete ein bisschen Licht. Alyssa schlich unter den dunklen Fenstern des Wohnhauses vorbei und erschrak, als eine weitere Lampe über der Haustür anging. Blöder Bewegungsmelder. Sie duckte sich in den Schatten einer altertümlichen Wasserpumpe und wartete mit angehaltenem Atem, ob jemand aus dem Haus trat. Kurz darauf erlosch das Licht und sie entspannte sich ein wenig. Als niemand herauskam, um nach dem Rechten zu sehen, schlich sie weiter die Hauswand entlang und um ein angelehntes Fahrrad herum, bis sie das Gebäude gegenüber der Hofeinfahrt erreichte. Alyssa stellte sich auf die Zehenspitzen und wölbte die Handflächen neben die Augen, um durch eins der Sprossenfenster zu spähen. Vermutlich hatte man hier früher die landwirtschaftlichen Maschinen gelagert, aber nun schien man darin eine Art Atelier untergebracht zu haben. Sie erkannte eine Staffelei mit einem Gemälde, einen Arbeitstisch voller Dosen, Tuben und Becher mit Pinseln und jede Menge Bilder, die an den Wänden lehnten. Was sie zeigten, konnte sie im Dämmerlicht nicht erkennen, aber das interessierte sie auch nicht weiter. Klar war nur, dass dieser Raum als Versteck ungeeignet war. Enttäuscht sank sie in ihre gebückte Haltung zurück und huschte weiter, bis sie das Gebäude gegenüber des Wohnhauses erreichte. Es war aus grobem Naturstein gemauert, tonnenförmig und viel niedriger als die anderen. Man musste ein paar Treppenstufen hinabsteigen, um zu einer verwitterten Tür zu gelangen. Fenster gab es keine und das gewölbte Dach war von Gras und Unkraut überwuchert. Der Rübenkeller des Hofs, schlussfolgerte sie. Der wurde doch bestimmt nicht mehr genutzt. Wie eine Katze glitt sie die ausgetretenen Stufen hinunter und drückte die rostige Klinke. Um ein Haar hätte sie vor Erleichterung aufgelacht, als die Eichentür unter leisem Quietschen aufschwang. Rasch schlüpfte sie hindurch und schob sie hinter sich zu, bis völlige Dunkelheit und ein merkwürdiger Gestank sie umgab. Was war das? Sie hatte etwas Ähnliches schon einmal gerochen. Auf einem Festival, aber so ganz konnte sie es nicht einordnen. Sie zückte ihr Handy und suchte mit der Displaybeleuchtung vergeblich nach einem Lichtschalter. Stattdessen baumelte eine Glühbirne von der niedrigen Decke und daneben eine Strippe. Sie zog versuchsweise daran.

Es funktionierte! Im schwachen Licht der Glühbirne schaute sie sich ihren Unterschlupf genauer an. Rüben wurden hier keine mehr gelagert, soviel stand fest, aber offensichtlich nutzte man das Gewölbe, um irgendwelche Kräuter zu trocknen. Sie lagen ausgebreitet auf einem aufgebockten Fliegengitter. Ein Schrank stand an der Rückwand des Kellers und an einem Haken hingen eine Schürze, ein Kittel und eine Steppjacke. Nicht gerade ein einladender Schlafplatz, aber besser, als draußen irgendwo unter einer Brücke zu pennen. Sie würde morgen ganz früh verschwinden und sich nach etwas Besserem umsehen, aber jetzt fielen ihr vor Müdigkeit fast die Augen zu. Alyssa nahm die Sachen vom Haken, legte sie in einer Ecke auf den Boden und stellte ihren Handywecker auf sechs Uhr. Vorher würde ganz bestimmt niemand aufstehen – nicht an einem Sonntagmorgen. So gut es ging, machte sie es sich auf ihrem Lager bequem und schlief beinahe augenblicklich ein.

Kapitel 2

Senta

Am nächsten Morgen erwachte Senta in aller Frühe vom Gedudel des Fernsehers, das sie zunächst nicht einordnen konnte. Dann erkannte sie die Titelmelodie von *Dragonball Z* und grinste in sich hinein. Diese Serie war bis vor Kurzem eine ihrer Lieblingssendungen gewesen, und auch heute noch schaltete sie nicht weg, wenn sie beim Zappen darüber stolperte. Für Anton jedoch waren die Abenteuer von Son Goku und seinen Freunden noch viel zu aufregend. Vermutlich hatte der kleine Furz heimlich den Fernseher angeschaltet und saß nun völlig überfordert davor, während ihre Eltern noch tief und fest schliefen und sich von den Strapazen ihrer Wanderung erholten. Widerwillig schlug Senta ihre Bettdecke zurück, schlüpfte in ihren Morgenmantel und tappte schlaftrunken ins Wohnzimmer. Wie erwartet klebte Anton förmlich mit glasigen Augen an der Mattscheibe und lutschte an seinen Händchen, die er abwechselnd tief in ein Nutellaglas tauchte.

»Hey, du kleiner Gauner!« Lachend stemmte sie die Hände in die Hüften. »Hast dir wohl schon Frühstück gemacht.« Sie nahm die Fernbedienung und schaltete den Fernseher aus.

»Schmeckt lecker. Willst du auch mal?« Treuherzig hielt er ihr eine Faust voll Nougatcreme hin.

»Nee, danke, vielleicht später.« Sie musterte ihren bis zur Unkenntlichkeit verschmierten Bruder und nahm ihn mit ins Bad. Während er fröhlich vor sich hinplapperte, wusch sie ihn in der Badewanne gründlich ab. Dabei fiel ihr Blick durchs Fenster in den Garten, wo sie ihre Mutter entdeckte. Sie war noch im Nachthemd und barfuß und befestigte irgendetwas an der Wäscheleine. Senta musste zweimal hinsehen, um das frisch gewaschene Kleid dieser fürchterlichen Puppe zu erkennen. Es war ihrer Mutter also völlig ernst damit, diese Scheußlichkeit zu behalten und wieder auf Vordermann zu bringen – aber warum auch nicht? Es konnte ja nicht jeder so eine tiefe Abneigung gegen Puppen hegen, wie sie selbst. Und wer weiß? Vielleicht bekam man tatsächlich auf Ebay ein nettes Sümmchen dafür.

Alyssa

Alyssas erster Gedanke galt ihren Füßen. Sie waren so entsetzlich durchgefroren, dass sie wehtaten. Warum dudelte ihr Handywecker und wieso war es so dunkel und kalt? Nach und nach kam ihr Patricks Ausraster wieder in den Sinn und mit ihm die Ereignisse von gestern Nacht. Sofort breitete sich die Kälte ihrer Füße in ihrem ganzen Körper aus. Was sollte sie nur tun? Hierbleiben konnte sie nicht, und außerdem war ihr fast schlecht vor Hunger. Sie brauchte eine andere Unterkunft, etwas zu essen und vielleicht eine Dusche. Aber zuallererst musste sie hier weg.

Mühsam stemmte sie sich in die Höhe. Ihr linker Arm war eingeschlafen und hing wie ein Fremdkörper von ihrer Schulter. Sie schüttelte ihn und biss die Zähne zusammen, als das Blut mit dem Gefühl von Messerstichen zurückkehrte. Bestimmt sah sie aus wie ausgekotzt, aber wenn sie Glück hatte, würde sie zu so früher Stunde niemandem begegnen. Im Schein ihrer Handybeleuchtung tappte sie um den Tisch mit diesen merkwürdig stinkenden Kräutern herum. Seltsames Zeug. Was man damit wohl machte? Sie ging weiter bis zur Tür und wollte sie aufziehen, da dämmerte es ihr. Trotz ihres Magenknurrens und ihrer eisigen Knochen musste sie grinsen. Na klar! Von wegen Küchenkräuter! Das hier war Marihuana. Ob die Eltern dieses Pit oder Per wussten, was ihr Söhnchen so trieb? Offensichtlich gab es hinter den Gardinen dieses Spießerkaffs doch mehr Geheimnisse, als geglaubt.

Sie schlüpfte aus dem Rübenkeller und beschirmte ihre Augen, als sie in das Licht der Morgensonne trat. Rasch duckte sie sich und spähte über den Rand der Treppe. Der Innenhof lag im friedlichen Schlummer. Das Fahrrad lehnte wie letzte Nacht an der gegenüberliegenden Hauswand, und unter dem Torbogen brannte noch immer die Laterne. Sehr gut. Wäre bereits jemand wach, hätte man die Laterne bestimmt schon ausgeschaltet.

Alyssa vergewisserte sich, dass sich in den Fenstern nichts regte, und wagte sich aus ihrem Versteck. Wie eine Maus huschte sie zum Hoftor, drückte die Klinke herunter und zog. Nichts. Sie stemmte sich gegen die Pforte, die zwar in den Angeln quietschte und ein bisschen vor und zurück schwang, aber dennoch blieb sie fest verschlossen. Verdammt! Jetzt saß sie auch noch in der Falle. Bestimmt hatte man das Quietschen gehört. Jeden Moment konnte jemand aus dem Haus kommen und sie entdecken. Eine Einbrecherin auf frischer Tat. Wobei sie genaugenommen eine Ausbrecherin war. Sie warf einen Blick über ihre Schulter. Patrick würde begeistert sein, wenn die Bullen sie nach Hause brachten. Ein letztes Mal stemmte sie sich vergeblich gegen die Tür, huschte zurück zum Rübenkeller und kauerte sich in den Treppenabgang. Was sollte sie tun? Abwarten, bis jemand das Tor aufschloss? Zu riskant. Aber vielleicht konnte sie woanders raus. Verzweifelt schaute sie sich nach einer weiteren Fluchtmöglichkeit um. Keine Chance, es sei denn, sie versuchte, an der gewölbten Natursteinmauer des Rübenkellers hinaufzuklettern. Sie betastete die grobe Wand. Die Steine standen unregelmäßig aus der Mauer hervor, und außerdem war das Gebäude nicht allzu hoch. Ob sie es wagen sollte? Sie richtete sich auf, langte nach oben und bekam zwei Steine zu fassen. Ihre linke Fußspitze fand Halt in einem Mauerspalt. Entweder jetzt oder nie. Vorsichtig verlagerte sie ihr Gewicht und stemmte sich hoch. Mit den Fingern tastete sie sich vor, krallte sich an eine Kante und fand mit dem anderen Fuß Halt. Das ging ja einfacher als gedacht! Sie ließ los, fasste nach oben und erschrak, als sie eine Jungenstimme hörte.

»Guten Morgen! Darf ich fragen, was du da machst?«

Senta

Nachdem Senta sich und Anton fertiggemacht hatte, ging sie in die Küche, um beim Decken des Frühstückstischs zu helfen. Das schien allerdings leichter gesagt, als getan. Der komplette Tisch war von ihrem Vater in Beschlag genommen, der die Einzelteile der Porzellanpuppe vor sich ausgebreitet hatte. Noch ungeduscht und mit einem Bartschatten im Gesicht polierte er mit einem Wollläppchen die beiden Puppenaugen. Er war so in seine Arbeit vertieft, dass er Senta gar nicht bemerkte. Erst als sie hinter ihn trat und ihm einen Kuss auf die kratzige Wange gab, schaute er kurz von seiner Arbeit auf.

»Gut geschlafen nach eurer Tour?« Sie begann, das Frühstücksgeschirr aus dem Schrank zu räumen.

»Wie ein Toter.« Er drückte die Puppenaugen in die leeren Höhlen und befestigte sie mit einem feinen Gummibändchen.

»Kommst du gut voran?« Mit einem Kopfnicken deutete sie auf die Einzelteile der Puppe.

»Die Befestigungen für die Gliedmaßen sind hin. Aber ich habe in Mamas Nähzeug noch eine Rolle feine Gummilitze gefunden. Die funktioniert genauso gut.« Er drehte den Puppenkopf in den Händen und justierte die Glasaugen, sodass sie beide in dieselbe Richtung schauten. Zufrieden lächelte er dem Porzellangesicht zu und legte den Puppenkopf vorsichtig auf einen Eierbecher.

Senta betrachtete das Ding skeptisch und mit einem flauen Gefühl von Abscheu. Die blauen Augen verliehen dem haarlosen Schädel zwar einen halbwegs lebendigen Eindruck, doch sie fragte sich, wie damals ein Kind Gefallen an den starren Gesichtszügen finden konnte.

»Schön, Papa. Können wir sie trotzdem wegräumen, solange wir frühstücken?« Sie nahm eins der Puppenbeine, da schnellte die Hand ihres Vaters vor und packte ihr Handgelenk.

»Pfoten weg«, zischte er. Seine Fingerknöchel traten weiß hervor.

Senta ließ das Bein los, als hätte sie daran einen Stromschlag bekommen. »Papa, du tust mir weh!«

Ihr Vater verstärkte seinen Griff, bevor er ihre Hand ganz plötzlich freigab. »Entschuldige. Aber diese Puppe ist wirklich sehr kostbar.« Er lächelte sie verlegen an und widmete sich wieder seiner Arbeit.

Senta rieb sich das schmerzende Handgelenk. »Und wo sollen wir frühstücken?«

»Ist mir doch scheißegal. Ich habe sowieso keinen Hunger. Und jetzt lass mich endlich in Ruhe, du nervst.«

Senta sah ihren Vater fassungslos an. Was war dem denn über die Leber gelaufen? Bestimmt hatte er sich gestern auf der Wanderung mit Mama gefetzt. Sie war ja letzte Nacht auch schon so komisch drauf gewesen. Wortlos packte sie ein paar Frühstücksutensilien auf ein Tablett, nahm eine Kanne Himbeereistee aus dem Kühlschrank und verzog sich ins Wohnzimmer. Dort hockte Anton wieder vor der Glotze, während Mama mit seiner alten Babybürste die Frisur der Puppe in Form brachte.

»Guck mal, sieht das nicht hübsch aus?« Stolz hielt sie das gereinigte Haarteil hoch, dessen Locken sie zu Zöpfen geflochten und mit weißem Schleifenband festgebunden hatte.

»Ja, ein echter Kracher.« Senta stellte das Tablett auf den Wohnzimmertisch. »Papa gibt den Küchentisch nicht frei«, erklärte sie und schmierte für Anton und sich ein paar Leberwurstbrote.

»Na und?«

»Was soll das heißen, *na und*?«, fragte Senta zwischen zwei Bissen. »Erst stopft der Kleine sich unbeaufsichtigt ein halbes Glas Nutella in den Hals, und jetzt essen wir vor dem Fernseher. Findest du nicht, dass ...«

»Sei still!« Die Stimme ihrer Mutter überschlug sich fast. »Immer muss sich alles um euch drehen. Da will man einmal, *nur einmal* etwas für sich machen und erntet nichts als Vorwürfe.«

Anton, der gerade einen Schluck Eistee trinken wollte, ließ seinen Becher fallen und begann zu weinen. Senta zog ihn auf ihren Schoß und wischte ihm mit einer Papierserviette den Mund ab.

»Ist schon gut, mein Süßer«, murmelte sie ihm zu. Über seinen Kopf hinweg beobachtete sie ihre Mutter, die angewidert den Mund verzog und sich wieder der Puppenfrisur widmete. »Mama meint es nicht so. Komm, wir gehen ein bisschen raus.« Sie stellte ihn auf die Füße und ging mit ihm in den Flur, wo sie ihm seine Sandalen und eine dünne Jacke anzog. Dann schlüpfte sie in ihre Ballerinas und nahm den Haustürschlüssel vom Haken.

»Bis später«, rief sie über die Schulter und war nicht überrascht, als keine Antwort kam. Egal, erst mal nichts wie raus aus diesem Irrenhaus, bis sich die beiden heute Nachmittag wieder beruhigt hatten. Was auch immer zwischen ihnen bei der Wanderung vorgefallen war, ging sie und vor allem Anton nichts an. Das sollten sie mal schön alleine auf die Reihe kriegen.

Per

Per musterte das Mädchen von Kopf bis Fuß. Sie war vielleicht dreizehn oder vierzehn Jahre alt und mager wie ein Weidenstock. Lange braune Haare umrahmten ihr Gesicht. Normalerweise waren sie sicher glatt, nun aber standen sie verfilzt in alle Richtungen, als wäre sie eben erst aus dem Bett gefallen. Ihre grünen Augen funkelten ihn trotzig an. Ob sie wusste, dass der Kajal, den sie wie die meisten Mädchen ihres Alters viel zu großzügig aufgetragen hatte, längst in schwarzen Tränenspuren auf ihren Wangen klebte? Sie hatte die Fäuste in die Hosentaschen ihrer Jeans gestemmt und zitterte trotz der lauen Morgenluft in ihrem dünnen Kunstlederjäckchen. Eine Einbrecherin war sie nicht, vielmehr erinnerte sie ihn an eine streunende Katze.

»Wenn du die Bullen rufst, verrate ich denen, was du hier versteckst«, fauchte sie ihm entgegen.

Per kratzte sich am Kopf. Eine streunende Katze. Definitiv. »Hast du Hunger?«

Ihre Augen weiteten sich auf Tellergröße. Mit dieser Frage schien sie nicht gerechnet zu haben. »Willst du mich verarschen?«

»Nö, aber du siehst aus, als hättest du länger nichts zu Futtern bekommen. Also nochmal: Hast du Hunger?«

Amüsiert beobachtete er, wie sie versuchte, ihre abwehrende Haltung aufrecht zu halten.

»Du rufst nicht die Bullen?«, vergewisserte sie sich vorsichtig.

»Warum sollte ich, du hast doch nichts geklaut, oder?«

Sie zog die Hände aus den Hosentaschen und hielt ihm die leeren Handflächen hin. Klein waren sie, und der pinke Nagellack an manchen Stellen abgesplittert.

»Siehst du, du bist keine Diebin. Also brauchen wir keine Bullen. Aber was bist du dann? Ich weiß, dass du von hier stammst, ich habe dich schon öfter nachmittags auf dem Spielplatz abhängen sehen. Bist du vielleicht von zu Hause abgehauen?«

Ihr schuldbewusster Blick war ihm Antwort genug.

»Stress mit den Alten, was? Soll vorkommen. Nun komm, genug geredet. Wenn du willst, kannst du auch duschen. Ich bin übrigens Per.« Er hielt ihr die Hand hin, die sie misstrauisch musterte. »Nun komm schon, ich bin kein Sittenstrolch.«

Sie lächelte verlegen, als hätte sie genau das befürchtet. »Alyssa.« Zögerlich schlug sie ein. »Aber sagen deine Eltern nichts, wenn du plötzlich jemand Fremdes anschleppst?«

Er schüttelte sich grinsend die Dreads aus dem Gesicht. »Nee, meine Alten sind da ganz gechillt. Außerdem bist du ja jetzt niemand Fremdes mehr. Ich weiß ja immerhin deinen Namen.«

Im Hausflur sah sie sich verstohlen um, als erwartete sie jeden Augenblick ein Donnerwetter.

»Da vorne ist das Bad.« Per wies auf die Tür zu seiner Rechten. »Ich lege dir noch ein paar Handtücher raus, dann kannst du duschen. In der Zwischenzeit mache ich das Frühstück.« Mit dem Daumen deutete er über seine linke Schulter. »Komm einfach rein, wenn du fertig bist.«

»Und deine Eltern haben bestimmt nichts dagegen?«

»Echt nicht. Sie sind noch unterwegs, ein paar Besorgungen machen, aber sobald sie zurück sind, kannst du dich selbst davon überzeugen. Kaffee oder Tee?«

»Kakao, wenn's keine Umstände macht.« Endlich schien sie ein bisschen zu entspannen. »Und danke.«

»Kakao. Kein Problem. Nichts zu danken.« Er nahm ein paar Handtücher aus dem Badezimmerschrank und legte sie ihr auf den Wannenrand. Danach ging er in die Küche, um das Frühstück vorzubereiten. Alyssa hieß sie also. Ob sich ihre Eltern bereits Sorgen um sie machten? Als er in ihrem Alter war, wussten seine Eltern immer, wo er die Nacht verbrachte. Nicht, dass sie ihn kontrolliert hätten. Es hatte nur einfach keinen Reiz, etwas vor ihnen zu verheimlichen, weil sie ihm ohnehin fast alles erlaubten. Regeln gab es bei seinen Alten nur wenige, aber Ehrlichkeit und Zuverlässigkeit gehörten dazu. Solange er stets sagte, wo er steckte und wann er nach Hause kam, war alles in Ordnung. Sie konnten es nur nicht ausstehen, wenn er sie belog oder unpünktlich war. Er nahm ein paar Keramikbecher vom Regal und stellte sie auf den Tisch. Ob sie wegen seiner kleinen Plantage im Rübenkeller dichthielt? Vor den Bullen vermutlich schon, sie schien ja selbst nicht besonders scharf auf eine Begegnung mit ihnen zu sein. Aber was, wenn sie sich vor ihren Freunden wichtigtun wollte und überall herumerzählte, was sie entdeckt hatte? Er roch an einer angebrochenen Milchpackung. Noch trinkbar. Nein, Alyssa machte nicht den Eindruck, als hätte sie viele Freundinnen. Sonst wäre sie letzte Nacht vermutlich bei einer von ihnen untergekrochen und nicht in seinem stinkigen Rübenkeller. Er stellte eine Dose Kakaopulver auf den Tisch und setzte sich. Keine fünf Minuten später betrat Alyssa die Küche.

»Das sieht ja toll aus«, staunte sie. »Sogar mit Tischdecke!«

Ihre Haare waren noch nass, aber ansonsten sah sie schon wesentlich besser aus. Jetzt, ganz ohne Schminke und diesem schrecklichen schwarzen Zeug, erkannte er ganz deutlich, wie jung sie noch war. Ein Kind, das so gerne erwachsen wäre.

»Setz dich, greif zu.« Er schob ihr den Brotkorb hin und beobachtete amüsiert, wie sie andächtig das Angebot sichtete und ein Mohnbrötchen auswählte. Sie bestrich es fingerdick mit Butter und Honig und aß es mit wenigen Bissen auf. »Darf ich auch davon einen haben?« Schüchtern deutete sie auf einen Kirschjoghurt.

»Klar.«

Sie nahm den Becher, riss den Deckel ab und schleckte ihn sauber. Dabei blieb ein bisschen Joghurt an ihrer Nasenspitze kleben, was ihn einmal mehr an eine Katze erinnerte. Sie schien es nicht bemerkt zu haben.

»Du hast da was im Gesicht.«

Schnell wischte sie sich mit der Hand über die linke Wange. »Ist es weg?«

Er grinste. »Nö.«

Jetzt versuchte sie es auf der anderen Seite.

»Immer noch nicht. Warte, ich helfe dir.« Mit einer Serviette tupfte er ihre Nase sauber. »So ist es besser.«

Sie sahen einander an und brachen gleichzeitig in Lachen aus. Wenn sie mal nicht mürrisch guckte, sah sie eigentlich ganz hübsch aus. Natürlich viel zu jung für ihn, aber in drei, vier Jahren würde sie den Jungs den Kopf verdrehen. Ihr Lachen schallte noch durch die Küche, als seine Eltern hereinkamen.

»Wer ist das?« Seine Mutter verengte prüfend die Augen.

»Mama, Papa, das ist Alyssa, eine Freundin. Alyssa, das sind meine Eltern.«

Alyssa stand auf, wischte sich die Hände an einer Serviette sauber und hielt sie Pers Mutter zur Begrüßung hin. »Guten Morgen. Vielen Dank, dass ich bei Ihnen frühstücken darf.«

Pers Mutter machte keinerlei Anstalten, die dargebotene Hand zu ergreifen.

»Per, wer ist die?« Mit dem Finger deutete sie auf Alyssa, die förmlich zu schrumpfen schien.

»Was macht die in unserem Haus?«, setzte sein Vater hinzu.

Unsicher schaute Per zwischen seinen Eltern hin und her. Wenn das mal wieder einer ihrer Scherze war, ging der gerade ziemlich in die Hose.

»Frühstücken, würde ich mal sagen.« Mit einem Lachen versuchte er, die Situation zu entspannen.

»Die hat hier nichts zu suchen. Mach, dass die verschwindet, sonst rufe ich die Polizei.« Der Finger seiner Mutter stieß wie ein Dolch in Alyssas Richtung.

»Entschuldigung. Ich geh dann mal lieber.« Mit eingezogenem Kopf quetschte Alyssa sich an seinen Eltern vorbei.

»Und zwar ein bisschen dalli, wenn ich bitten darf!«, bellte sein Vater ihr hinterher.

»Sagt mal, habt ihr einen Knall?« Völlig perplex sprang Per auf die Füße. »Wie seid ihr denn drauf?«

»Was fällt dir ein, so mit uns zu reden?« Sein Vater machte einen Schritt auf ihn zu.

»Was ist nur mit euch los?« Er schaute seine Eltern wie zwei Fremde an. Dann rannte er Alyssa hinterher, die inzwischen an der Haustür angekommen war. »Alyssa, warte!«

»Nochmal danke für alles, Per, aber das mit dem Frühstück war ein Fehler.« Ohne sich umzudrehen, trat sie hinaus auf die Treppe.

Er folgte ihr und zog die Tür hinter sich zu. »Wo willst du denn jetzt hin?«

Auf halber Treppe blieb sie stehen. »Weiß nicht.« Endlich wandte sie sich ihm zu. Ihr Blick war wieder so trotzig und verschlossen wie zuvor, nur noch von einer Spur Enttäuschung ergänzt.

»Du, hör mal. Was meine Eltern da gerade abgezogen haben,« er hob ratlos die Schultern, »so kenne ich sie gar nicht. Ich rede nochmal mit ihnen, dann kriegen sie sich sicher wieder ein.«

»Lass gut sein.« Ihr Mund verzog sich zu einem gezwungenen Lächeln. »Du hast schon mehr als genug getan. Ich komm schon klar. Danke für die Dusche und das alles. So nett war schon lange keiner mehr zu mir.«

Ehe er etwas erwidern konnte, nahm sie die letzten Stufen und rannte davon. Mit einem mulmigen Gefühl schaute er zu, wie sie durch das schwere Hoftor verschwand. Ob sie zum Spielplatz lief? Oder doch zurück nach Hause? Er hoffte es um ihretwillen. Vielleicht hatte sich der Ärger, vor dem sie offensichtlich auf der Flucht war, ja längst verflogen und ihre Eltern sorgten sich bereits um sie. Was allerdings mit seinen eigenen los war, das würde er jetzt mal mit ihnen klären.

Er straffte die Schultern, betrat das Haus und ging zurück in die Küche. Die beiden hatten sich inzwischen stocksteif einander gegenüber an den Tisch gesetzt. Das Frühstück vor sich schienen sie nicht zu bemerken, stattdessen starrten sie mit ausdruckslosen Gesichtern aneinander vorbei. Es herrschte eine beinahe unnatürliche Stille, nicht einmal Vogelgezwitscher drang durch das gekippte Fenster. In Pers Eingeweiden begann es zu rumoren. Eine Vorahnung packte ihn, als würde ihm gleich etwas Schreckliches zustoßen.

»Kann mir mal einer erklären, was euch über die Leber gelaufen ist?« Er verschränkte die Arme vor der Brust. »Ist was passiert?«

Endlich wandte sich sein Vater zu ihm um. Mit kalten Augen schaute er ihn an. »Du!«

»Ich? Was ich?« Wer waren diese Leute und was hatten sie mit seinen Eltern gemacht?

»Du bist uns über die Leber gelaufen«, mischte sich nun seine Mutter ein. Ganz langsam griff sie nach dem Buttermesser und umklammerte es. Einen Moment lang hatte Per den lächerlichen Gedanken, sie würde es ihm am liebsten in den Hals rammen. Dann ließ sie es los, als hätte sie daran verbrannt. Sie blinzelte kurz, dann setzte sie ein unverbindliches Lächeln auf.

»Nichts. Es ist nichts«, fuhr sie mit seltsam hoher Stimme fort und deutete auf den Brotkorb. »Frühstück?«

Ruckartig ließ sein Vater die Schultern fallen und langte nach dem Aufschnitt, als sei nichts gewesen. Unmittelbar darauf setzte draußen Vogelgezwitscher ein.

Per machte einen Schritt rückwärts. »Nein danke, ich hab schon gegessen.« Mit einem flauen Bauchgefühl machte er, dass er rauskam.

Er musste mit Alyssa reden. Wenn sie nicht nach Hause gegangen war, fand er sie vielleicht am Spielplatz, da hatte er sie ja schon öfter gesehen. Oder beim alten Bergwerk, das war zwar ziemlich ungemütlich, aber es gab auch ein paar super Verstecke. Hier stimmte etwas nicht. Das eben hatte ausgesehen, als hätte jemand oder etwas für einen Moment die Kontrolle über seine Eltern übernommen. Vielleicht hatten sich ihre Eltern ähnlich verhalten und sie war deshalb ausgebüxt. Ein unsicheres Kichern entkam seiner Kehle. Oder er wurde verrückt. Möglicherweise sollte er auch aufhören, Weed zu rauchen, alleine der Gedanke an kollektiv durchdrehende Eltern war ja creepy. So oder so, er musste eine Erklärung dafür finden, und nur Alyssa konnte ihm dabei helfen.

Kapitel 3

Senta

»Höher, höher!« Antons Jauchzen schallte weit über den Spielplatz. Immer wieder gab Senta ihm einen Schubs auf der Schaukel und beobachtete, wie er völlig unkoordiniert versuchte, mit seinen kleinen Beinchen den Schwung mitzunehmen. Seine blonden Locken flatterten im Wind und seine Wangen glühten vor Begeisterung. Wenigstens er hatte Spaß. Ihr hingegen lag der Auftritt ihrer Eltern noch immer im Magen. Ob sie wieder Krach hatten? Genauso hatte es vor fünf Jahren angefangen, als ihr Vater Stress im Job hatte und kaum noch zu Hause gewesen war. Damals waren ihm nur noch Bilanzen und Aufträge wichtig gewesen und er hatte sich dabei so weit von ihr und ihrer Mutter entfernt, dass Senta befürchtet hatte, sie würden sich trennen. Irgendwann hatte ihre Mutter es nicht mehr ausgehalten und sie alle drei zur Familienberatung geschleppt. Das Ergebnis war ihre gemeinsam entdeckte Leidenschaft fürs Wandern und Anton.

»Komm, rutschen!« Ihr Bruder glitt von der Schaukel, plumpste in den Sand und watschelte zum Klettergerüst der Rutsche. »Ich kann alleine!«, protestierte er, als Senta ihm beim Hinaufklettern den Rücken stützen wollte.

Ein Gefühl der Zärtlichkeit durchströmte sie. Wie groß er schon war. Damals, kurz nach seiner Geburt, war sie sich nicht sicher gewesen, ob sie ihn mochte. Dieses schreiende Etwas sollte ihre brüchig gewordene Burg reparieren? Dabei war er nicht nur ein Eindringling, sondern auch ein Konkurrent gewesen. Aber sie war seinem Zauber ebenso schnell unterlegen gewesen wie ihre Eltern, die seitdem hart an sich und ihrer Ehe gearbeitet hatten. Sie hatten sich mit dem Wandern ein gemeinsames Hobby gesucht und achteten sorgfältig darauf, einander wieder genügend Aufmerksamkeit zu widmen. Dass Senta sich dabei manchmal ein bisschen zurückgesetzt fühlte, war wohl der Preis, den sie für die Rettung ihrer Familie zahlen musste. Und sie zahlte ihn gerne. Sie hatte ihr Zuhause nicht verlassen müssen. Es war ihr erspart geblieben, die Schulferien zwischen Mama und Papa aufzuteilen. Sie würde nicht mit neuen Partnern an der Seite ihrer Eltern zurechtkommen müssen. Inzwischen erschienen ihr die Ängste, die sie ausgestanden, die Nächte, die sie durchgeheult hatte, wie eine verblassende Erinnerung an eine schwere Krankheit, die überstanden war. Zumindest bis heute Morgen. Es erschreckte sie, wie gut sich ihr Unterbewusstsein noch an die Signale von damals erinnerte. Ein kalter Blick, ein scharfer Ton, und alles kam wieder in ihr hoch und erschütterte sie bis ins Mark. Ob sie diese Tortur nochmal durchstehen könnte?

»Fang mich!« Antons fröhliches Krähen riss sie aus ihren Gedanken.

»Warte, ich komme schon.« Sie ging um das Klettergerüst herum, um ihren kleinen Bruder am unteren Ende der Rutsche in Empfang zu nehmen, doch sie kam zu spät. Er sauste bereits mit ausgebreiteten Armen herunter, im blinden Vertrauen darauf, dass seine große Schwester rechtzeitig da sein und ihn auffangen würde.

Obwohl ihr klar war, dass sie es nicht schaffen würde, rannte sie los, doch statt mit der Nase im Sand fand sie ihn in den Armen eines Mädchens wieder.

»Hab dich«, lachte das Mädchen, nahm ihn hoch und wirbelte ihn durch die Luft.

»Nochmal, nochmal!« Anton quietschte vor Vergnügen, ließ sich von dem Mädchen auf die Füße stellen und flitzte an Senta vorbei zum Aufstieg.

Es war diese komische Alyssa, die hier öfter abends alleine abhing, mit dem Smartphone spielte, rauchte und auf obercool tat. Was hatte die mit ihrem Bruder zu schaffen?

»Ich mache das.« Entschlossen marschierte Senta zum Ende der Rutsche und machte ihr mit einem Kopfnicken unmissverständlich klar, dass sie selbst jetzt übernahm. Die andere funkelte sie böse an und für einen Moment glaubte Senta, sie würde einfach dort stehenbleiben und es auf eine Rangelei ankommen lassen. Dann trat das Mädchen beiseite und sah zu, wie Anton nun Senta entgegensauste und sich ihr glucksend in die Arme warf. Senta drückte ihn fest an sich und gab ihn erst wieder frei, als er nach einer weiteren Rutschpartie verlangte. Doch statt erneut zum Klettergerüst zu rennen, zeigte er auf Alyssa.

»Und jetzt wieder du.« Er schenkte dem Mädchen sein bezauberndes Lächeln und flitzte los.

Alyssa warf Senta einen triumphierenden Blick zu. »Darf ich mal?«

Widerwillig sah Senta dabei zu, wie Anton sich der anderen mit derselben Begeisterung entgegenwarf, wie zuvor ihr. Als das Mädchen ihn wiederum durch die Luft wirbelte, war Senta kurz davor, ihn ihr einfach aus dem Arm zu reißen, doch er schien nicht genug von dem Spiel zu bekommen. Danach hatte wieder Senta die Ehre, ihn auffangen zu dürfen. So wechselten sie sich eine Weile ab, bis Anton mit ihnen beiden auf die große Vogelnestschaukel wollte. Zu dritt legten sie sich in die Mulde und beobachteten, wie mit jedem Schwung die dicht belaubten Äste der Bäume vor dem blauen Himmel in ihr Blickfeld kamen. Als sie schließlich auspendelten, war Anton zwischen ihnen eingeschlummert.

»Der ist ja so süß.« Alyssa strich ihm eine blonde Locke aus der Stirn.

»Meistens schon. Aber er kann einem auch echt auf den Senkel gehen.« Senta betrachtete die langen Wimpern, an denen ein paar Sandkörner klebten und die leicht geöffneten roten Lippen mit den kleinen Milchzähnchen dahinter. Ja, wenn er so schlief, war er der reinste Engel. »Hast du denn keine Geschwister?«

»Doch, eine Schwester. Aber die ist schon neunzehn. Dafür habe ich einen Neffen, der ist erst zwölf Wochen alt.«

»Dann bist du ja eine echte Tante. Gratuliere.« Senta stützte sich auf die Ellbogen. »Und wie ist dein Neffe so?«

»Er schreit viel.« Alyssa seufzte. »Eigentlich dauernd.«

»Das kenne ich. Als Anton noch klein war, hat er auch viel geschrien. Das hat am Anfang tierisch genervt, zumindest mich. Manchmal hätte ich ihn am liebsten in die nächstbeste Babyklappe gestopft. Ich habe meine Eltern echt bewundert, wie sie das ausgehalten haben. Aber das ist anscheinend normal, dass Eltern ihre Kinder lieben, egal, wie nervig sie sind.«

Alyssa lachte bei der Bemerkung freudlos auf. »Sie scheinen echt in Ordnung zu sein, deine Eltern.«

»Ja, das sind sie«, stimmte Senta zu. »Zumindest meistens. Heute jedoch scheinen sie einen schlechten Tag zu haben.«

»Ja, das kommt vor.« Nachdenklich senkte Alyssa den Blick. »Was meinen Neffen betrifft, den sehe ich leider nicht so oft. Meine Schwester wohnt mit ihrem Freund in Moers. Das ist zu weit weg.« Sie setzte sich in den Schneidersitz und betrachtete den schlafenden Anton. Etwas Trauriges trat in ihren Blick. Vermutlich vermisste sie ihre Schwester.

»Und deine Eltern?«, wagte Senta sich vor. »Fahren die öfter hin? Schließlich ist er ihr Enkel.«

Alyssa presste die Lippen aufeinander. »Unser Vater ist vor drei Jahren gestorben. Leberkrebs.«

»Das tut mir leid.« Sentas Hand zuckte vor. Sie wollte sie auf Alyssas Arm legen, doch mitten in der Bewegung hielt sie inne und schob sich stattdessen die Brille zurecht. Sie wirkte nicht wie jemand, der zu viel Nähe zuließ.

»Danke. Mir tut es auch leid.«

»Und deine Mutter?«

Alyssa stieß einen verächtlichen Laut aus. »Die hat keine Zeit, weil sie dauernd arbeiten muss. Damit Patrick genug Kohle hat, die er dann versaufen oder in die Spielhalle schleppen kann. Das ist ihr neuer Freund. Voll so ein Spacko.«

Die Vorstellung, wie es sich anfühlen musste, wenn ihr Vater starb, jagte Senta einen Schauer über den Rücken. Und dann nahm auch noch ein Nichtsnutz seinen Platz ein.

»Was macht der denn so, dieser Patrick?«

Alyssa lachte trocken auf. »Du meinst beruflich? Er hat den Bachelor in Bauchnabelpuhlen. Den hat er an der Akadememme gemacht.«

Gegen ihren Willen musste Senta kichern. »Klingt nach einem wahren Genie, frisch von der Baumschule.«

»Kannst du laut sagen. Der ist Captain Oaf mit Sternchen.« Alyssa nickte grinsend, dann verzog sich ihr Mund vor Ekel. »Gott, wie ich den Kerl hasse.«

Senta blickte betroffen auf ihre Knie. Okay, ihre Eltern hatten heute zwar vielleicht miese Laune, und möglicherweise steckte auch mehr dahinter, aber verglichen mit Alyssa hatte sie es doch gut. Sie setzte sich auf und betrachtete nachdenklich einen Marienkäfer, der Antons nacktes Beinchen hinauf spazierte. Dieses fremde Mädchen war zwar ein paar

Jahre jünger als sie selbst, aber im Gegensatz zu ihr musste Alyssa schon wesentlich größere Brocken stemmen. So furchtbar war sie eigentlich gar nicht. Jedenfalls hatte Anton auf den ersten Blick Zutrauen zu ihr gefasst. Am Ende hatte dieser kleine Kerl mehr Menschenkenntnis als sie selbst.

»Sag mal, was grinst du so?«

Senta schaute auf und bemerkte, dass Alyssa sie misstrauisch ansah.

»Ach, nichts. Ich musste nur gerade daran denken, wie schlau dieser kleine Bursche hier ist.« Sie deutete auf Anton und hielt dem Marienkäfer ihren Finger in den Weg. Nach kurzem Zögern krabbelte das Insekt weiter bis auf ihre Handfläche. Senta nahm Alyssas Hand und ließ den Käfer zu ihr hinüberwechseln. »Hier, der ist für dich. Marienkäfer bringen Glück.«

Alyssa schaute sie an, als hätte sie noch nie zuvor etwas geschenkt bekommen. »Danke.« Feierlich hob sie ihre Hand und blies dem Käfer sachte unter die Flügel, bis er abhob und brummend davonflog.

Senta folgte dem Tierchen mit den Augen, bis es zwischen ein paar Forsythien verschwunden war. Dabei bemerkte sie einen Jungen, der sich an der Spielhütte zu schaffen machte.

»Was macht der denn da?«

Alyssa folgte ihrem Blick. »Ich glaube, der taggt.«

»Hier, in aller Öffentlichkeit? Der traut sich ja was.« Senta reckte den Hals und tatsächlich – der Bursche bekritzelte am helllichten Tag mit einem dicken Filzstift die Seitenwand der Blockhütte.

»Vielleicht ist er auch nur bescheuert.« Ein entschlossenes Lächeln stahl sich in Alyssas Gesicht. »Los, den schocken wir mal.«

»Was hast du vor?«

Das Lächeln wurde noch eine Spur breiter. »Wirst schon sehen. Komm.«

Vorsichtig, um Anton nicht zu wecken, kletterten sie aus dem Schaukelnest, schlichen zu den Forsythien und bogen die Zweige auseinander. Der Junge schien etwa dreizehn Jahre alt zu sein. Er trug einen dunkelblauen ärmellosen Kapuzenpulli, auf dessen Rücken zwei grimmig verkniffene Augen prangten. Die Kapuze hatte er über den Kopf gestülpt und als er sich hochreckte, blitzte der Saum einer knallroten Boxershorts und ein nietenbeschlagener Gürtel hervor. Dieser hielt eine abgewetzte Picaldijeans an seinem pummeligen Hintern. Der Junge hatte sie noch nicht bemerkt, denn er malte in Seelenruhe ein geschwungenes ÖMER quer über die Wand. Das Ö zierte er ganz unbescheiden mit einer funkelnden Krone. Diesen Schriftzug hatte Senta noch nie zuvor gesehen, offensichtlich war Ömer noch brandneu in der Taggerszene von Gremmershoven.

Alyssa formte die Hände vor ihrem Mund zu einem Trichter und rief mit tief verstellter Stimme: »Achtung, Achtung, hier spricht die Polizei! Der Spielplatz ist umstellt! Lassen Sie sofort den Edding los und heben Sie die Hände über den Kopf!«

Der Junge ließ vor Schreck seinen Stift fallen. Senta musste sich auf die Unterlippe beißen, um nicht laut loszuprusten. Dann schien ihm zu dämmern, dass er auf voller Länge verarscht wurde, und er drehte sich zu ihnen um.

»Ey, habt ihr 'n Schaden?« Mit einer schwungvollen Handbewegung, die zur Standardpose eines jeden echten Gangsterrappers gehörte, schlenderte er breitbeinig auf sie zu.

Senta zog die Stirn kraus. Wenn der auf Stress aus war, hatte er sich mit Alyssa sicher die Falsche ausgesucht.

»Du hast selber ’n Schaden!« Alyssa trat aus ihrem Versteck hervor und baute sich vor Ömer auf.

Aus der Nähe betrachtet sah er noch harmloser aus als vorher. Zwar versuchte er auf Obergangster zu machen, wirkte aber mit seinem Babyspeck und den braunen Kulleraugen wie ein zu groß geratener Teddybär.

»Kritzelst hier mitten am Tag den ganzen Spielplatz voll. So was macht man nachts. Aber so, wie du aussiehst, lässt deine Mama dich nach dem Sandmännchen bestimmt nicht mehr raus.« Alyssa verschränkte die Arme vor der Brust und sah herausfordernd zu ihm auf.

Beinahe befürchtete Senta, dass er jetzt einen Streit vom Zaun brechen würde, doch statt Alyssa eine Gemeinheit an den Kopf zu knallen, musterte er sie von oben bis unten und grinste.

»Baby, nachts habe ich andere Sachen zu tun, als zu Taggen. Kannst gerne vorbeikommen, dann zeige ich es dir.« Er warf Alyssa einen vielsagenden Blick zu, worauf sie die Augen verdrehte.

»Tu doch nicht so, als hättest du mit deinem Zipfelchen schon was anderes gemacht als Pipimachen.« Sie deutete mit einem Kopfnicken auf das Gekrakel. »Und was soll das überhaupt darstellen?«

»Das ist mein *Tag*, also mein Zeichen«, erklärte der Junge und schien dankbar über den Themenwechsel. »King Ömer. Das bin ich.« Stolz schlug er sich auf die Brust. »Damit verschönere ich ab heute die ganze Stadt. Das siehst du bald überall, an jeder Hauswand, auf jeder Tür, das hier ist bald alles King-Ömer-Land!« Er machte eine allumfassende Geste.

»Wow, ich bin beeindruckt.« Alyssa tat, als müsste sie gähnen.

»Und wer seid ihr?« Er warf Senta einen freundlichen Blick zu.

»Ich bin Senta.« Senta hielt ihm die Hand hin, die er höflich schüttelte. Sie vermutete, dass ihr Altersunterschied ihm Respekt einflößte.

»Alyssa. Aber ich muss dich nicht King Ömer nennen, oder?«

»Schön wäre es.« Er zwinkerte frech. »Aber Ömer reicht. Und was macht ihr so?«

»Wir passen auf Sentas Bruder auf.«

»Ist das der da, auf der Spinne?« Er wies auf das große Klettergerüst aus gespannten Seilen, das wie ein zur Pyramide aufgezogenes Spinnennetz aussah.

Senta drehte sich um und entdeckte Anton, der fast ganz oben mutterseelenalleine auf der Spinne herumturnte. Ihr blieb fast das Herz stehen vor Schreck. Wie war er da nur heraufgekommen?

»Ja!«, kreischte sie und rannte los. Sie hatte das Klettergerüst schon fast erreicht, als sich ihr ein Typ in den Weg stellte. Ihr Magen schlug einen Purzelbaum. Er! Rastaman!

»Langsam, du darfst ihn nicht erschrecken.« Rastaman hielt sie am Arm fest, und trotz der Sorge um Anton spürte Senta ein wohliges Prickeln. Er hatte sie berührt.

»Aber ich muss ihn da runterholen!«

»Ja, aber bis hierhin hat er es ohne Mühe alleine geschafft.« Er sah sie eindringlich an. »Wenn er jetzt sieht, dass du Angst um ihn hast, denkt er, dass es gefährlich ist, und bekommt auch Angst. Und dann fällt er runter. Wie heißt der kleine Mann?«

»Anton. Was soll ich nur tun?«

Inzwischen war auch Alyssa hinzugekommen. Es sah ganz danach aus, als sei Rastaman für sie kein Unbekannter.

»Was machst du denn hier?«, fragte sie ihn zur Begrüßung. »Spionierst du mir nach?«

Was auch immer die beiden für ein Problem miteinander hatten, spielte für Senta im Augenblick keine Rolle. Für sie zählte nur Anton, der dort oben auf dem Klettergerüst nichts von alldem mitbekommen hatte. Wenn er sich bloß gut festhielt.

Selbst Ömer schaute skeptisch zu Anton hinauf. In schwindelnder Höhe turnte ihr Bruder herum, als sei er die jüngste Ausgabe von *Spiderman*.

»Erkläre ich dir später.« Rastaman deutete nach oben. »Ich klettere da rauf und ihr passt hier unten auf. Falls er fällt, versucht ihr, ihn irgendwie zu fangen.« Er griff nach einem der quergespannten Taue. »Sollte er euch bemerken, tut so, als wäre alles in Ordnung. Sagt ihm, dass er das ganz toll macht. Zeigt ihm bloß nicht, dass ihr Angst habt. Ich schnappe ihn mir dann von hinten.« Damit zog er sich auf das unterste Seil und schwang sich behände hinauf.

»Das ist Per, der ist in Ordnung.« Alyssa klopfte Senta beruhigend auf die Schulter. »Keine Sorge, der schafft das schon.«

Hoffentlich behielt sie Recht. Gebannt beobachtete Senta, wie Per auf der anderen Seite des Netzes an Höhe gewann. Ihr Herz pochte ihr bis zum Hals, wobei sie nicht sagen konnte, ob nur aus Sorge um Anton. Zu beobachten, wie Per sich da so beherzt zur Rettung ihres Bruders aufschwang, machte sie auch noch auf andere Weise nervös.

Anton hingehen hatte seinen Aufstieg beendet. Mit Händen und Füßen klammerte er sich an ein senkrecht gespanntes Seil und schaute sich um. Zuerst quietschte er vor Begeisterung, doch dann dämmerte ihm, wie hoch sein Aussichtspunkt lag. Er verzog den Mund zur Schnute und begann jämmerlich zu weinen.

»Seeeentaaaaa!«

Sofort wollte Senta zu ihm hinaufklettern, doch Alyssa hielt sie zurück.

»Bleib hier und mucks dich nicht! Wenn er dich sieht, will er zu dir und lässt los.«

»Aber er weint!« Senta konnte ihren Blick einfach nicht von ihrem Bruder losreißen. Wie verängstigt und hilflos er war. Sie musste doch etwas tun.

»Solange er nur weint, ist alles in Ordnung«, mischte sich Ömer ein. Er nahm seine Kapuze vom Kopf und positionierte sich breitbeinig genau unter Anton. »Ich schwör, wenn er fällt, fange ich ihn.« Er reckte die Arme in die Luft wie ein Torwart, der einen Flankenball erwartete.

Widerwillig nickte Senta und schaute zu Per hinauf. Der war mittlerweile auf Antons Höhe angelangt und hangelte sich hinter seinem Rücken zu ihm hinüber. Anton hatte ihn noch nicht bemerkt und rief immer nur nach seiner Schwester.

»Ganz ruhig, Per weiß, was er tut«, wisperte Alyssa und legte den Arm um Sentas Schulter.

Inzwischen hatte Anton sich auf einem der Querseile hingesetzt. Seine Fäuste umklammerten das senkrechte Tau, während seine Füße nach einem der unteren Seile tasteten.

»Mist, er will selbst runterklettern.« Senta wollte sich aus Alyssas Griff befreien, da hörte sie, wie plötzlich jemand sang. Ganz sanft und in einer fremden Melodie.

»Daglar gibi dalgalari ben asarim, asarim. Daglar gibi dalgalari ben asarim, asarim. Takamin içerisinde saray gibi yasarim. Takamin içerisinde saray gibi yasarim.« Ömer sang noch ein paar weitere Zeilen, dann beendete er das Lied mit einem Summen. Senta wusste nicht, ob er damit Anton beruhigen wollte oder sich selbst, aber zumindest

Ersteres funktionierte. Über ihnen hielt der Kleine inne und schaute neugierig auf Ömer herab.

»Guck mal, da.« Beiläufig deutete dieser auf ein paar balzende Amseln in einer nahe stehenden Birke. Anton folgte seinem Fingerzeig und war sogleich vom Anblick der Vögel gebannt.

»Mach weiter«, forderte Alyssa. »Los, sing.«

Wieder sang Ömer das fremde Lied, während Per inzwischen bei Anton angelangt war und ihn freundlich ansprach.

»Hallo Anton. Du kannst aber toll klettern.«

Trotz aller Vorsicht erschrak der Kleine und verlor das Gleichgewicht.

Senta schrie auf und schlug die Hände vor den Mund, aber noch ehe ihr Bruder den Halt verlor, schnellte Pers Hand vor und packte ihn am Oberarm.

»Keine Angst, ich hab dich.« Rasch zog er den Knirps an seine Brust, der sich sogleich wie ein Pavianbaby an ihn krallte.

»Alles in Ordnung, wir kommen runter!« Per winkte ihnen zu und begann den Abstieg. Erst, als er ihr Anton übergab, atmete Senta auf.

»Danke, du hast ihm das Leben gerettet.« Seufzend überdeckte Senta ihren Bruder mit Küssen.

Per machte eine wegwerfende Handbewegung. »Das würde ich jetzt nicht unbedingt sagen. Ich hab ihm ein paar blaue Flecke erspart, aber gern geschehen.«

Senta glaubte zu sehen, wie er leicht errötete. Noch immer hämmerte ihr Herz in ihrer Brust, aber diesmal eindeutig nicht nur wegen der ausgestandenen Angst um Anton. Hatte sie nicht gestern noch der Chance hinterher getrauert, im *Fizz* einen Blick auf ihn werfen zu können? Und nun stand er direkt vor ihr und sprach sogar mit ihr.

»Und du warst auch ganz toll«, hörte sie wie aus weiter Ferne Alyssa zu Ömer sagen. »Wenn du ihn mit deinem Lied nicht beruhigt hättest, wäre er bestimmt runtergefallen.«

»Ja, das war cool«, stimmte Per zu und schlug Ömer anerkennend auf die Schulter.

»Sag mal, Ömer, was war das für ein Lied?«, wollte Senta wissen.

Im Nachhinein schien Ömer seine Gesangseinlage ziemlich peinlich zu sein. »Ach, das ist nur so ein altes türkisches Kinderlied. Meine *Anne* hat es mir früher immer vorgesungen.« Er kratzte sich verlegen am Kopf. »Es heißt *Daglar gibi dalgalari* und handelt von einem Fischer, der in einen Sturm gerät und um Rettung bittet.«

»Das hat schön geklungen«, stellte Alyssa fest.

»Nochmal singen!«, krähte Anton und versuchte, sich von seiner Schwester loszumachen.

Lachend setzte Senta ihn ab und schaute Ömer erwartungsvoll an. »Genau! Nochmal singen.«

Ömer grinste schief, dann setzte er sich vor Anton in den Sand und sang erneut. Der Kleine lauschte wie gebannt und versuchte, bei der Wiederholung selbst die fremden Worte zu bilden. Alyssa hockte sich dazu und schließlich saßen sie alle fünf im Kreis und sangen mit, bis sie sich vor Lachen über ihre schiefen Stimmen ausschüttelten.

»Ich glaube, wir müssen langsam nach Hause.« Senta zog ihr Handy hervor und sah auf die Uhr. »Bestimmt fragen sich unsere Eltern schon, wo wir stecken.« Außerdem hoffte sie, dass sie sich inzwischen wieder eingekriegt hatten, aber den Gedanken behielt sie für sich.

»Jetzt schon?« Per schaute sie fragend an. Erkannte sie da Bedauern in seinem Blick?

»Ja, bei uns ist heute das Frühstück ausgefallen und Anton hat bestimmt schon Hunger.« Sie stand auf und klopfte sich den Sand vom Hosenboden.

»Hast du heute Abend schon was vor?«

Seine Frage kam so unerwartet, dass sie nur ein zusammenhangloses Stammeln herausbrachte.

»Sorry, war nur so eine Idee. Ich dachte nur ...«, setzte er zu einer Erklärung an, doch sie unterbrach ihn.

»Nein, äh, ich meine, doch!« Lachend fasste sie sich an die Stirn. Was laberte sie da für einen Quatsch? »Also, wollte sagen: nein. Ich habe heute Abend noch nichts vor.« Beiläufig bemerkte sie, wie Alyssa sich ein Kichern verkniff.

»Super!« Per stand auf und trat an Senta heran. Wie nah er plötzlich vor ihr stand. Sie nahm einen Hauch von Kräutern wahr und beobachtete mit Entzücken, wie sich das Sonnenlicht an seinen blonden Bartstoppeln brach. »Dann also um neun im *Fizz*?«

»Gerne.«

» Ich geb dir meine Nummer, dann kannst du mich anrufen, falls dir was dazwischenkommt.«

So, wie gestern Abend, dachte sie beiläufig, zückte ihr Handy und tippte die Nummer ein, die er ihr nannte. Sogleich drückte sie auf *anrufen*, worauf es in seiner Hosentasche zu klingeln begann.

»So, jetzt hast du auch meine.« Sie nahm Antons Hand. »Bis heute Abend.« Zum Abschied schenkte sie ihm ein Lächeln und machte sich mit Anton auf den Heimweg. Hatte sie vor ein paar Stunden wirklich noch gedacht, der Tag sei im Eimer?

»Daglar gibi dalgalari ben asarim, asarim«, summte Anton neben ihr und sie stimmte mit einem warmen Gefühl in der Brust ein.

Kapitel 4

Alyssa

Nachdem Senta und Anton gegangen waren, bat Per Alyssa, sie kurz unter vier Augen sprechen zu dürfen. Sie konnte sich schon denken, was er ihr sagen wollte und wollte das Thema eigentlich nicht nochmal durchkauen. Dennoch stimmte sie zu und folgte ihm zu der Spielhütte, die Ömer kurz zuvor mit seinem *Tag* bekritzelt hatte.

»Was da vorhin bei mir zu Hause passiert ist, tut mir ganz furchtbar leid«, kam er auch gleich auf das vermasselte Frühstück zu sprechen. »Normalerweise sind meine Alten nicht so. Echt nicht. Entschuldige bitte.«

Wie er so da stand, ehrlich zerknirscht und mit zerzausten Dreads, konnte Alyssa gut verstehen, warum Senta auf ihn stand. Das war ja offensichtlich, so, wie sie ihn angeschmachtet hatte. Das konnte ein Blinder ohne Blindenhund sehen.

»Schon in Ordnung. Man kann eben nichts für seine Eltern.« Sie zuckte mit den Schultern. »Bist du extra zum Spielplatz gekommen, um mir das zu sagen?«

»Ich war zuerst beim alten Erzbergwerk, weil ich dachte, du hättest da dein neues Lager aufgeschlagen. Aber als du nicht dort warst, bin ich zum Spielplatz gelaufen in der Hoffnung, dich hier zu finden.«

Das alte Bergwerk. Natürlich! Dass sie daran nicht schon gestern gedacht hatte. Etwas außerhalb von Gremmershoven hinter der Schrebergartensiedlung und einem kleinen Wäldchen gelegen, bot es den perfekten Unterschlupf, wenn man sich von zu Hause absetzen wollte. Alyssa selbst hatte dort nie gespielt, aber Amanda hatte früher mit ihrer Clique in den verfallenen Kleiderkauen abgehangen. Nach allem, was ihre Schwester von dem Ort erzählt hatte, war er zwar etwas gruselig, aber zumindest hatte man seine Ruhe. Andererseits, wenn sie schon gestern dorthin gegangen wäre, hätte sie Per und die anderen nie kennengelernt.

»Wow.« Mehr brachte sie nicht hervor. Er hatte tatsächlich die halbe Gegend nach ihr abgesucht, nur um sich bei ihr zu entschuldigen.

»Wenn du willst, kannst du nochmal in meinem Keller pennen«, schlug er vor. »Dann kann ich dir auch etwas zu essen bringen, falls du ...«

»Nee, lass mal«, unterbrach sie ihn. »Ich glaube, ich gehe nachher nach Hause und peile die Lage. Vielleicht habe ich Glück und Patrick ist inzwischen von Aliens entführt oder von einem LKW überfahren worden.« Sie versuchte, ihre Bemerkung wie einen Witz klingen zu lassen, aber so ganz ließ sich die Bitterkeit nicht aus ihrer Stimme verbannen.

»Patrick?«

»Der Lover meiner Mum, er hatte gestern einen ziemlichen Ausraster. Ein Mega-Arsch.«

»Verstehe.« Er schien seine nächste Frage genau abzuwägen. »Wo du gerade von ihm sprichst: sein Ausraster gestern, war der für seine Verhältnisse normal oder irgendwie anders?«

Alyssa sah ihn prüfend an. »Worauf willst du hinaus?«

Per zuckte mit den Schultern. »Auf nichts Bestimmtes. Nur so.«

Alyssa überlegte, ob sie ihm von gestern Abend erzählen sollte. Davon, dass Patrick zwar ein brutaler Vollhonk war, er letzte Nacht aber quasi ein völlig neues Level erreicht hatte. Eins, bei dem es nicht mehr um Demütigung oder

Schmerzen ging, sondern um Vernichtung. Andererseits, sie kannte diesen Per doch kaum, was gingen ihn ihre Probleme an? Er konnte ihr doch sowieso nicht helfen.

»Was ist bei so einem Typen schon normal?«, wich sie mit einem Kopfschütteln seiner Frage aus.

»Zugegeben, vermutlich nichts. War nur so ein Gedanke.« Stirnrunzelnd ließ er das Thema fallen. »Also dann, vielleicht bis irgendwann mal. Pass auf dich auf.«

»Ja, mach ich. Du auch.«

Per schien zwar nicht zufrieden mit ihrer Antwort, beließ es aber dabei. Er hob zum Abschied kurz die Hand, dann drehte er sich um und ging davon.

Als Alyssa zu Ömer zurückkehrte, saß er noch unter der Spinne und malte mit dem Finger ein paar Kritzeleien in den Sand.

»Na, übst du an neuen Schmierereien?«

»Das sind keine Schmierereien, das ist Kunst«, antwortete er im Brustton der Überzeugung. »Wenn du willst, bringe ich es dir bei. Dann kannst du dein eigenes *Tag* machen.«

»Wenn du meinst.« Sie setzte sich zu ihm und schrieb lustlos mit dem Finger ihren Namen in den Sand.

Er betrachtete die Buchstaben eingehend und zeichnete ein halbes Pentagramm, dann stockte er.

Das sah gar nicht so schlecht aus. Alyssa beugte sich über das Gekrakel und überlegte. »Vielleicht so?« Sie setzte vor das halbe Pentagramm ein weiteres, jedoch spiegelverkehrt. »Damit hätten wir schon den ersten und den letzten Buchstaben.«

»Du hast Talent.« Ömer nickte anerkennend. »Und wenn man genau hinsieht, haben wir hier sogar schon das Y.« Er deutete auf die Stelle, wo sich zwei Linien des ersten A kreuzten. Dann setzte er einen Winkel an die unterste Linie, und schon hatte er ein L gezeichnet. Zum Schluss kritzelte er noch zwei Kringel in die Mitte, die wie zwei geschwungene Zweien aussahen und betrachtete sein Werk.

»Also ich finde es cool.« Zufrieden wischte er seine Hände an der Hose sauber.

»Ich auch!« Alyssa fuhr mit dem Finger die Linien nach. Ihr eigenes *Tag*. »Das male ich mir ganz groß auf meine Schultasche.«

»Auf deine Schultasche. Wow.« Ömer tat gelangweilt.

»Hast du eine bessere Idee?«

»Na, und ob. Los geht's!« Ömer stand auf und hielt ihr die Hand hin.

Verwirrt sah sie zu ihm auf. »Wie meinst du das?«

»Wie schon, Baby? Wird Zeit, dass wir die Stadt einnehmen. Komm!«

»Nenn mich nicht Baby.« Sie zeigte ihm einen Vogel. »Die Stadt einnehmen, du hast sie doch nicht alle. Es hier in den Sand oder später auf die Schultasche malen, okay. Aber fremdes Eigentum zu bekritzeln, ist eine völlig andere Hausnummer. Das ist Sachbeschädigung.« Sie sah ihn ungläubig an und hob abwehrend die Hände, doch keine Chance. Ohne Zögern zog er sie auf die Füße und lief mit ihr zur Bushaltestelle.

»Nun mach schon, es ist ganz leicht.« Er drückte ihr den Edding in die Hand.

Verstohlen schaute Alyssa sich um. »Was, hier? Mitten auf der Straße? Am helllichten Tag?«

»Meinst du, wir warten bis zur nächsten Sonnenfinsternis?« Ömer tänzelte ungeduldig von einem Fuß auf den anderen. »Oder hast du Schiss?«

Das fehlte noch, dass dieser Wannabe sie für eine Pussi hielt. »Dann pass mal auf, damit du was lernst, Kleiner«, antwortete sie mutiger, als sie sich fühlte und schob ihn beiseite. Betont lässig zog sie die Kappe vom Stift, suchte eine Stelle, die jedem sofort ins Auge springen musste und kritzelte schwungvoll zum ersten Mal ihr eigenes *Tag* auf die Plexiglaswand des Wartehäuschens. Plötzlich fielen alle Skrupel von ihr ab. Es fühlte sich großartig an. Verboten und gefährlich, zugleich verspürte sie ein Gefühl von Freiheit, wie lange nicht mehr.

»Jetzt du.« Sie gab den Stift an Ömer weiter, der mit schnellen Strichen sein Zeichen daruntersetzte. Begeistert betrachtete Alyssa ihr gemeinsames Werk. Was als Nächstes? Wie im Rausch suchte sie die Umgebung ab.

»Und jetzt da!« Sie deutete die Straße runter auf eine Baustellenwand, nahm Ömers Hand und rannte los.

Zuerst bemalten sie nur Flächen, die sowieso schon vollgekritzelt waren, aber nach einer Weile wurden sie wagemutiger. Zuerst taggten sie Zaunpfähle und Straßenschilder, aber als sie an einem schneeweißen Gartentor vorbeikamen, das das Grundstück einer kleinen Villa begrenzte, blieben sie stehen.

»Sollen wir?« Alyssa deutete mit einem Kopfnicken auf die weiße Fläche. Inzwischen pulsierte das Adrenalin förmlich durch ihre Adern. Etwas Größeres musste her, etwas, das noch verbotener war, als nur Bushaltestellen zu beschmieren.

»Bist du bescheuert?« Ömer zog sie hinter einen Fliederbusch. »Das ist eine Nummer zu heftig. Wenn wir erwischt werden, habe ich für den Rest meines Lebens Stubenarrest. Lass uns woanders hingehen. Da hinten kenne ich ein Verteilerhäuschen, das nehmen wir.«

Er wollte sie schon weiterziehen, doch sie entwand sich seinem Griff. »Sieh mal an. Ich dachte, King Ömer wäre tough.«

Er blieb unschlüssig stehen und schob die Hände in seine Hosentaschen. »Hältst du mich etwa für ein Weichei?«

Alyssa sah ihn zweifelnd an. »Keine Ahnung. Sag du es mir. Bist du ein Weichei, King Ömer?«

Ömer schaute ihr tief in die Augen, dann hob er ganz langsam seine Kapuze auf seinen Kopf und streckte die Hand aus. »Gib mir den Edding.«

Innerlich frohlockend sah sie zu, wie er sein Zeichen auf das Gartentor malte. Kaum war er fertig, riss sie ihm den Stift aus der Hand und setzte mit fiebrigem Eifer ihren Namenszug darunter. Sie war gerade fertig geworden, als sich jemand hinter ihnen räusperte. Erschrocken fuhren sie herum. Da stand ein schmächtiger Junge, höchstens zehn Jahre alt, der sie aus beinahe schwarzen Mandelaugen herablassend betrachtete. Seine schwarzen Haare umrahmten akkurat gescheitelt seine feinen Gesichtszüge, und trotz seines olivfarbenen Teints wirkte er, als würde er sich nicht oft draußen aufhalten. Er trug eine graue Leinenhose und ein dunkelblaues Poloshirt. Auf der Brust prangte ein kleines Krokodil und es war Alyssa sofort klar, dass es sich bei dem Shirt um ein Original handelte. Für eine Fälschung sah der Bursche viel zu verwöhnt aus.

»Sagt mal, wisst ihr, wessen Gartentor ihr da gerade verunstaltet?« Er reckte das Kinn hoch. »Das ist das Haus von Doktor de Jong!«

Ömer fand als erster seine Sprache wieder. Beherzt trat er einen Schritt vor. »Und was geht dich das an? Bist du sein Türstopper, oder was?«

»Ich bin zufällig Karl Anurak de Jong, sein Sohn. Was ihr da macht, ist Vandalismus.«

»Anurak – was ist das denn für ein bescheuerter Name!«, platzte es aus Alyssa heraus. »Das klingt ja nach Regenjacke.«

»Das ist Thai. Aber davon versteht ihr wohl nichts.« Er verschränkte die Arme vor der Brust und tat gelangweilt, aber Alyssa sah den verletzten Stolz in seinen Augen.

»Komm, wir verschwinden.« Sie fasste Ömer am Arm und wollte ihn weiterziehen, da meldete sich der Junge nochmal zu Wort.

»Darf ich mitmachen?«

Alyssa glaubte, nicht richtig gehört zu haben. »Sag das nochmal.«

»Du hast mich schon verstanden.« Der Junge stemmte die Hände in die Hüften. »Wie sieht's aus? Lasst ihr mich mitmachen?«

Alyssa wechselte einen schnellen Blick mit Ömer.

»Bist du denn überhaupt hart genug?«, fragte er. »Wie du schon sagtest, das hier ist Vandalismus, also nichts für Warmduscher.«

Karl musterte seine tadellos sauberen Fingernägel. »So, wie ich das sehe, habt ihr keine große Wahl. Entweder, ihr lasst mich mitmachen oder ich schreie jetzt sofort ganz laut nach meinem Vater.«

Ömer warf dem Jungen einen vernichtenden Blick zu, dem der Knirps ohne mit der Wimper zu zucken standhielt. »Von mir aus«, gab er schließlich nach. »Dann komm mit.«

Sie wandten sich zum Gehen, doch Karl deutete auf das Gartentor seines Elternhauses.

»Ich möchte hier beginnen.«

Damit hatte Alyssa nicht gerechnet. Irritiert reichte sie Karl den Stift, doch der schüttelte den Kopf.

»Nicht damit.« Er bückte sich und hob einen der faustgroßen grauen Lavasteine auf, mit denen die Grundstücksbegrenzung unter einer blickdichten Thujahecke dekoriert war. »Ich nehme den hier.«

Ehe es sich Alyssa versah, nahm der Junge den Stein in beide Hände und rammte ihn mit einer Kante gegen das Holz. Mit aller Kraft kratzte er das Wort ASSHOLE in den weißen Lack, der an den Buchstabenrändern hässlich abplatzte.

»Du bist wohl nicht gerade gut auf deinen *Baba* zu sprechen«, bemerkte Ömer, als Karl grimmig sein Werk betrachtete.

»Ach, was du nicht sagst.« Zufrieden ließ Karl den Stein fallen und zog ein mit seinen Initialen besticktes Taschentuch hervor. Damit wischte er sich die Hände ab und faltete es sorgfältig zusammen, bevor er es wieder in seiner Hosentasche verschwinden ließ. Dann rannte er so unvermittelt los, dass Alyssa und Ömer Mühe hatten, ihm zu folgen. Erst hinter einem Verteilerhäuschen, das versteckt in einer kleinen Grünanlage lag, holten sie ihn ein. Noch immer spiegelte sich grimmige Genugtuung in Karls Augen, aber zugleich bemerkte Alyssa, wie verletzt er war. Den Ausdruck kannte sie von ihrem Spiegelbild nur allzu gut. Das mit dem Gartentor musste eine üble Vorgeschichte haben.

»Stress mit den Ellies?«, fragte sie, worauf Karl den Kopf hängen ließ und nickte. »Das liegt wohl momentan irgendwie in der Luft.« Sie wandte sich zu Ömer um. »Pers Eltern waren heute auch fies zu ihm, und Senta sagte, dass ihre ebenfalls einen schlechten Tag haben.«

Ömers Gesicht sprach Bände. Erschöpft lehnte er sich gegen die Wand und ging in die Hocke. »Mein *Baba* hat mich heute Morgen angeschrien. Das hat er vorher noch nie gemacht. Und das völlig ohne Grund. Ich glaube, um ein Haar hätte er mir sogar eine Ohrfeige gegeben.«

»Mich hat mein Vater heute ziemlich fies beleidigt«, ergänzte Karl, zupfte seine Bügelfalten zurecht und hockte sich neben Ömer. Tränen standen in seinen Augen, die er nur mühsam zurückhalten konnte.

»Ohrfeigen bekomme ich fast jeden Tag.« Alyssa schaute verwundert von einem zum anderen, ehe sie sich im Schneidersitz ihnen gegenüber niederließ. »Und angeschrien oder beleidigt werde ich sowieso immer. Für mich ist das normal.«

»Das ist nicht normal«, widersprach Karl. »Meine Eltern haben mich vorher noch nie angeschrien, geschweige denn, beleidigt.«

»Meine auch nicht«, stimmte Ömer zu. »Irgendetwas ist anders. Ist dir denn an deinen Eltern nichts Ungewöhnliches aufgefallen?«

Seltsam, dass kurz nach Per nun auch Ömer danach fragte. Alyssa ließ die Geschehnisse von gestern Abend erneut durch den Kopf gehen. Es blieb dabei, auch mit rund zwölf Stunden Abstand erschien ihr Patricks Ausraster ungeheuerlich. Das war absolut eine Steigerung zu dem, was er sich bisher geleistet hatte. Sie wollte sich gar nicht ausmalen, was er mit ihr angestellt hätte, wenn sie nicht geflohen wäre.

»Doch«, gab sie schließlich zu. »Der Freund meiner Mutter. Patrick. Er ist seit letzter Nacht noch schlimmer geworden.«

Ömer setzte zu einer Frage an, doch ein Blick von ihr genügte, um ihn verstummen zu lassen. Nein, sie kannte ihn noch nicht gut genug, um ihn genauer einzuweihen, aber sie spürte, dass sich das möglicherweise bald ändern würde. Irgendetwas an ihm sagte ihr, dass sie ihm vertrauen konnte.

»Und was machen wir jetzt?«, riss Karl sie aus ihren Gedanken.

Auf einmal fühlte Alyssa die Erschöpfung, die an ihr nagte. »Ich weiß ja nicht, wie es euch geht, aber ich habe seit gestern Mittag kaum etwas gegessen.« Sie ließ die Schultern fallen. »Mir ist schlecht vor Hunger und Durst, und müde bin ich auch. Vielleicht sollte ich nach Hause gehen und mal die Lage checken. Wenn ich Glück habe, ist Patrick ja wieder auf Sauftour.«

»Okay«, stimmte Ömer ihr zu. »Aber du gehst nicht alleine. Ich komme mit.«

Kapitel 5

Senta

Er hatte sie zu einem Date eingeladen! Ihr wurde ganz kribbelig bei dem Gedanken, ihn schon in wenigen Stunden wiederzusehen. Was sollte sie nur anziehen? Worüber mit ihm reden? Durfte man sich nach dem ersten Date zum Abschied küssen? Falls ja, Mund oder Wange? Hoffentlich blamierte sie sich nicht. Ihr Kopf schwirrte, und es fiel ihr nur eine Person ein, die ihr die richtigen Instruktionen geben konnte. Während Anton fröhlich vor ihr her hopste, zog sie ihr Handy aus der Hosentasche und schickte eine Nachricht an Lea, in der sie ihr von der neuen Entwicklung berichtete. Bereits wenige Sekunden später kam auch schon Leas Antwort. »Toll, ich freu mich für dich.« Kein Herzchen, kein Smiley. Was war der denn über die Leber gelaufen? Normalerweise hätte sie in Jubelstürme ausbrechen und einen haarkleinen Bericht einfordern müssen, aber das klang doch sehr zurückhaltend. Senta setzte sich auf ein Gartenmäuerchen und wählte Leas Nummer. Sie meldete sich nach dem ersten Klingeln.

»Ja?« Ihre Stimme klang belegt.

»Was ist los, Süße? Bist du krank?«

Am anderen Ende der Leitung putzte sich Lea vernehmlich die Nase. »Alles in Ordnung, ich hab mich vorhin nur mit meiner Mama gefetzt. Sie ist voll ausgetickt, weil ich mir gestern ohne zu fragen ihre Bluse ausgeliehen hatte.«

»Aber das hast du doch schon öfter gemacht und sie hat nie etwas dazu gesagt.« Drehten denn jetzt alle Eltern plötzlich am Rad?

»Ja, eben.« Lea schniefte. »Daraufhin hat sie meinen kompletten Kleiderschrank ausgeräumt und alles in den Garten geworfen. Die spinnt doch wohl!«

Senta beobachtete, wie Anton sich auf die Bordsteinkante setzte und ein paar Gänseblümchen aus den Gehwegfugen rupfte. »Und dein Vater?«

»Der hat gesagt, ich soll ihn mit dem Scheiß in Ruhe lassen.« Inzwischen hörte Lea sich nicht mehr nur traurig an, sondern regelrecht wütend.

»Soll ich nachher vorbeikommen und dir beim Einräumen helfen?«

»Lass mal. Ich schaff das schon. Sieh du nur zu, dass du dir nachher deinen Rastaman einfängst.«

»Ach ja? Und wie soll ich das machen? Mit einem Lasso, oder wie?«

»Mit deinen weiblichen Reizen, du Nase! Tu nichts, was ich nicht auch tun würde.« Endlich lachte Lea wieder und klang beinahe wieder normal.

»Bitch!« Senta kicherte.

»Selber Bitch!« Lea schmatzte ein Küsschen durch die Leitung, ehe sie auflegte.

Mittlerweile hatte Anton einen kleinen Strauß Grashalme und Gänseblümchen zusammengepflückt, die er Senta in einer feierlichen Geste in die Hand drückte. Die Blütenköpfchen machten einen ziemlich mitgenommenen Eindruck, doch Anton strahlte voller Stolz.

»Danke, mein Süßer.« Senta zog ihren Bruder in die Arme und küsste ihn auf die Wange. »Und jetzt gehen wir endlich Mittagessen. Hast du Hunger?«

Per

Als Per nach Hause kam, traute er seinen Augen nicht. War das hier eine Polizeirazzia? Hatte Alyssa ihn doch noch verpfiffen? Die Tür zum Rübenkeller stand sperrangelweit offen, der Kleiderschrank mit seiner Plantage lag zerborsten im Hof. Zertretene Jungpflanzen, Blumenerde, Scherben von Blumentöpfen, zerfetzte Alufolie und dergleichen mehr ergossen sich auf das Pflaster.

Verdammter Mist, was ging denn hier ab? Unabhängig davon, dass da sein gesamtes Taschengeld der letzten zwei Jahre im Dreck lag – von der investierten Arbeit mal ganz abgesehen – dürfte bereits die Ernte von dieser Woche die Menge des tolerierten Eigenbedarfs weit überschreiten. Sein Mund wurde staubtrocken. Nie war ihm in den Sinn gekommen, welche Konsequenzen sein kleines Hobby auf sein weiteres Leben haben könnte. Jetzt bekam er die Quittung. Wie festbetoniert stand er da, starrte auf die Szene und hatte das Gefühl, jeden Augenblick unter einem Erdrutsch begraben zu werden. Seine Kopfhaut kribbelte und seine Finger wurden eiskalt. So fühlte sich also der komplette Kontrollverlust über seine Zukunft an. Er konnte nichts mehr tun, außer sich in erschreckender Klarheit die zwangsläufig folgende Kettenreaktion vor Augen zu führen: Eine saftige Jugendstrafe war ihm nicht nur wegen des Anbaus so gut wie sicher. Hinzu kam, dass er haarklein jeden Verkauf sorgfältig in einem Notizbuch festgehalten hatte. Das würde den Handel beweisen. Ein Drogentest genügte, um seinen Konsum zu belegen. Den Führerschein konnte er damit in Zukunft vergessen, ebenso eine Ausbildung. Aus der Traum von einem gechillten Leben. Und seine Eltern? Was, wenn man sie als Mitwisser verknackte? Er brauchte dringend einen Anwalt.

Aber wo steckten nur seine Eltern?

»Mama? Papa?« Endlich löste er sich aus seiner Starre. Er wollte zum Haus rennen, da bemerkte er eine Bewegung am Rübenkeller. Es war sein Vater, der rückwärts die Treppe heraufkam und dabei etwas Schweres trug: Die Fliegengittertür, voll beladen mit der neuen Ernte. Nun erschien auch Pers Mutter, die das andere Ende der Tür hielt. Erst jetzt fiel ihm auf, dass er gar keinen Streifenwagen vor dem Hof bemerkt hatte, außerdem sah er nirgendwo einen Polizeibeamten.

»Sagt mal, was treibt ihr da?« Mit schnellen Schritten war er bei seinen Eltern, die das Fliegengitter inzwischen aus dem Keller herausgewuchtet hatten und den Inhalt auf den Boden zu den Resten seiner Plantage kippten.

»Das alles hört jetzt auf«, knurrte sein Vater und brach die Tür mit einem gezielten Tritt mittendurch. Das Dope flog in alle Richtungen und Per musste sich zusammenreißen, um es nicht auf Knien rutschend einzusammeln. Stattdessen stand er fassungslos daneben. Was war nur in sie gefahren? Sie hatten sich doch nie an seinem Gras gestört und sein Vater hatte sogar früher den ein oder anderen Joint mit ihm zusammen geraucht.

»Lasst das! Hört auf damit!« Er wollte seinen Vater zurückhalten, doch der versetzte ihm einen Stoß, dass Per beinahe gestürzt wäre.

»Mama, was soll das?«, wandte er sich an seine Mutter, die inzwischen wie Rumpelstilzchen auf seinen Pflanzen herum trampelte. Nichts erinnerte noch an die Frau, die morgens zur Radiomusik in der Küche tanzte und mit Ölfarbe an den Händen Pfannkuchen briet.

»Bei dir ziehen wir jetzt andere Saiten auf«, spie sie ihm ins Gesicht. »Es wird Zeit, dass du endlich erwachsen wirst.

Das Leben besteht nicht nur aus Saufen, Kiffen, Party! Und das hier ist erst der Anfang.«

»Ihr seid doch total gestört!« Entsetzt starrte er die Leute an, die er bisher zu kennen geglaubt hatte, und rannte ins Haus. Von einer schlimmen Vorahnung getrieben stürmte er die Treppe zu seinem Zimmer hinauf und riss die Tür auf. Gott sei Dank, hier hatten sie noch nicht gewütet. Er kletterte auf sein Bett und angelte nach der Kaffeedose auf dem Regal, die die Reste der vorigen Ernte beinhaltete. Hastig stopfte er sie in einen Rucksack, zusammen mit seinen Papers, dem Knaster und den Filtern. Dann griff er sich den Grinder vom Regal, seine kleine Bong und alles, was entfernt mit Cannabis zu tun hatte, und legte es dazu. Diese Sachen würden seine Alten nicht in die Finger bekommen. Aber wohin mit dem Zeug? Das verlassene Erzbergwerk! Heute Vormittag hatte er es noch Alyssa als Unterschlupf empfohlen, nie hätte er gedacht, dass er so schnell selbst darauf zurückkommen würde. In einem der Stollen würde er sein Zeug zwischenlagern, bis seine Alten wieder zur Besinnung gekommen waren. Als er draußen auf dem Hof an ihnen vorbeikam, rechnete er schon halb damit, dass sie ihn aufhalten und die Herausgabe seines Rucksacks verlangen würden. Stattdessen ließen sie ihn völlig unbehelligt auf sein Fahrrad steigen und davonfahren. Es wirkte beinahe so, als hätten sie ihn nicht einmal bemerkt.

Alyssa

»Soll ich mit reinkommen?« Ömer trat unschlüssig von einem Fuß auf den anderen. Während des Heimwegs hatte er sich noch wie Alyssas persönlicher Bodyguard benommen, aber hier, vor der Tür ihres Elternhauses, schrumpfte er förmlich vor ihren Augen zusammen.

»Ich gehe erst mal alleine rein und gebe dir dann Bescheid.« Sie versuchte zuversichtlicher zu klingen, als sie sich fühlte. Besucher konnte Patrick echt nicht leiden, und wenn es dann auch noch ein Junge war – ein türkischer Junge – würde er hundert Pro ausrasten. Besser, Ömer wartete draußen ab, ob die Luft rein war.

»Okay. Aber sobald er Stress macht, rufst du mich.« Er reckte das Kinn vor und straffte die Schultern, was nicht darüber hinwegtäuschte, dass er noch immer wie ein zu groß geratener Teddybär wirkte.

»Darauf kannst du einen lassen.« Alyssa steckte den Schlüssel ins Schloss und drehte ihn herum. Als sie die Tür öffnete und den Hausflur betrat, dröhnte ihr der Fernseher das Gedudel irgendeiner Shampooreklame entgegen. Mist, Patrick war zu Hause, denn nur er glotzte um diese Zeit und stellte die Kiste dabei auf volle Lautstärke. Sie nickte Ömer zu und schloss die Haustür, bevor sie zur Wohnzimmertür ging. Sie stand einen Spaltbreit auf und Alyssa konnte über der Sessellehne Patricks kurz geschorenen Schädel erkennen. Ein tätowierter Arm baumelte links über die Armlehne, zwischen den Fingern hielt er eine erloschene Kippe, deren Asche länger nicht abgeklopft worden war. Zuerst dachte Alyssa, er würde pennen, doch dann tastete seine rechte Hand über den Wohnzimmertisch, fand eine Bierflasche und zog sie heran. Sie hörte, wie er in gierigen Zügen trank, rülpste, dann wurde die Flasche zurückgestellt. Dabei setzte er sie halb auf der Fernbedienung ab, sie kippte um und ergoss ihren Restinhalt über ein Programmheft und einen Pizzakarton, in dem kalte Käsebröckchen klebten. Patrick schien das alles nicht zu stören. Während der Bierschaum seine

Bahnen zog und schließlich über die Tischkante auf den Fußboden tropfte, hatte er nur Augen für den Fernseher. Inzwischen war die Werbung zu Ende und der Film ging weiter. Alyssa erkannte ihn sofort. Als sie klein war, hatte sie ihn auf DVD und bestimmt tausendmal mit ihrer Schwester gesehen: Barbie und der Nussknacker. Beinahe hätte sie laut gelacht über Patricks heimliche Vorlieben, aber irgendetwas beunruhigte sie bei dem Anblick. Und überhaupt, wo war ihre Mutter? Sie ließ das Wohnzimmer hinter sich und ging weiter zur Küche. Auf dem Tisch standen noch die Reste des Frühstücks. Es sah aus, als hätten Patrick und ihre Mutter mittendrin aufgehört: Auf einem der Brettchen lag ein halb fertig geschmiertes Marmeladenbrot, beide Kaffeetassen waren halbvoll und in der Mettwurst steckte noch das Messer. Es roch brenzlig nach verbrannter Milch, und als sie in den Kochtopf schaute, wusste sie, warum. Zum Glück hatte der Überhitzungsschutz den Herd irgendwann selbst ausgeschaltet, sonst hätte hier wer weiß was passieren können. Hatte ihre Mutter das etwa nicht bemerkt? Alyssa nahm den Topf vom Herd, öffnete das Küchenfenster und ging weiter zum Bad. Hier sah alles ganz normal aus, wenn auch unbenutzt. Keine Wasserspritzer im Waschbecken, keine feuchten Handtücher, nichts deutete darauf hin, dass sich hier heute schon jemand fertiggemacht hatte. Mit einem unguten Gefühl stieg Alyssa die Treppe hinauf. Hatte Patrick letzte Nacht seine Wut an ihrer Mutter ausgelassen?

Oben angekommen, legte Alyssa ein Ohr an die Schlafzimmertür. Drinnen war es mucksmäuschenstill. Bitte, bitte, lass ihr nichts geschehen sein!

»Mama? Bist du da?«

Vorsichtig drückte sie die Türklinke herunter und trat ein. Was sie sah, verstörte sie mehr als ein Barbie und der

Nussknacker schauender Patrick. Ihre Mutter saß im Schneidersitz auf dem Bett, inmitten eines unüberschaubaren Wusts aus Fotoalben und losen Fotos. Das Sonnenlicht fiel in schmalen Streifen durch die halb heruntergelassenen Jalousien und malte staubige Lichtstreifen auf die Szene. Ihr inzwischen viel zu weiter Morgenmantel klaffte vorne auf und legte eine ihrer Brüste bloß, doch sie schien es ebenso wenig zu bemerken, wie Alyssas Erscheinen. In ihrem Schoß lag das Album mit den Fotos ihres letzten gemeinsamen Urlaubs mit Papa. Damals hatten sie noch nicht ahnen können, dass dies ihre letzten glücklichen Momente sein würden und er schon wenig später die Ursache für seinen Gewichtsverlust und die ungesunde Hautfarbe erfahren sollte. Träge blätterte ihre Mutter die Seiten des Albums um, aber ihr Blick starrte ziellos in die Ferne. Ein Knoten zog sich um Alyssas Hals und machte ihr das Sprechen schwer.

»Mama, was machst du denn hier im Dunkeln?« Sie ging zum Fenster und zog die Jalousien hoch, dabei bemerkte sie beiläufig Ömer, der noch immer unten vor dem Haus stand und geduldig ausharrte.

Der plötzliche Lichteinfall ließ ihre Mutter blinzeln, doch sie reagierte weder auf Alyssa, noch darauf, dass sie ihr behutsam das Album aus der Hand nahm. Stattdessen griff sie einfach ohne Hinzusehen nach irgendeinem Fotobuch und schlug es auf.

»Komm, Mama, das bringt doch nichts.« Alyssa nahm ihr auch dieses weg und schloss sanft ihren Morgenmantel. »Was ist passiert? Hat Patrick wieder Scheiße gebaut?«

Endlich hob ihre Mutter den Kopf und sah sie an. In ihrem Blick lag eine Leere, die Alyssa zurückschrecken ließ. Ihre Mutter schien sie weder zu erkennen, noch überhaupt wahrzunehmen. Es war, als wäre sie unsichtbar für ihre Augen.

»Mama?« Alyssa wedelte mit der Hand vor ihrem Gesicht herum, doch sie zeigte keinerlei Reaktion. »Mama?«

Der Panik nahe packte sie ihre Mutter bei den Schultern und schüttelte sie. »Um Himmels willen, was ist mit dir?«

Plötzlich zuckte eine Art Krampf durch den Körper ihrer Mutter, ihre Hand schnellte vor und schlug Alyssa ins Gesicht.

»Fass mich noch einmal an, und ich bringe dich um«, zischte sie. Der Blick, mit dem sie Alyssa fixierte, war so hasserfüllt, dass Alyssa schockiert zurückprallte. Noch immer schien sie sie nicht zu erkennen.

»Mama, ich bin es, Alyssa«, doch ihre Mutter war bereits wieder in ihrer Lethargie versunken.

Was hatte dieser Scheißkerl ihr angetan? Voller Wut stürmte Alyssa nach unten und riss die Wohnzimmertür auf. »Du Wichser! Was hast du mit Mama gemacht?« Wie von Sinnen rannte sie zu ihm, baute sich vor ihm auf und riss die Fäuste hoch, doch als sie auf ihn herabschaute, entdeckte sie in seinem Blick dieselbe beängstigende Teilnahmslosigkeit wie bei ihrer Mutter. Von seinem Mundwinkel aus führte eine verkrustete Sabberspur zu seinem stoppeligen Kinn und die blutunterlaufenen Augen glotzten nur vage Richtung Fernseher.

»He, du Penner! Ich rede mit dir!« Ungeachtet der Gefahr, dass er auf sie losgehen würde, klatschte sie ihm rechts und links zwei Ohrfeigen ins Gesicht. Sein Kopf flog hin und her, aber er schaute nicht einmal auf. Das machte ihr mehr Angst, als alles andere. Plötzlich hatte sie das Gefühl, keine Luft mehr zu bekommen. Rückwärts taumelte sie von ihm fort, stolperte dabei über einen umgekippten Zeitungsständer und flüchtete in ihr Zimmer. Nichts wie weg hier, das waren ja die reinsten Zombies! Hastig stopfte sie ein paar

Klamotten, ihr Tagebuch und einen Schlafsack in ihre Sporttasche, knackte ihr Sparschwein, schüttete den Inhalt dazu und machte, dass sie wegkam. Jetzt würde sie doch noch in den Ruinen des alten Bergwerks übernachten müssen.

Kapitel 6

Senta

Als Senta und Anton vor der Tür ihres Elternhauses standen, hatte sie keine Ahnung, was sie drinnen vorfinden würde. Entweder war alles wie sonst und ihre Eltern hatten sich wieder eingekriegt, oder der Albtraum, den sie vor Jahren bereits einmal durchlitten hatte, würde wieder von vorne losgehen. Ihr Magen zog sich zusammen bei der Erinnerung, die sie bis dahin so mühevoll verdrängt hatte und die nun mit aller Macht in ihr hochstieg. Sanft legte sie die Hand auf Antons Wange, der ahnungslos und voller Vertrauen zu ihr aufblickte. Sollten die Probleme ihrer Eltern wieder hochkochen, würde sie alles tun, was in ihrer Macht stand, um ihn zu beschützen. Sie atmete einmal tief durch, nahm Antons Hand und schloss auf.

»Hallo! Wir sind wieder zu Hause!«, rief sie mit gespielter Fröhlichkeit und schlüpfte aus ihren Ballerinas, ehe sie ihrem Bruder aus der Jacke half und ihm die Sandalen auszog. Im nächsten Moment flitzte Anton munter Richtung Küche, doch Senta ahnte, dass ihre Befürchtungen sich bewahrheiten sollten. Statt des üblichen Dufts nach frisch gekochtem Mittagessen lag ein muffiger Geruch in der Luft, als hätte jemand vergessen, den Müll rauszubringen. Sie folgte Anton und fühlte sich beim Anblick der leeren Herdplatten bestätigt. Ein Schauer kroch ihr über den Nacken. Wenn ihren Eltern eins heilig war, dann die gemeinsamen sonntäglichen Mittagessen. Unter der Woche kamen sie selten alle zusammen an den Tisch, aber egal was war, das Mittagessen am Sonntag gehörte der Familie. Immer.

»Nix da.« Anton schmiegte sich enttäuscht an Sentas Oberschenkel.

»Ich mach dir gleich was.« Beschwichtigend tätschelte sie seinen Scheitel. »Mama? Papa? Alles in Ordnung bei euch?« Mit einem flauen Gefühl im Bauch streifte sie durchs Haus und stockte, als sie ihre Eltern erblickte. Noch immer ungeduscht und in Schlafsachen hockten sie im Wohnzimmer einträchtig auf dem Sofa, zwischen sich die inzwischen fein herausgeputzte Puppe.

»Alles in Ordnung?«, wiederholte sie, doch ihre Eltern reagierten nicht. Stattdessen zupfte ihre Mutter das inzwischen wieder blütenweiße Kleid der Puppe zurecht, während ihr Vater apathisch auf seine Knie starrte.

»Mama, Papa!« Anton drängelte sich an Senta vorbei und war im Begriff, zu ihnen zu laufen. Ruckartig hob ihr Vater den Kopf und starrte ihn verächtlich an. Instinktiv packte Senta ihren Bruder am Arm und hielt ihn zurück.

»Komm, Kleiner. Wir lassen Mama und Papa noch ein bisschen mit der Puppe spielen, okay? Wir beide gehen inzwischen schon mal rauf und schauen, ob du nicht ein kurzes Mittagsschläfchen machst.« Sie hob Anton auf den Arm und wandte sich um, da glaubte sie, aus dem Augenwinkel eine Bewegung zu bemerken. Irrte sie sich, oder hatte die Puppe sie tatsächlich angegrinst?

Auf leisen Sohlen schlich sie mit Anton nach oben, machte ihn bettfertig und wartete, bis er eingeschlafen war. Erst in ihrem Zimmer gestattete sie sich, ihren Gefühlen nachzugeben. Zitternd setzte sie sich auf die Bettkante und ließ ihren Tränen freien Lauf. Was zur Hölle war hier los? Zuerst hatte sie gedacht, die Probleme ihrer Eltern hätten sie eingeholt, doch es musste etwas anderes sein. Die Stimmung damals war zwar angespannt gewesen, aber jetzt war sie regelrecht aggressiv. Außerdem schien es, als herrschte trotz allem zwischen ihren Eltern eine stumme Eintracht. Senta legte sich aufs Bett, verschränkte die Arme hinter dem Kopf und starrte an die Zimmerdecke. Wenn sie so recht nachdachte, verlief seit gestern eine unsichtbare Front durch ihre Familie: mit ihr und Anton auf der einen und ihren Eltern auf der anderen Seite. Wo kam die so plötzlich her? Hatte sie etwas falsch gemacht? Vielleicht war es nur eine Phase und sie kriegten sich wieder ein. Und wenn nicht? In ihrem Innersten wusste sie, dass es, was auch immer es war, nicht von selbst verschwinden würde. Papa hatte Anton so böse angeschaut, dass es Senta die Haare zu Berge stehen ließ. Sie musste mit ihnen reden, um Antons willen. Der kleine Kerl kapierte doch gar nicht, was um ihn herum geschah. Sentas Gedankenkarussell nahm Fahrt auf, und während sie so vor sich hin grübelte, fielen ihr vor Erschöpfung die Augen zu. Erst ein schriller Alarm ließ sie aufschrecken.

Der Rauchmelder!

In Windeseile sprang sie vom Bett und riss die Zimmertür auf. Ein brenzliger Gestank schlug ihr entgegen. Jetzt hörte sie auch Anton von unten plärren.

»Ich komme!« Panisch rannte sie die Treppe runter. Aufs Schlimmste gefasst riss sie die Küchentür auf und fand ihren Bruder in Tränen aufgelöst neben dem Herd wieder. Auf dem rot glühenden Kochfeld kokelte unter dicken Rauchwolken eine Frikadelle vom Vortag.

Senta riss ihren Bruder hoch und untersuchte seine Handflächen. Unverletzt. Zum Glück.

»Alles gut, nix passiert«, beschwichtigte sie ihn.

Zitternd schaltete sie den Herd aus, knipste die Dunstabzugshaube an und öffnete das Küchenfenster. Mit einem Topflappen klaubte sie die Reste der Frikadelle vom Herd, warf sie ins Spülbecken und drehte den Wasserhahn auf. Normalerweise hätte der Radau oder zumindest Antons Geschrei ihre Eltern alarmieren müssen, aber von ihnen keine Spur. Wo steckten die nur?

»Wollte Frikadellen essen«, jammerte Anton und schmiegte sich in Sentas Arm. »Hab so Hunger.«

»Du armer Schatz. Keiner macht dir was zu essen, und da hast du dir selbst was kochen wollen, oder?« Sie drückte ihm einen Kuss auf die tränennasse Wange. Inzwischen war der Qualm abgezogen und der Rauchmelder gab endlich Ruhe. Senta schaltete den Dunstabzug aus und setzte ihren Bruder auf der Tischkante ab.

»Sollen wir dir mal was Richtiges machen? Was hältst du von Spinat und Fischstäbchen?«

Kurz darauf drehte der Tiefkühlspinat in der Mikrowelle seine Runden und die Fischstäbchen brutzelten in der Pfanne. Anton schien den Schreck schnell weggesteckt zu haben, denn er aß mit gewohntem Appetit und plapperte munter vor sich hin. Er verdrückte bereits die zweite Portion, als Senta beschloss, mal nach ihren Eltern zu sehen. Wo konnten sie bloß stecken, dass sie von dem ganzen Drama nichts mitbekommen hatten? Sie wollte im Garten mit der Suche beginnen, da fiel ihr Blick ins Wohnzimmer. Das konnte doch nicht wahr sein! Noch immer saßen sie zusammen mit ihrer blöden Puppe auf dem Sofa und hatten sich die ganze Zeit nicht an dem Aufruhr gestört, der nur ein Zimmer weiter stattgefunden hatte.

»Sagt mal, was stimmt denn nicht mit euch?«, schrie sie. »Ist euch diese beschissene Puppe wichtiger als eure Kinder?« Mit raschen Schritten durchquerte sie den Raum, riss dieses verdammte Ding an sich und schleuderte es hinter sich in die Ecke. Endlich sah ihr Vater erschrocken auf und schaute suchend umher. Ihre Mutter erhob sich und bahnte sich ihren Weg durchs Zimmer. Zuerst dachte Senta, sie würde auf sie zugehen, doch sie blickte durch Senta hindurch. Offenbar hatte sie nur Augen für diese elende Puppe, die mit verdrehten Gliedern und breit grinsendem Mund am Boden lag. Behutsam nahm sie sie auf, richtete ihre Frisur und trug sie zurück zum Sofa, wo ihr Vater sie mit ausgestreckten Händen entgegennahm. Keiner von beiden würdigte Senta auch nur eines Blickes oder störte sich daran, dass ihre eigene Tochter den Tränen nahe aus dem Raum stürzte.

»Komm, Anton, wir gehen mal rüber zu Lea. Na, wie klingt das?«

Ehe der Kleine so recht begriff, wie ihm geschah, klemmte sie sich ihren Bruder unter den Arm und trug ihn zur Garderobe. Mit bebenden Händen streifte sie ihm seine Schühchen über, schlüpfte in ihre eigenen, schnappte sich ihre Jacken und machte, dass sie raus kam aus diesem Irrenhaus.

»Hey, da bist du ja!«, Per zog einen Barhocker für Senta heran und winkte nach dem Barkeeper.

»Klar, schließlich waren wir doch verabredet.« Senta setzte sich und bestellte eine Apfelschorle. Das *Fizz* war für Sonntagabend erstaunlich voll, dennoch herrschte eine ruhige, beinahe bedrückte Stimmung. Fast wie damals, als Deutschland bei der WM schon in der Vorrunde ausgeschieden war. Senta hatte zwar keine Ahnung von Fußball, aber sie erinnerte sich noch gut daran, wie die Stimmung im *Fizz* nach dem Abpfiff des Spiels in den Keller gesackt war. Vielleicht war ja wieder irgendein wichtiges Fußballmatch verlorengegangen.

»Hätte ja sein können, dass dir was dazwischengekommen ist. An einem Tag wie heute würde ich mich über gar nichts mehr wundern.« Per lächelte gezwungen und nippte an seiner Cola.

Senta seufzte. »Da sagst du was. Derzeit wirken alle ein bisschen bescheuert.« Sie wollte das Thema damit abhaken, doch Per zog neugierig die Augenbrauen hoch.

»Ach, bei dir auch? Erzähl!«

Sie machte eine wegwerfende Handbewegung. »Ist nicht so wichtig. Meine Eltern drehen nur gerade völlig durch.«

Er legte seine Hand auf ihren Oberarm. Es fühlte sich an, als würde sie sanfte Stromstöße aussenden. Als er sie wegzog, spürte sie dem Gefühl mit Bedauern hinterher.

»Doch, ich finde es wichtig«, beharrte er. »Was ist passiert?«

Lea würde ihr garantiert dringend davon abraten, gleich beim ersten Date Problemgespräche zu führen. Was sollte er von ihr denken? Dass sie eine durchgeknallte Irre war, mit der er sich nur einen Sack voll Sorgen aufhalste? Psychos sind nicht sexy, würde Lea sagen, und normalerweise würde sie ihr Recht geben. Aber er wirkte nicht nur höflich interessiert, sondern schien regelrecht auf ihre Geschichte zu brennen. Außerdem war es einfach zu ungeheuerlich, was sich heute bei ihr zu Hause abgespielt hatte.

»Also, gut, du hast es so gewollt.« Sie nahm einen Schluck Schorle, stellte das Glas ab und sah ihn prüfend an. »Aber sag hinterher nicht, ich hätte dich nicht gewarnt.«

Er unterbrach sie nicht ein einziges Mal, hörte aufmerksam zu und schien von Minute zu Minute ernster zu werden. Das Geschehen rings um sie herum verschwand in einem diffusen Nebel und sie hatte das Gefühl, ihm ihre innersten Ängste anvertrauen zu können. Als sie zum Ende kam, schaute er sie so unergründlich an, dass sie nervös wurde.

Was mochte er jetzt über sie denken? Sie atmete tief durch und zwang sich zu einem Lächeln.

»Du denkst jetzt sicher, wir sind Freaks.«

Er schüttelte langsam den Kopf. »Nein, das denke ich nicht. Ich denke vielmehr, dass hier merkwürdige Dinge vor sich gehen. Wo ist Anton jetzt? Du hast ihn doch sicher nicht bei deinen Eltern gelassen?«

Sie schnaufte verächtlich. »Wo denkst du hin? Nach dem verkorksten Mittagessen habe ich sauber gemacht und ihn zu meiner Freundin Lea gebracht. Die hat zwar im Moment auch Stress mit ihren Erzeugern, aber ...«

»Stopp mal!« Mit einer raschen Handbewegung unterbrach er sie. »Deine Freundin hat auch Ärger mit ihren Eltern?«

»Ja, wieso?«

Er nagte an seiner Unterlippe und schien mit sich zu ringen. »Meine Eltern sind seit heute Vormittag auch ziemlich aggro. So habe ich sie noch nie erlebt.«

Dann erzählte er ihr, was sich bei ihm zu Hause zugetragen hatte. Als er sie in das Geheimnis seines Rübenkellers einweihte, fühlte sie sich ein bisschen unbehaglich, schließlich war Cannabis illegal und ihre Eltern hatten sie immer davor gewarnt, aber Per wirkte so gar nicht wie ein Junkie. Im Gegenteil, er schien seine grauen Zellen besser beieinander zu haben, als die meisten ihrer Bekannten, die die Wochenenden zum Komasaufen nutzten.

Als er seine Geschichte beendete, nickte Senta. »Das ist wirklich sehr seltsam. Diese Alyssa erzählte nämlich auch, dass der Lebensgefährte ihrer Mutter sie angegriffen hätte. Obwohl – das scheint ja bei ihm nichts Besonderes zu sein, wie sie sagte.«

»Ja, sie hat auch mir gegenüber so was angedeutet, und selbst wenn dieser Stiefvater schon immer ein brutales

Schwein war, bleibe ich dabei: etwas Merkwürdiges passiert mit den Erwachsenen. Nein - etwas Unheimliches.«

Zuerst dachte sie, er würde sie auf den Arm nehmen, doch dann bemerkte sie seinen ernsten Gesichtsausdruck. Er wandte sich von ihr ab und ließ seinen Blick durch den Raum schweifen.

»Spürst du das? Diese bedrückte Stimmung? Ich wette, wenn wir hier die Leute befragen würden, könnte uns jeder Einzelne eine ähnliche Geschichte erzählen.« Er zog sein Handy hervor, tippte einen seiner Kontakte an und hielt es ans Ohr. Gleich darauf hob jemand ab. »Hey, Malte! Alles fit?« Er lauschte der Antwort und lachte kurz auf. »Na klar, achthundert Watt. Das hat's voll gebracht. Du warst ganz schön breit, als du nach Hause gegangen bist. Haben deine Eltern nichts dazu gesagt, oder hast du sie heute noch gar nicht gesehen?« Als er Malte zuhörte, verblasste sein Lächeln. »Okay, Alter, da kann man nichts machen. Bestimmt kriegen sie sich wieder ein.« Er verabschiedete sich und legte auf.

Senta wurde ganz mulmig zumute. Malte war der Bruder ihrer Freundin Vicky, und Pers Gesichtsausdruck nach zu urteilen, stimmte mit ihren Eltern ebenfalls etwas nicht.

»Das muss gar nichts zu bedeuten haben«, wiegelte sie halbherzig ab. »Wir sind so auf das Thema fixiert, dass wir solche Zufälle überbewerten.«

»Du glaubst, so etwas wie ein blauer BMW?«

»Was soll das denn bedeuten?«

»Selektive Wahrnehmung«, erklärte er. »Wenn du selbst einen blauen BMW fährst, sind plötzlich die Straßen voller blauer BMWs. Dein Unterbewusstsein nimmt nur noch diese Autos wahr und blendet all die anderen aus. Deshalb hast du das Gefühl, an jeder Straßenecke vermehrt dieses Modell zu sehen.«

Senta nickte. »Verstehe. Als meine Mutter mit Anton schwanger war, habe ich überall schwangere Frauen gesehen. Ich hatte das Gefühl, es wären viel mehr als sonst. Ja, diese Sache ist nichts weiter als ein blauer BMW.«

»Bist du da sicher?« Er trank noch einen Schluck Cola und musterte sie über den Glasrand hinweg.

»Bestimmt.« Sie nickte mit Nachdruck. »Überleg mal, Eltern von Teenagern sind doch von Natur aus schon mieser drauf als andere. Wir achten nur noch auf unsere Eltern und blenden alle anderen Erwachsenen aus. Das muss es sein, ansonsten wäre es ja völliger Irrsinn. Eltern, die alle gleichzeitig durchdrehen, das gibt es doch nur in Hollywood.« Sie lachte, aber es klang nicht einmal in ihren eigenen Ohren echt.

»Zugegeben, vielleicht hat es was mit selektiver Wahrnehmung zu tun«, räumte er ein. »Das ändert aber nichts daran, dass meine Eltern komplett jemand anderes waren. Das, was sie heute abgezogen haben, hatte nichts mit schlechter Laune zu tun. Sogar wenn niemand sonst von jetzt auf gleich so ein Verhalten an den Tag gelegt hätte, würde ich sagen, dass da was ganz eindeutig nicht mit ihnen stimmt. Und nun frag dich selbst, ob das Verhalten deiner Eltern für sich alleine schon alarmierend genug ist, um zu sagen, dass da was faul ist.«

Nachdenklich fuhr Senta mit dem Zeigefinger die Kanten ihres Bierdeckels nach. Das, was sie heute mit ihren Eltern erlebt hatte, war weit über normale Reibereien hinausgegangen. Selbst in ihrer schwierigen Phase, als sich ihre Eltern beinahe getrennt hatten, waren sie immer für sie da gewesen. Nie hatte es ein böses Wort gegeben, geschweige denn, dass sie aggressiv geworden waren. Und Anton war ihr kleiner Prinz. Alleine die Tatsache, dass es sie kaltgelassen hatte, als er sich in seiner Verzweiflung selbst etwas zu essen machen wollte, war nicht nur untypisch für ihre Eltern, es war völlig absurd. Langsam nickte sie.

»Ein solcher Vorfall mag erklärbar sein«, zählte Per mit den Fingern auf. »Zwei gehen vielleicht noch als Zufall durch, aber drei oder mit Maltes Eltern vier? Und alle am selben Tag?«

»Okay. Nehmen wir einmal an, da ist irgendetwas im Busch. Was könnte es sein?«

Er zuckte mit den Achseln. »Keine Ahnung, vielleicht eine Art Virus?«

»Einer, der nur Erwachsene befällt? Ach, komm.« Sie schüttelte den Kopf. »Aber möglicherweise war etwas in den Nachrichten, was sie beunruhigt hat. Erinnerst du dich? Vor ein paar Jahren fuhr hier so ein Typ mit einem Kastenwagen herum, der heimlich Schulmädchen fotografierte. Das stand groß in der Zeitung, und da sind alle Eltern durchgedreht. Ich weiß noch, dass ich damals nicht einmal mehr alleine zum Handball fahren durfte.«

Er runzelte die Stirn. »Du glaubst also, sie verhalten sich so merkwürdig, weil etwas sie nervös macht?«

»Keine Ahnung.« Sie warf die Hände über den Kopf. »Es sind nur Gedankenspiele. Aber ich weiß ganz sicher, dass sie durchdrehen, wenn ich zu spät nach Hause komme. Außerdem muss ich Anton noch von Lea abholen.«

»Gut, dann sollten wir besser aufbrechen.« Er winkte den Barkeeper heran und bestand darauf, für sie beide zu zahlen. Inzwischen hatte die Abendsonne einen warmen Glanz über das Städtchen gelegt. Senta und Per verließen das *Fizz* und steuerten den Heimweg an, dabei streiften sich zufällig ihre Hände. Im ersten Augenblick zuckte Senta zurück. Nicht, dass er dachte, sie wollte gleich am ersten Abend mit ihm Händchen halten. Doch dann schoben sich seine Finger wie selbstverständlich zwischen ihre und hielten sie sanft umschlossen. In Sentas Brust schwirrte ihr Herz wie ein Kolibri. Bedeutete diese Geste vielleicht …? Vorsichtig strich sie mit dem Daumen über seinen Handrücken. Warm und trocken fühlte er sich an und sie hoffte, keinen Schweißausbruch vor Aufregung zu bekommen. Schwitzgriffel in der Situation, das fehlte noch! Sie schlenderten Hand in Hand über das Kopfsteinpflaster der Gasse, die sich großspurig Alt-Gremmershoven nannte. Links und rechts reihten sich aufwändig restaurierte Fachwerkhäuser mit kleinen Läden im Untergeschoss aneinander, und hier und da fläzten Katzen in den Toreinfahrten. Ansonsten war es erstaunlich ruhig, denn normalerweise nutzten die Bewohner der Altstadtgasse laue Frühsommerabende wie diesen gerne zum gemütlichen Beisammensitzen unter den Ulmen am Brunnenplatz. Vielleicht irrte sie sich, aber Senta hatte das Gefühl, im Vorbeigehen durch die Butzenfenster beobachtet zu werden. Wie auch immer – Per ging neben ihr und hielt ihre Hand in aller Öffentlichkeit, das Gefühl wollte sie sich nicht durch die merkwürdige Stimmung hinter den Gardinen verderben lassen.

Anton schien die Aufregung des Tages gut verkraftet zu haben und freute sich, seinen Retter vom Spielplatz wiederzusehen. Allerdings wirkte Lea ziemlich mitgenommen. Ihre Augen waren geschwollen als sie die Tür öffnete und Senta hatte den Eindruck, ihr läge etwas auf dem Herzen.

»Alles okay mit dir?«, fragte sie, worauf Lea beklommen über die Schulter sah und die Hände unter die Achseln schob. Es sah aus, als wollte sie sich an sich selbst festhalten.

»Nichts, schon gut«, wiegelte sie ab, worauf Senta ihr einen *verarsch-wen-anderes-Blick* zuwarf.

»Ich überlege, für ein paar Tage zu meiner Oma zu ziehen. Hier wird es mir zu blöd«, gab sie zu und zog die Nase hoch. »Ich erzähle dir alles morgen in der Schule«, fuhr sie mit einem kurzen Blick auf Per fort. Dass er Senta begleitete, schien sie weder zu überraschen, noch sonderlich zu interessieren.

»Ja, okay. Und nochmal danke, dass du auf Anton aufgepasst hast.« Senta zog Lea in die Arme und drückte ihr einen Kuss auf die Wange. »Hab dich lieb.«

Lea versuchte zu lächeln, wobei ihr Gesicht nur noch trauriger aussah. »Ich dich auch. Also bis morgen.«

Als sie wieder auf dem Gehweg waren, warf Per Senta einen vielsagenden Blick zu, aber er vermied es, das Thema in Antons Beisein zu vertiefen. Vor ihrer Haustür angekommen, strich er ihr zum Abschied mit dem Finger über die Wange. »Ich rufe dich vor dem Schlafengehen nochmal an, wenn ich darf.«

»Gerne, ich freu mich schon drauf.«

Das erinnerte Senta daran, dass gerade ihr erstes Date zu Ende ging. So oft hatte sie es sich in ihrer Fantasie ausgemalt, aber sie hätte nie gedacht, dass es mit dem Wälzen von Verschwörungstheorien ablaufen, und mit Anton an ihrer Seite enden würde. Per lächelte, als hätte er gerade denselben Gedanken.

»Das war es dann also, unser erstes Date.« Er sah sie verlegen an. »Auch wenn es anders war, als ich es mir vorgestellt hatte. Ich fand es trotzdem sehr schön.«

Senta wurde es heiß und kalt bei seinen Worten. »Anders, als du es dir vorgestellt hattest? Heißt das ...«

»Nun ja.« Er kam ins Stottern. »Ich hatte mir schon länger vorgenommen, dich anzusprechen und hab mir unsere erste Verabredung in unzähligen Variationen ausgemalt.

Keine kam auch nur ansatzweise an das hier heran.« Er schlug sich die Hand an die Stirn. »Oh Mist, das muss dir wie das Gestammel eines verrückten Stalkers vorkommen.«

Senta kicherte.

»Klasse.« Er seufze. »Jetzt lachst du mich auch noch aus.«

»Nein, das ist es nicht. Es ist nur, ich hab dasselbe gemacht. Mir unser erstes Date zigmal ausgemalt.« Sie sah ihm in die Augen. »Scheint, wir haben sehr viel Zeit mit Nachdenken vergeudet.«

»Kann man wohl sagen«, flüsterte er und beugte sich zu ihr herunter.

Sie spürte bereits seinen warmen Atem wohlig an ihren Lippen, da gähnte Anton neben ihr herzhaft. Hastig zog Per sich zurück.

»Anscheinend ist der junge Mann hier sehr müde.« Er strich Anton durchs Haar und sah sie hoffnungsvoll an. »Holen wir das nach?«

»Ganz bestimmt.« Sie nahm Anton auf den Arm. »Dann bis morgen. Oder besser gesagt: bis gleich am Telefon.«

»Bis gleich. Gib mir ein Zeichen, wenn drinnen alles okay ist.«

»Mach ich. Schlaf gut.«

Er wartete am Gartentörchen, bis sie die Haustür hinter Anton und sich geschlossen hatte.

Im Haus war alles still. Die Küche war noch genauso aufgeräumt, wie Senta sie nach dem Mittagessen hinterlassen hatte. Nichts deutete darauf hin, dass ihre Eltern in ihrer Abwesenheit den Raum auch nur betreten, geschweige denn, benutzt hatten. Vielleicht hatten sie sich am Nachmittag was beim Imbiss geholt, oder auch nicht. Senta war es egal, sie waren alt genug und würden schon nicht verhungern. Jedenfalls schienen sie bereits ins Bett gegangen zu sein, denn das Wohnzimmer lag im Halbdunkel, nur erhellt von der Straßenbeleuchtung vor dem Fenster und dem Licht im Flur. Senta durchquerte den Raum, um die Jalousien herunterzulassen, da entdeckte sie sie: die Puppe. Wie eine Königin thronte sie auf dem Sofa zwischen zwei Kissen und glotzte mit ihren Glasaugen auf den dunklen Fernseher. Was für ein widerliches Ding! Angeekelt machte Senta auf den Absätzen kehrt und ging hinauf, um Per vom Fenster aus ein Zeichen zu geben, dass alles in Ordnung war. Dann ging sie rüber zu Anton, der seinen Plüsch-Findus unter den Arm geklemmt hatte und schon halb schlafend auf seiner Bettkante saß.

»Komm, Kumpel. Noch Zähne putzen, dann geht´s in die Federn, okay?« Sie hob ihren Bruder hoch und trug ihn ins Bad. Der Knirps hing kraftlos in ihren Armen und ließ die Prozedur des Zähneputzens ohne größere Gegenwehr über sich ergehen. Er musste echt k. o. sein. Kein Wunder nach diesem Tag. Für ihn war das alles bestimmt ziemlich verwirrend, hoffentlich kehrte morgen wieder Normalität ein. Mit einem feuchten Lappen wischte sie ihm Gesicht und Hände ab, zog ihm seinen Schlafanzug an und brachte ihn ins Bett. Schon nach zwei vorgelesenen Seiten aus dem Regenbogenfisch wurden seine Atemzüge ruhig und gleichmäßig und er war eingeschlafen. Wenigstens das.

Nun machte auch Senta sich fertig für die Nacht und ging zu Bett. Doch anders als bei Anton ließ der Schlaf auf sich warten. Außerdem wollte sie Pers Gute-Nacht-Anruf nicht verpassen, und so griff sie nach dem Buch auf ihrem Nachttisch und schlug es auf. Nach wenigen Zeilen hatte sie die tragische Liebesgeschichte zwischen einem todkranken Teenager und seiner Pflegerin in den Bann gezogen und die Gedanken an ihre Eltern, die Puppe und die Angst um ihre

Familie verblassten. Erst als sie durstig wurde, stellte sie fest, dass die Nacht längst hereingebrochen war. Merkwürdig, dass Per noch nicht angerufen hatte, aber sie hatte schon vermutet, dass er eine Nachteule war. Sicher war er noch unterwegs. Für sie war allerdings längst Schlafenszeit, aber vorher musste sie unbedingt noch etwas trinken. Sie schlich hinunter in die Küche, öffnete den Kühlschrank und inspizierte den Inhalt. Bananenmilch, genau das, was sie jetzt brauchte. Sie schraubte die Flasche auf und nahm noch an der offenen Kühlschranktür einen langen Zug. Während sie sich trinkend umwandte, fiel ihr Blick auf den Esstisch. Klirrend zerschellte die Flasche auf dem Boden.

Das konnte doch nicht wahr sein!

Wer zum Teufel hatte die Puppe auf ihren Stuhl gesetzt? Anton oder ihre Eltern konnten es unmöglich gewesen sein. Ihre Zimmer lagen dem ihren schräg gegenüber, sie hätte es mitbekommen, wenn einer von ihnen die Treppe runtergegangen wäre. Hatte sie sich vorhin beim Heimkommen verguckt, und das Ding hatte gar nicht im Wohnzimmer gesessen? Nein, es war auf dem Sofa zwischen den Kissen drapiert gewesen, hundert Prozent.

Zögerlich machte Senta einen Schritt auf die Puppe zu, da drehte das Drecksding seinen Kopf und starrte ihr mit glasigen Augen entgegen.

Und lachte.

Lachte.

Lachte!

Keckernd wie eine Hyäne, immer lauter und schriller.

Senta presste beide Hände auf die Ohren.

Was zur Hölle war hier los? Die Wände um sie herum schienen zu kippen, das Blut rauschte wie Eiswasser durch ihre Adern. Ein Alptraum! Wach auf, Senta. Wach auf! Das irre Lachen gellte immer lauter und drohte ihren Schädel zu sprengen. Anton! Bitte, lass ihn nicht aufwachen!

Der Gedanke an ihren kleinen Bruder verlieh ihr ungeahnten Mut. Es war nur eine verdammte Puppe. Sie preschte vor, griff das Ding am Hals und zerrte es zum Mülleimer. Mit aller Kraft stopfte sie die Scheußlichkeit hinein, die sich wie wild zu wehren schien. Immer wieder schossen Arme und Beine hoch und schlugen nach ihr. Erst, als Senta den Sack zugeknotet und in die Ecke geworfen hatte, war Ruhe. Schwer atmend lehnte sie sich gegen die Küchenzeile, wischte sich mit dem Handrücken den Schweiß von der Stirn und zuckte zusammen. Fassungslos inspizierte sie die kleinen Wunden, die sich entlang der Handkante abzeichneten. Halbmondförmig. Wie die Bisse eines sehr kleinen, mit spitzen Zähnen bewehrten Kiefers.

Per

Per wartete noch einen Moment, ob er verdächtige Geräusche aus dem Haus hörte, dann ging oben das Licht an und Senta erschien an einem der Fenster. Sie winkte ihm zu und machte das OK-Zeichen, worauf er ihr seinen ausgestreckten Daumen zeigte und den Heimweg antrat. Vielleicht war ja doch alles nur Spinnerei. Man konnte sich leicht in etwas hineinsteigern, wenn man beisammensaß und auf derselben Wellenlänge lag. Ein wohliges Kribbeln durchströmte ihn. Klar, er hatte sich ihre erste Verabredung etwas anders vorgestellt, aber dennoch hatten sie gleich einen ganz besonderen Draht zueinander gefunden. Welches Mädchen hätte sich schon auf ein Gespräch über hirnmanipulierte Eltern eingelassen? Obwohl er sich erst vor wenigen Minuten von ihr verabschiedet hatte, konnte er es kaum erwarten, sie wiederzusehen. Morgen in der großen Pause würde er mal zum Schulhof der Realschule rüber flitzen und ihr einen kleinen Überraschungsbesuch abstatten. Ein Grund mehr, zur Abwechslung mal nicht montags die ersten zwei Stunden blauzumachen. Und dann würde er nochmal in Ruhe mit seinen Eltern reden. Bestimmt gab es eine einleuchtende Erklärung für ihr Verhalten. Er wusste ja, dass sie sich insgeheim doch wünschten, er würde das Abi durchziehen, und vielleicht war das heute ja eine Verzweiflungstat, um ihn wieder in die Spur zu bringen. Da käme es ganz gut, wenn er guten Willen zeigte und mal wieder regelmäßiger zur Schule ging. Ja, ein guter Plan. Mit diesem Vorhaben schloss er das Tor zum Innenhof auf, vermied den Blick auf die Trümmer seiner Plantage und ging ins Haus.

Drinnen war alles still und dunkel. Ob seine Alten schon ins Bett gegangen waren? Besser wäre das, denn auf eine abendliche Diskussion mit ihnen über seine schulischen Pläne hatte er heute keinen Nerv mehr. Er schlich die Treppe rauf, übertrat geschickt die knarrende Stufe und ging ohne das Licht anzuschalten in sein Zimmer. Im ersten Moment schien ihm alles vertraut, doch dann bemerkte er es. Unterdrückte Atemzüge und den Geruch von saurem Schweiß. Er tastete nach dem Lichtschalter, doch ehe er ihn erreichte, traf ihn ein harter Schlag zwischen die Schulterblätter. Es war, als würde ihm sämtliche Luft aus den Lungen getrieben werden. Keuchend sackte er in die Knie.

Einbrecher!

Er versuchte, nach seinen Eltern zu rufen, doch er brachte keinen Laut hervor.

»Endlich haben wir dich!«, kreischte jemand mit der Stimme seiner Mutter.

Sein Unterbewusstsein kapierte schneller als sein Verstand.

Reflexartig rollte er sich zur Seite und im nächsten Augenblick hörte er, wie jemand neben ihm auf dem Boden landete. Der Schweißgeruch. So roch sein Vater, wenn er vom Joggen kam! Was zum Henker ...?

»Dir werden wir deine Flausen schon austreiben!« Eine Stimme, die nur noch entfernt an die seines Vaters erinnerte, überschlug sich vor Wut. Per hörte, wie eine Hand suchend über den Parkettboden patschte und stemmte sich auf die Knie. Im Gegensatz zu seinen Eltern kannte er jeden Winkel seines Zimmers auch im Dunkeln. Diesen Vorteil musste er nutzen, ehe sie auf die Idee kamen, Licht zu machen. Er flüchtete hinter seinen Arbeitstisch, stieß den Schreibtischstuhl von sich und hörte, wie sein Vater zu Boden ging. Seine Mutter nahm ihn von der anderen Seite in die Zange. Ein rascher Griff, und schon kippte er ihr das Regal in den Weg. Sie jaulte auf wie ein verwundetes Tier, und er betete, dass er sie nicht verletzt hatte. Ächzend rappelte sich sein Vater auf. Per stützte die Hände auf die Schreibtischplatte, setzte mit einer Hockwende darüber und schleuderte seinem Vater die Hängematte in den Weg. Er hörte, wie der sich fluchend darin verfing und machte, dass er wegkam.

Das Blut schoss ihm wie elektrischer Strom durch die Adern. Zuerst rannte er nur kopflos davon, nur möglichst viel Platz schaffen zwischen sich und seinen Eltern. Seine Eltern! Seine eigenen Eltern hatten ihn überfallen! Sein Hirn konnte nicht erfassen, was da eben passiert war. Was war nur los mit ihnen? Aber zuerst musste er ein Versteck finden. Das Erzbergwerk! Ja, dort wäre er vorerst sicher.

Er schaute auf, um sich zu orientieren. Seine Füße hatten ihn ohne sein Zutun in die alte Schrebergartenkolonie getragen. Die Bergwerksruine lag ein gutes Stück dahinter, noch hinter den Kleinfeldern und dem Wäldchen, die sich an die Gärten anschlossen. Bei der nächsten Gelegenheit bog er nach links ab, setzte über einen Jägerzaun und ließ die Schrebergärten hinter sich. Querfeldein lief er durch ein Rapsfeld, sprang über einen Entwässerungsgraben und rannte einen Trampelpfad entlang durch den Wald. Seine Beine schmerzten, weil er es nicht gewohnt war, Sport zu treiben. Seitenstiche machten jeden Atemzug zur Qual, doch er wagte nicht, stehen zu bleiben. Endlich erreichte er das rostige Werkstor, stemmte es auf und überquerte den unkrautüberwucherten Hof.

Erst als er vor den verfallenen Bergwerkshallen ankam, blieb er stehen. Er beugte sich vor, stemmte die Hände auf die Knie und sog die Luft in seine protestierenden Lungen. Seltsam, die Eingangstür zur Kleiderkaue war fest zugezogen, dabei glaubte er sich zu erinnern, sie bei seinem letzten Besuch offen gelassen zu haben. Als er die Tür aufschob, gab sie ein Quietschen von sich, das weit über den Hof hallte. Verdammt. Er biss die Zähne zusammen, quetschte sich durch den Spalt und schaute sich in der Kleiderkaue um. Längst war der Mond aufgegangen und warf seinen blassen Schein durch die zerbrochenen Oberlichter. Weit oben, unter der Decke, baumelten noch immer an Ketten die verrosteten Körbe und Püngelhaken, an denen die Arbeiter früher ihre Kleidung hochgezogen hatten, um sie vor Dreck und Diebstahl zu schützen. Hier und da hingen sogar noch alte Kleidersäcke, die im Zwielicht wie die Leichen Gehenkter wirkten. Per wandte sich von dem Anblick ab. Jetzt, in der Nacht, erschien ihm dieser Ort wesentlich unheimlicher, als noch vor wenigen Stunden. Der Schutt unter seinen Schuhsohlen knirschte bei jedem Schritt, während er an den

Umkleidebänken vorbeischlich, in Richtung der angrenzenden Waschräume.

»Per? Bist du das?«

Er fuhr herum und entdeckte Alyssa, die es sich auf einer der Umkleidebänke mehr schlecht als recht bequem gemacht hatte. Eingewickelt in einen Schlafsack richtete sie sich halb auf und schaute ihm mit großen Augen entgegen. Erleichtert atmete er aus. Zumindest würde er nicht alleine an diesem Ort die Nacht verbringen müssen.

»Alyssa? Dann sind wir heute Abend also doch noch beide hier gestrandet.« Er ließ sich neben ihr nieder und lehnte sich erschöpft zurück.

Sie setzte sich vollends auf und musterte ihn von der Seite. »Dass ich hier lande, war ja abzusehen. Aber du? Was ist passiert?«

»Eltern.« Er hob ratlos die Hände. »Frag nicht. War ein verrückter Tag heute.«

Sie lachte freudlos auf. »Willkommen in meiner Welt.«

»Sag mal, du hast nicht zufällig was zu essen dabei?«

»Viel ist es nicht.« Sie holte eine Butterbrotdose aus ihrer Tasche und reichte sie ihm. »Die sind von Ömer. Nennen sich *Acma*, aber für mich sind sie nichts anderes als gefüllte Bagel. Er hat sie selbst aufgebacken und zu mir rausgeschmuggelt, nachdem ich von zu Hause weg war.«

»Danke, du rettest mir das Leben.« Er nahm sich einen der Hefekringel und biss hinein. Die Füllung aus Schafskäse war schon kalt und ein bisschen klumpig, aber er hatte nie etwas Köstlicheres gegessen. Während sie ihm beim Kauen zusah, schien sie innerlich mit etwas zu ringen.

»Raus damit, was liegt dir auf dem Herzen?«

Sie atmete tief durch und begann, ihre Finger zu kneten. Ganz so, als müsste sie Mut sammeln, um ein Geständnis abzulegen. »Ich bin dir noch eine Erklärung schuldig, warum ich letzte Nacht bei dir im Keller gepennt habe.«

Per legte den *Acma*-Kringel beiseite und sah sie aufmunternd an. »Schieß los.«

»Also, du hattest Recht. Ich hatte Stress mit meinen Eltern. Wobei – eigentlich nicht mit meiner Mutter, nur mit Patrick. Das ist der Arsch, mit dem sie zusammenlebt.« Sie zog angewidert die Nase kraus. »Er ist nicht mein Vater, auch wenn er sich einbildet, er wäre es. Oder auch nicht. Ach, keine Ahnung, was der denkt.« Sie lachte freudlos. »Falls er überhaupt denken kann. An Papa kommt er sowieso nicht heran.« Sie schluckte. »Mein Papa ist gestorben, schon vor ein paar Jahren.«

»Das tut mir sehr leid zu hören.« Per nahm beruhigend ihre Hände zwischen die seinen. »Was hältst du davon, mir einfach der Reihe nach zu erzählen, was gestern und heute passiert ist?«

Sie sah ihn hoffnungsvoll an. »Versprich mir, dass du mich nicht für verrückt hältst, okay?«

»Ich hab heute so viel Verrücktes erlebt, dagegen wirkst du auf mich wie der normalste Mensch der Welt.«

»Also gut.« Sie nickte dankbar. »Alles begann, als Patrick mich gestern Abend umbringen wollte.«

Als der erste Satz heraus war, schien es, als hätte sich in ihr eine Schleuse geöffnet. Dabei redete sie so abgeklärt über Patricks Brutalität, dass es Per kalt über den Rücken lief. Alleine der von Alyssa beschriebene Normalzustand dieses Typen ließ in Per die blanke Wut aufflammen. Er mochte sich gar nicht vorstellen, wie es war, als schutzloses Kind einem Dreckskerl wie ihm ausgeliefert zu sein. Als sie zum Schluss ihrer Schilderungen kam, gab es für ihn nun keinen Zweifel mehr – mit den Eltern stimmte etwas ganz und gar nicht.

»Krasse Geschichte.« Betreten sah er zu Boden.

»Du glaubst mir also? Ich bin nicht hysterisch oder so?«

»Nee, das bist du absolut nicht.« Noch immer entsetzt schüttelte er den Kopf. »Und ich sag dir noch was: Ich glaube, du hast nicht übertrieben. Der Typ wollte dich echt umbringen gestern Abend.«

»Puh!« Sie stieß die Luft aus. »Da bin ich erleichtert. Nicht wegen Patrick, und dass er mich kaltmachen wollte. Versteh mich nicht falsch. Sondern darüber, dass ich nicht spinne.«

»Kein Stress, das versteh ich hundert Pro. By the way - meine Alten haben sich vorhin auch eine Riesennummer geleistet.«

Er zog ein zerknülltes Tabakpäckchen aus der Hosentasche und fand darin tatsächlich noch einen zerknickten, halb gerauchten Joint. Vorsichtig leckte er eine lose Klebestelle an, bog ihn gerade und zündete die Tüte an. Der erste Zug tat sofort seine Wirkung. Der Druck, der auf ihm gelastet hatte, verflüchtigte sich und er spürte, wie sich seine angespannten Muskeln lockerten.

»Darf ich auch mal?« Zögerlich deutete Alyssa auf den Glimmstängel.

Er drehte den Kopf und sah sie an. Da war es wieder, das Kindergesicht. Jetzt erschien sie ihm noch jünger als heute Morgen, nachdem sie aus dem Bad gekommen war. »Hast du schon mal gekifft?«

Sie schüttelte den Kopf.

»Dann lass es. Ist ein schlechter Zeitpunkt, gerade jetzt damit anzufangen.« Er nahm einen weiteren Zug. Der Mond. Sah er nicht aus wie ein riesiger, weißer Pompon?

»Warum?«

»Weil man nicht aus Stress kiffen soll, sondern aus Genuss. Sonst verdirbst du dir den ganzen Spaß daran.« Ein glühender Pompon, wie von einem Clownskostüm. Beunruhigend.

»Aber du kiffst doch auch gerade aus Stress.«

Mensch, konnte die beharrlich sein. »Ich kenn mich damit aus und weiß, wie das Zeug wirkt. Bei mir ist es was anderes, Ella.«

»Wieso nennst du mich jetzt Ella? Ich heiße Alyssa, schon vergessen?« Ein Lächeln stahl sich auf ihr Gesicht. Endlich lächelte sie mal.

Er kicherte. »Weil du aussiehst wie die Cinderella aus dem Disneyfilm.«

»Die war blond.«

»Ist doch egal, du bist jetzt Ella für mich.« Er nahm noch einen letzten Zug, blies den Rauch in Kringeln aus und erzählte ihr, warum er hier war. Nachdem er fertig war, öffnete sie den Reißverschluss ihres Schlafsacks und breitete ihn über sich und ihn aus. »Eine ziemliche Scheiße, wenn du mich fragst.«

»Das kannst du laut sagen.« Er schob sich den Schlafsack bis zum Hals hoch. Verdammt, war ihm kalt.

Sie lehnte den Kopf gegen seine Schulter. »Ob Sentas Eltern auch so abgedreht sind?«

Senta! Er setzte sich so abrupt auf, dass ihm für einen Augenblick schwindelig wurde. Es hatte zwar so ausgesehen, als ob bei ihr alles in Ordnung gewesen war, aber was war heutzutage noch sicher? Außerdem wartete sie bestimmt auf seinen Anruf. Hastig fingerte er sein Handy aus der Hosentasche und wählte ihre Nummer.

Sie drückte ihn nach dem zweiten Klingeln weg. Seltsam. Hatte er sie verärgert, weil er sich erst so spät meldete? Er versuchte es nochmal, und wurde prompt wieder weggedrückt. Ob er es mal über WhatsApp versuchen sollte? Sein

Daumen zuckte bereits auf das grüne Sprechblasensymbol, als das Handy plötzlich klingelte. Sofort ging er dran.

»Senta? Alles okay bei dir?« Er versuchte, die Sorge aus seiner Stimme zu verbannen.

»Alles okay«, wisperte sie. »Ich habe nur gerade ...«

Er hörte einen dumpfen Knall und dann Knistern.

»So, da bin ich wieder. Tut mir leid, dass ich dich weggedrückt habe, aber ich konnte vorhin nicht rangehen.«

Eine dunkle Vorahnung beschlich ihn. Das Geräusch im Hintergrund kannte er. Feuer. »Senta, was ist da los bei dir?«

Senta schien mit irgendwas zu hantieren, dann wurde das Knistern lauter. »Ich habe dir doch von dieser Puppe erzählt, die meine Eltern gefunden haben.«

»Die aus Porzellan?«

»Ja, genau die.«

Eine eisige Hand schien sich auf Pers Brust zu legen. »Was ist damit?«

Ihre Stimme bebte, als sie weitersprach. »Mit der ist es jetzt vorbei.«

Per umklammerte sein Handy fester. »Senta? Wo bist du? Was hast du getan?«

»Ich bin hier an der Grillhütte neben dem Minigolfplatz. Ich hab das Scheißding abgefackelt!«

Er wechselte einen knappen Blick mit Alyssa. Sie hatte das Gespräch mitbekommen und riss nun entsetzt die Augen auf. »Wir sind in zehn Minuten bei dir!«

Senta

Es erfüllte Senta mit Genugtuung, dabei zuzusehen, wie sich das starre Gesicht der Puppe zwischen den Flammen schwarz färbte. Geschieht dir nur recht, dachte sie grimmig und stieß einen Stock in die Glut, sodass Funken aufstoben. Feuerzungen leckten über den Saum des Brautkleides, das ihre Mutter nur wenige Stunden zuvor gewaschen und auf die Leine gehängt hatte. Sie fraßen sich über den Puppenkörper und in die sorgsam frisierte Perücke mit den blonden Zöpfen. Ein paar Augenblicke später fielen die blauen Glasaugen in den Schädel zurück. Rauchschwaden stiegen aus den leeren Höhlen auf. Ein helles Fiepen wie der Schmerzenslaut eines kleinen Nagetieres ertönte und erstarb mit einem kurzen Knall, als der Torso platzte. Die Puppe sackte ein bisschen zusammen, dabei rollte das Gesicht in Sentas Richtung.

Dieses Drecksding. Noch immer schien es sie aus seinen rauchenden Augenhöhlen anzustarren und mit seinem maskenhaften Grinsen zu verhöhnen. Unbehaglich zog Senta ihre Jacke fester um sich. Wie lange so eine Puppe wohl brauchte, um vollständig zu verbrennen? Sie würde erst wieder nach Hause gehen, wenn von diesem Monstrum nichts mehr übriggeblieben war. Noch einmal stieß sie mit dem Stock nach der Puppe, diesmal, um das Gesicht wegzudrehen. Misstrauisch schaute sie sich um. Sowohl die Grillhütte als auch der angrenzende Minigolfplatz lagen etwas außerhalb an einem Wanderparkplatz, aber was, wenn ein nächtlicher Spaziergänger vorbeikam und ihr Tun bemerkte? Vielleicht sollte sie noch etwas Spiritus aufs Feuer gießen, um das Ganze ein wenig zu beschleunigen? Unschlüssig wog sie die halbleere Flasche in der Hand, als sich Schritte auf dem Kiesboden näherten.

»Keine Sorge, wir sind es«, rief eine Stimme halblaut, die sie gleich als Pers erkannte. »Was ist denn passiert?«

Noch immer stellten sich Sentas Nackenhaare auf bei der Erinnerung an das Erlebte.

»Guckt euch das an.« Sie hielt den beiden ihren Handrücken mit der Bisswunde hin. »Das war die Puppe.«

Keuchend stieß Alyssa die Luft aus. »Ist nicht dein Ernst!«

Senta schnaufte angewidert. »Ich fürchte, doch.« Dann erzählte sie, was sich kurz zuvor in ihrer Küche Scheußliches zugetragen hatte.

Nachdem Senta geendet hatte, verschränkte Alyssa die Arme vor der Brust. »Und du bist sicher, dass du dir die Verletzung nicht woanders geholt hast? Puppen, die lebendig werden und beißen? Ich meine, echt jetzt?«

Senta fuhr herum und sah sie böse an. »Hast du mir eben nicht zugehört? Denkst du, ich hab mich selbst gebissen, oder was?« Erneut hielt sie ihr die Hand unter die Nase. »Sieh genau hin, das sind Zahnabdrücke, und zwar ganz kleine. Sie sind von der Puppe.«

Ehe Alyssa etwas erwidern konnte, ging Per dazwischen. »Das hat doch niemand behauptet.« Beschwichtigend hob er die Hände und sah Senta an. »Ich glaube dir auch ohne die Bisswunden.«

Senta spürte, wie die aufwallende Wut in ihr abebbte. Per glaubte ihr, und nur darauf kam es ihr an.

»Wir sind heute alle mit den Nerven fertig«, fuhr er fort. »Was ich heute erlebt habe, hätte ich noch vor ein, zwei Tagen nicht für möglich gehalten. Und auch Alyssa hat ein paar sehr krasse Sachen erlebt, da sind lebendige und beißende Puppen nicht so weit hergeholt, wie man meint.«

Alyssa trat hinter Per hervor und sah sie schuldbewusst an. »Per hat Recht. In letzter Zeit drehen alle Erwachsenen komplett am Rad. Dann noch eine beißende Puppe – da fragt man sich, was wohl als Nächstes kommt? Vielleicht tollwütige Kuscheltiere?« Sie hielt Senta die Hand hin. »Sorry, ich hab's nicht so gemeint. Natürlich glaube ich dir.«

»Schon gut.« Senta schlug ein. »Es stimmt ja auch, wenn es umgekehrt wäre und du hättest mir solch eine Sache erzählt, hätte ich womöglich auch gedacht, du spinnst.«

Per schüttelte den Kopf. »Tollwütige Kuscheltiere. Das fehlt noch. Aber es macht mich schon stutzig, dass das mit der Puppe und den Erwachsenen zeitgleich passiert. Da muss es irgendeinen Zusammenhang geben. Oder was denkt ihr?«

»Und wie soll der aussehen?« Senta hob ratlos die Schultern. »Ein Virus kann es nicht sein, der befällt keine leblosen Gegenstände.«

»Vielleicht so was wie ein Magnetfeld? Sonnenwinde? Was weiß ich?« Alyssa machte eine wegwerfende Geste. »Erzähl lieber, wie es bei dir zu Hause weitergegangen ist.«

»Danach habe ich mir eine Flasche Spiritus aus dem Putzmittelschrank geholt und bin hierher gefahren. Das wars.«

»Saubere Leistung.« Per nickte anerkennend und streckte die Hand nach dem Spiritus aus. »Ist da noch was drin?«

Senta überreichte ihm die Flasche. »Du bist herzlich eingeladen.«

Er schraubte den Verschluss auf und spritzte den Rest der Flüssigkeit auf die Glut. Sofort loderten die Überbleibsel der Puppe in hellen Flammen auf, sodass Senta die Augen vor der Hitze und dem Licht abschirmen musste.

»Das dürfte genügen.« Per warf die leere Flasche in einen Mülleimer.

»Dann glaubt ihr mir wirklich? Ihr sagt das nicht nur so?« Hoffnungsvoll schaute Senta im Schein des Feuers ihre Freunde an. In ihren Gesichtern spiegelte sich das blanke Entsetzen.

Alyssa nickte stumm.

»Jedes Wort.« Wie selbstverständlich zog Per Senta in seine Arme.

Erleichtert schmiegte sie sich an seine Brust und augenblicklich kam ihr das alles nicht mehr ganz so gruselig vor. Jetzt, da die Anspannung allmählich nachließ, wunderte sie sich über Alyssas Anwesenheit. Gehörte sie um diese Zeit nicht auch längst ins Bett?

»Sag mal, wolltest du nicht wieder nach Hause?«

»War ich auch.« Betrübt ließ Alyssa den Kopf hängen. »Aber das war ein Reinfall.«

Abwechselnd erzählten sie und Per, unter welchen Umständen sie sich in der alten Bergwerksruine getroffen hatten.

»Du glaubst jetzt also auch nicht mehr, dass sich all das erklären lässt.« Per musterte Senta aufmerksam. »Hab ich recht?«

»Nach alldem, was passiert ist? Aber eins weiß ich: Hier geht es nicht mit rechten Dingen zu. Irgendwelche Kräfte sind am Werk. Etwas, das auf die Eltern einwirkt.« Sie konnte selbst kaum glauben, was sie da sagte.

»Du meinst, eine Art von ...« In Ermangelung eines passenden Begriffs wedelte Alyssa mit der Hand in der Luft herum.

»... Massenhypnose?«, half Per ihr auf die Sprünge.

»Nein«, widersprach Senta. »Nicht so etwas. Es ist vielmehr wie ein Spuk. Wisst ihr, was ich vermute? Ich glaube, dass diese Puppe böse war und unsere Eltern irgendwie verhext hat. Überlegt doch mal, wann das alles angefangen hat. Genau in dem Moment, als meine Eltern sie mitgebracht haben.«

Alyssa nickte. »Ja, ich glaube, du hast recht. Das Ding war der Auslöser. Seit letzter Nacht ist so viel Unnatürliches passiert.« Schaudernd rieb sie sich über die Arme. »Es war definitiv böse. Gut, dass du es erledigt hast.«

Senta schenkte ihr ein dankbares Lächeln, das sie mit einem Nicken beantwortete.

»Was auch immer es war, jetzt ist es bald vorbei, davon bin ich überzeugt. Dank dir, Senta. Du hast das Ding vernichtet.« Per nahm ihre Hand und drückte sie sanft.

Gemeinsam sahen sie zu, wie die Flammen erstarben und nur noch verkohlte Porzellanscherben zurückblieben. Anschließend zerschlugen sie die Reste in kleine Stücke, zermahlten sie mit Steinen zu Staub und verteilten sie in alle Winde.

»Wenn du magst, kannst du bei uns in der Ruine übernachten«, bot Alyssa an. »Da ist genug Platz, und zu dritt ist es bestimmt auch nicht so gruselig.«

»Lieber nicht.« Senta zog unbehaglich die Schultern hoch. »Ich möchte Anton nicht zu lange alleine lassen.«

»Ja, verstehe.« Alyssa lächelte matt. »Wär er mein Bruder, würde ich ihn auch nicht länger als nötig alleine lassen. Also, man sieht sich.«

»Bestimmt.« Senta zog Alyssa an sich und umarmte sie. »Morgen auf dem Spielplatz?«

»Worauf du dich verlassen kannst.«

Sie lösten sich voneinander und Alyssa machte Platz für Per.

»Bleibt es bei morgen?«, fragte Senta ihn hoffnungsvoll.

Er tat, als müsste er überlegen. »Mal sehen, wenn ich nichts Besseres zu tun habe«, scherzte er, um gleich darauf ernst zu werden. »Wenn irgendwas ist, irgendwas Komisches, rufst du sofort an, verstanden?«

»Jawohl, Sir!« Sie schlug salutierend die Hand an die Stirn und grinste. »Bis morgen.«

Wie selbstverständlich nahm er sie in seine Arme und tupfte ihr sanft einen Kuss auf die Lippen. »Bis morgen«, flüsterte er, dann gab er sie frei und winkte zum Abschied.

Mit deutlich leichterem Herzen und ein wenig benommen schwang Senta sich auf ihr Fahrrad und fuhr nach Hause.

Kapitel 7

Alyssa

Alyssa erwachte mit dem ersten Sonnenstrahl, der durch die zerbrochenen Oberlichter der alten Kleiderkaue fiel. Sie drehte sich auf die Seite und betrachtete Per, der da neben ihr auf der Umkleidebank lag und mit halb offenem Mund schlief. Seine Dreads hingen ihm wie verfilzte Stricke über die Augen. Zusammen mit seinem blonden Bartschatten gaben sie ihm den Look eines gestrandeten Südseepiraten. Letzte Nacht hatten sie zwei der Umkleidebänke gegenüber gestellt. Einerseits, um sich den Schlafsack teilen zu können, andererseits, um sich gegenseitig durch die bloße Nähe ein Gefühl der Sicherheit zu geben. Alyssa setzte sich auf und blinzelte der Sonne entgegen. Ob die Aktion mit der Puppe funktioniert hatte? Sie hatte es den anderen verschwiegen, aber als sie vor wenigen Stunden die verkohlten Reste mit Steinen zertrümmert hatten und dabei eine der Scherben ihre Hand berührte, hatte sie das Böse in diesem Ding ganz deutlich spüren können. Und jetzt? Sie horchte in sich hinein, aber dieses schwarze Gefühl, das ihr bei der Berührung beinahe den Magen umgedreht hätte, blieb aus.

Neben ihr regte Per sich. Ächzend wälzte er sich auf den Rücken und schlug die Augen auf.

»Wie spät ist es?« Gähnend strich er sich die Dreads aus dem Gesicht.

Alyssa sah auf ihr Handy, doch das hatte inzwischen keinen Saft mehr. »Keine Ahnung. Vielleicht sechs?«

Per zog sein eigenes Telefon hervor und stöhnte auf. »Viertel nach sechs, um genau zu sein. Wie brutal.« Er stemmte sich in die Höhe und deutete mit einem Kopfnicken auf Alyssas Tasche. »Hast du noch was zu Futtern dabei?«

»Leider nein. Aber ich habe ein bisschen Geld. Soll ich nachher was einkaufen gehen?«

»Lass mal, ich geh sowieso jetzt nach Hause, checke die Lage und schau mal nach, was noch im Kühlschrank ist.« Er stand auf und reckte sich. »Und du?«

Alyssa zuckte mit den Achseln. »Weiß nicht. Heute Nachmittag treffe ich mich ja mit Senta auf dem Spielplatz, aber nach Hause gehen kann ich vergessen. Ich glaube, ich bleibe lieber noch ein, zwei Tage hier und warte ab, ob Mr. Arschloch sich wieder beruhigt hat.«

»Musst du denn nicht zur Schule?«

»Schule bringt doch eh nichts.«

Es schien, als wollte er etwas erwidern. Das fehlte gerade noch, dass er ihr einen Vortrag über den Sinn und Zweck eines guten Schulabschlusses hielt. Als ob man sich davon eine intakte Familie kaufen könnte. Aber glücklicherweise beließ er es dabei und verzog nur skeptisch den Mund.

»Na dann. Ich komme nachher nochmal rum und schaue nach dir.« Er streckte die Hand aus und wuschelte ihr durch die Haare. »Bis später, Ella.«

»Ja, man sieht sich.« Sie sah ihm hinterher. Er hatte ihr die Haare zerstrubbelt, genau wie ihr Vater früher. Vorsichtig legte sie die Hand auf ihren Scheitel, aber das Gefühl auf ihrer Kopfhaut ließ sich nicht lange festhalten. Seufzend stand sie auf und schaute sich in der Kleiderkaue um. Ob es nebenan in den Duschräumen noch fließendes Wasser gab? Sie ging zum anderen Ende der Kaue und betrat den Waschraum. Ein grauer Schmierfilm überzog die ehemals weißen Fliesen. Zumindest die, die noch an den Wänden hingen. Die meisten jedoch lagen abgeplatzt und zerbrochen zwischen welkem Laub, Abfall und einem alten Vogelnest auf dem Boden herum. Sie musste aufpassen, wohin sie ihre Füße setzte, um sich keine Scherben in die Sohlen ihrer Leo-VANS zu treten. Mitten im Raum wuchs eine junge Birke aus dem Ablaufschacht. Der Anblick des Baums, der trotz der ungastlichen Umgebung einen Weg ins Leben gefunden hatte, wirkte seltsam tröstlich auf sie.

Aus den Wänden ragten verrostete Duschköpfe und in den Waschbecken auf der anderen Seite wucherte das Moos. Probeweise drehte sie an einem der Wasserhähne, doch als daraus gurgelnd eine rostbraune Brühe herausplätscherte, drehte sie ihn rasch wieder zu. Trinkwasser fiel also aus. Sie durchquerte den Raum und gelangte in eine weitere Kleiderkaue, die der ähnelte, in der sie die Nacht verbracht hatten. Nur wirkte diese irgendwie schmutziger. Alyssa vermutete, dass die Männer früher hier ihre verdreckte Arbeitskleidung gewechselt, danach geduscht und anschließend in der ersten Kleiderkaue ihre Alltagskleidung angezogen hatten. Hinter der zweiten Kleiderkaue führte ein dunkler Gang tiefer in die Anlage. Als Alyssa ihm folgte, gelangte sie zu einem Fahrstuhlkorb, groß genug für eine ganze Schulklasse. Vorsichtig spähte sie durch das Bodengitter des Korbs und erschauerte. Unter ihr klaffte ein kalter, schwarzer Schlund, der sicher hunderte von Metern in die Tiefe führte. Nie im Leben hätte sie sich getraut, dort hinunter zu fahren. Sie wollte sich gerade abwenden, als sie ein Bündel neben dem Fahrstuhlkorb bemerkte. Es passte nicht hier her, denn es wirkte wie erst vor Kurzem abgelegt. Sie zog es aus dem Schatten hervor und erkannte einen Rucksack. Ein einziger Blick in sein Inneres genügte, um seinen Besitzer zu erraten. Schmunzelnd betrachtete sie die Bong und den Beutel mit den Kräutern, deren Geruch sie erst gestern noch für

Basilikum gehalten und mehr als deutlich in der Nase hatte. Ganz schön leichtsinnig von Per, sein Gras hier herumliegen zu lassen. Aber wer, außer ihr, würde schon in dieser ollen Ruine herumkriechen? Sie legte den Rucksack an seinen Platz zurück und versuchte, die Zeit abzuschätzen. Inzwischen war es bestimmt fast sieben Uhr. Um acht machten zwar die Geschäfte auf, aber vor zwölf bestand keine Gefahr, Patrick auf seinem üblichen Weg zum Büdchen zu begegnen. Also beschloss sie, noch ein kleines Nickerchen zu machen, vielleicht so bis zehn Uhr, ehe sie ihr Erspartes nehmen und sich auf den Weg in die Stadt machen wollte.

Senta

Auf Zehenspitzen schlich sie nach oben, lugte durch Antons Zimmertür und lächelte erleichtert, als sie ihn im Schein seines Nemo-Nachtlichts friedlich schlummern sah. Vorsichtig zog sie die Tür zu und tappte weiter zum Schlafzimmer ihrer Eltern. Sie musste gar nicht erst das Ohr an die Tür legen. Das Schnarchen ihres Vaters, das ihre Mutter einmal scherzhaft mit dem Ächzen eines verwundeten Seeelefanten verglichen hatte, drang gedämpft auf den Flur. Gottseidank, es hatte funktioniert, sonst würden sie garantiert nicht so friedlich schlafen. Sie machte sich mit einer raschen Katzenwäsche nachtfertig und ging zu Bett. Als sie sich unter die Decke kuschelte, fürchtete sie noch, wegen der Erlebnisse mit der Puppe nicht zur Ruhe zu kommen, aber am nächsten Morgen erwachte sie frisch und erholt noch vor dem Wecker. Offenbar war sie eingeschlafen, kaum dass ihr Kopf das Kissen berührt hatte. Im Haus schien alles ruhig zu sein, und das war gut so. Sollten sie sich alle erst mal richtig ausschlafen, um sich von dem Horrortrip zu erholen. Ihr selbst kam das mit der Puppe und dem Feuer mit einer Nacht Abstand wie ein schlechter Traum vor, der bereits verblasste. Mal sehen, wie die anderen es empfanden, wenn sie sie nachher in der Schule traf. Sie ging ins Bad, machte sich fertig und packte ihre Schultasche. Dabei fiel ihr auf, dass sie ein neues Matheheft brauchte. Hoffentlich hatte sie noch eins in Reserve, sonst musste sie vor dem Unterricht noch rüber zum Schreibwarenladen. Sie flitzte ins Wohnzimmer, um im Schrank nachzusehen, da bemerkte sie sie.

Die Puppe!

Wie eine Provokation saß sie mitten auf der Couch und grinste.

Senta dachte, sie würde der Schlag treffen. Das Ding sah aus wie direkt aus dem Laden. Die Wangen rosa, die Lippen leuchtend rot, wie neu bemalt. Und erst das Kleid! Schneeweiß und frisch gestärkt, die Locken perfekt aufgedreht und mit einer Schleife im Haar. Sogar die Finger, die ihr gefehlt hatten, waren wieder dran. Das konnte doch nicht sein! *Sie haben eine neue gekauft,* versuchte Senta sich einzureden. Aber das war völliger Blödsinn, wann sollten sie das gemacht haben? Und wenn doch? Es half nichts, sie musste nachsehen. Die Seriennummer im Nacken würde es eindeutig beweisen. Unter dem Stempel mit dem Stern und den Initialen der Firma *Schönau und Hoffmeister* hatte die Zahl 18 gestanden, daran konnte sie sich noch genau erinnern. Wie betäubt wankte sie auf die Puppe zu, kämpfte gegen den Würgereiz an, der in ihr aufstieg, und packte das Ding bei den Haaren. Augenblicklich fing es an zu kreischen.

»Mörderin! Mörderin!«

Sie zuckte zurück und ein bitterer Geschmack stieg ihr in die Kehle, aber sie musste es wissen. Entschlossen drehte sie die Puppe herum und entdeckte die 18. Es war eindeutig die Puppe, die sie zerstört hatten.

Unablässig gellte das Geschrei der Puppe. Panisch schnappte Senta sich ein Sofakissen und presste es auf das Porzellangesicht. Wenn sie doch endlich still wäre! Sie musste weg hier, ehe ihre Eltern aufwachten. Zusammen mit Anton. Aber wohin? Was sollte sie ...

»Was tust du da?«

Die Stimme, die ihr aus dem Flur entgegenbrüllte, war kaum noch die ihres Vaters. Polternde Schritte kamen rasch näher, begleitet von einem Gezeter, wie von Furien.

Senta ließ die Puppe fallen, da tauchte auch schon ihr Vater im Türrahmen auf. Nichts an ihm hatte mehr etwas mit dem Mann gemeinsam, der ihr vor ein paar Tagen noch bei den Hausaufgaben geholfen hatte.

»Untersteh dich, die Puppe anzufassen!«, kreischte ihre Mutter hinter ihm.

Senta sprang über den Wohnzimmertisch hinweg, preschte durchs Esszimmer in die Küche und rannte die Treppe hinauf. *Du musst Anton schützen!* In ihrem Kopf überschlugen sich die Optionen. Flucht? Nicht ohne ihn. Gegenangriff? Vergiss es. Das Badezimmer! Ja, vielleicht. Mit den Eltern im Nacken sprintete sie ins Bad, stieß den großen Handtuchhalter um, lief wieder heraus und versteckte sich – keine Sekunde zu früh – in der Nische vor Antons Zimmer.

Angelockt vom Lärm rannten ihre Eltern ins Bad. Ehe sie ihren Irrtum bemerkten, sprang Senta vor, warf die Tür zu und schloss sie ab.

Sofort polterte es von drinnen.

»Aufmachen! Du gemeines Stück!«

»Wehe, du fasst die Puppe an!«

Senta drehte sich um und entdeckte Anton, der den Tränen nahe und völlig verstört in seiner Zimmertür stand.

»Mama schreit so laut. Papa auch. Ich hab Angst«, jammerte er und schmiegte sich an Sentas Bein.

»Alles wird gut, mein Schatz. Nicht hinhören.« Senta hob ihn auf den Arm, legte ihm eine Hand aus Ohr und presste seinen Kopf an ihre Schulter. Dann stopfte sie ein paar Sachen für sich und ihn in eine Sporttasche und machte, dass sie fortkamen.

Alyssa

Sie hatte Glück. Normalerweise drängten sich um diese Zeit massenhaft Rentner und Hausfrauen in den Supermarktgängen, doch außer einer alten Frau, die sie grimmig von oben bis unten musterte, bemerkte sie zunächst niemanden zwischen den Regalen. Unschlüssig schlenderte sie mit ihrem Korb in der Hand von Regal zu Regal und überlegte, wie sie ihre paar Kröten am sinnvollsten anlegte. Dosenravioli? Schokolade? Zigaretten? Kippen bekäme sie in ihrem Alter ohnehin keine und außerdem hatte sie nach dem Ausraster von Patrick seltsamerweise den Geschmack daran verloren. Immerhin war sein beschissener Tabak der Auslöser für den ganzen Mist gewesen. Es ekelte sie regelrecht davor. Was für eine Ironie, dass ausgerechnet Mr. Arschloch sie von dem Zeug kuriert hatte. Also lieber Lebensmittel einkaufen. Wobei Dosenravioli geschmacklich nicht gerade eine Offenbarung waren. Sie lud ein paar Limoflaschen in ihren Korb und ging weiter zur Bäckereiabteilung, wo sie sich für eine Packung Toastbrot und Reiswaffeln mit Schokoüberzug entschied. Nun noch etwas Salami und Käse, und sie würde es locker noch ein bisschen in der Ruine aushalten. Kerzen und ein Feuerzeug wären auch nicht schlecht. Sie schlug den Weg in die Haushaltswarenabteilung ein, da krachte es und ein stechender Schmerz fuhr ihr von hinten in die Hacken.

»Au, verdammt!« Mit zusammengebissenen Zähnen rieb sie sich die Knöchel und sah sich nach dem Mann um, der sie mit seinem Einkaufswagen gerammt hatte: Ein Typ Ende vierzig in zerknitterter Bürokleidung und einer Stirnglatze, die er mit überkämmten Haarsträhnen zu kaschieren versuchte.

»Scheiße, können Sie nicht aufpassen?« Wütend sah sie zu ihm auf, doch anstatt sich bei ihr zu entschuldigen, starrte er sie voll Abscheu durch seine dicke Hornbrille an. Langsam zog er den Einkaufswagen zurück. Im ersten Moment dachte Alyssa, er würde einfach um sie herum kurven und sie nicht weiter beachten, doch dann stieß er den Wagen erneut in ihre Richtung. Eine fettige Haarsträhne rutschte ihm dabei von der Glatze übers Gesicht. Mit einem reflexartigen Sprung zur Seite entging sie nur knapp der Attacke.

»Sind sie verrückt geworden?« Sie rappelte sich auf und wollte ihm ein paar passende Beschimpfungen an den Kopf knallen, da entdeckte sie etwas in seinen Augen, das sie zurückzucken ließ. Es war dieselbe kalte Wut, mit der Patrick sie vorletzte Nacht angesehen hatte. Mit einem gemurmelten »Arschloch« nahm sie ihren Korb an sich und machte, dass sie weiterkam. Am anderen Ende des Gangs begegnete ihr Frau Sänger, ihre Nachbarin.

»Haben Sie das gesehen?« Empört wies Alyssa auf den Bebrillten. »Das hat der doch mit Absicht gemacht!«

Frau Sänger, deren Hund Alyssa öfter Gassi führte und die ihr dafür mit einem Augenzwinkern stets mehr als den ausgemachten Fünfer in die Hand drückte, drehte sich langsam zu ihr um. »Verpiss dich«, zischte sie und verzog ihr faltenzerfurchtes Sonnenscheingesicht zu einer hässlichen Fratze.

Alyssa prallte zurück, als hätte die Frau ihr eine Ohrfeige verpasst. *Es hat nicht funktioniert*, schoss es ihr in den Sinn. Die Puppe zu zerstören hat nichts gebracht. Im Gegenteil, alles war nur noch schlimmer geworden! Hastig drehte sie sich um und lief in die Haushaltswarenabteilung. Dort raffte sie wahllos ein Feuerzeug, Kerzen und Klopapier zusammen und rannte zur Wurstwarenabteilung. Je schneller sie ihren Einkauf hinter sich brachte, desto besser. Sie holte ein Päckchen Salami aus dem Kühlregal und warf einen Blick zur Fleischtheke. Der Metzger, der ihr als Kind immer eine Scheibe Schinkenwurst geschenkt hatte, zog betont langsam sein großes Fleischermesser über den Wetzstahl. Das diabolische Grinsen, das er ihr schenkte, ließ ihr den Atem stocken. Rasch wandte sie sich ab und machte sich daran, ihre Einkäufe in den Korb zu stopfen. Sie versuchte, sich auf ihre Arbeit zu konzentrieren, aber als sie sich erneut zu dem Mann umdrehte, stand er nicht mehr hinter dem Verkaufstresen. Stattdessen trat er durch die Schwingtür in den Kundenbereich und kam langsam auf sie zu. Sein Papierhütchen saß schief auf dem Kopf und verlieh seinem rosa Schweinchengesicht etwas absurd Komisches. Die Ärmel seines Hemdes hatte er hochgekrempelt, sodass sie den Blick auf seine haarigen Unterarme freigaben. Zum ersten Mal wurde Alyssa bewusst, wie kräftig der Mann war. Auf seiner Schürze prangten blutige Handabdrücke, und plötzlich war sie sich gar nicht mehr so sicher, ob das Blut von einem Tier stammte.

Sie ließ den Einkaufskorb fallen und rannte durch die Gemüseabteilung auf den Eingang zu. Die Kassiererin glotzte sie teilnahmslos wie ein Zombie an, doch hinter ihr hörte

Alyssa, wie der Metzger seine Schritte beschleunigte. Nichts wie raus. Sie stieß einen älteren Mann beiseite, der sich ihr in den Weg stellen wollte, und übersprang das Absperrgitter mit dem roten Einbahnstraßenschild. In der automatischen Drehtür musste sie sich zwingen, nicht gegen das Glas zu drücken. Jetzt bloß nicht den Sicherheitsmechanismus auslösen, der die Tür im Notfall blockierte. Erleichtert atmete sie auf, als sie endlich wieder draußen auf der Straße war. Was für ein Irrenhaus! Hinter ihr hatte aber auch der Metzger beinahe die Drehtür erreicht. Ohne lange zu überlegen, schlug Alyssa mit der Hand auf den roten Nothalteknopf. Das würde ihr ein paar Sekunden Vorsprung verschaffen. Sie drehte sich um und wollte gerade losrennen, da packte sie jemand an den Armen.

»Lass mich in Ruhe, ich habe doch nichts getan!« Wie wild schlug sie um sich und versuchte, sich aus dem Griff zu befreien.

»Beruhige dich, Alyssa, ich bin es!«

Sie schaute auf und erkannte Per, dem die blanke Angst ins Gesicht geschrieben stand.

»Die Leute da drinnen ...« Panisch deutete sie hinter sich.

»Ich weiß«, unterbrach er sie. »Komm jetzt, wir müssen weg hier.« Er nahm sie bei der Hand und zog sie mit sich.

Sie rannten die Straße hinunter und schlugen den Weg Richtung Schrebergartenkolonie ein. In Höhe der Kirche kamen ihnen ein paar Leute entgegen. Sofort zog Per sie hinter ein Gebüsch und duckte sich.

»Sie dürfen uns nicht sehen.« Vorsichtig spähte er durch die Zweige.

»Denkst du, sie würden uns etwas antun?«

»Vorhin hat meine Nachbarin von gegenüber versucht, mich mit dem Auto zu überfahren«, erzählte Per, ohne die

Leute aus den Augen zu lassen. »Keine Ahnung was sie machen, wenn sie uns in die Hände bekommen.«

Alyssa spürte, wie ihre Knie weich wurden. »Was ist nur in sie gefahren? Warum sind sie plötzlich alle so böse?«

»Es hat mit der Puppe zu tun.«

»Aber die haben wir doch letzte Nacht zerstört.« Alyssa war den Tränen nahe.

Er warf ihr nur einen düsteren Blick zu und beobachtete weiter die Straße. »Komm jetzt, sie sind weg.« Er wagte sich aus ihrem Versteck und gab ihr ein Zeichen, ihm zu folgen.

Ohne weitere Zwischenfälle erreichten sie die Schrebergärten und huschten im Schatten der Hecken weiter. Als sie hinter einer Gartenlaube in Deckung gingen, bemerkte Alyssa an einem Palisadenzaun zwei Gestalten, die sich ebenfalls zu verstecken schienen.

»Schau mal, da drüben. Ist das nicht Ömer?«

Per sah in Richtung ihres Fingerzeigs. »Tatsächlich! Aber wer ist da bei ihm?«

»Ich glaube, das ist dieser Arztjunge, Karl.« Alyssa versuchte, die zwei mit leisen Pfiffen auf sich aufmerksam zu machen, und tatsächlich winkte Karl ihnen kurz darauf zu. Er bedeutete ihnen, an Ort und Stelle zu bleiben, flüsterte mit Ömer und schon flitzten die Jungs zu ihnen herüber.

»Was geht denn hier für eine krasse Scheiße ab?«, begrüßte Ömer sie. »Alle Erwachsenen rasten voll aus. Sogar meine *Anne* und mein *Baba!*«

»Meine auch«, ergänzte Karl. Er sah noch kleiner und blasser aus als gestern. »Mein Großvater hat hier einen Garten, da wollen wir uns verstecken, bis sich alle wieder beruhigt haben. Kommt ihr mit?«

Per schüttelte den Kopf. »Nein, wir gehen zur Ruine. Da finden sie uns nicht und da ist auch viel mehr Platz für alle.«

Ömer stutzte. »Wieso viel mehr Platz für alle? Wollen sich noch welche außer uns vor ihren Eltern verstecken?«

»Hast du noch andere getroffen? Vielleicht auf dem Weg zur Schule?«, überging Per die Frage.

Ömer zupfte nervös an seinem spärlichen Bartflaum, dann schüttelte er den Kopf.

Alyssa verstand gar nichts mehr. »Was ist nur los?«, wollte sie von Per wissen. »Was hast du heute Morgen gesehen, nachdem du weg warst?«

»Das blanke Chaos.« Er rieb sich mit dem Handrücken über die Stirn. »Überall waren Kinder und Jugendliche auf der Flucht vor den Erwachsenen, aber inzwischen haben die meisten irgendwo ein Versteck gefunden. Ein paar Leute aus meiner Stufe sind bei den Pfadfindern. Sie sagten, sie hätten gestern schon so etwas geahnt und haben einen Notfallplan erstellt. Heute Morgen haben sie einen Suchtrupp organisiert und klappern die Nachbarschaft nach kleinen Kindern ab, die sich nicht selbst retten können. Sie wollen ein oder zwei Busse kurzschließen und sie damit zum Pfadfinderheim draußen vor der Stadt bringen. Da wollen sie sich mit ihnen verschanzen.«

Alyssa schlug die Hände vors Gesicht. Babys! Kleinkinder! Sofort hatte sie ihren Neffen vor Augen und ihre Schwester, die ihn ... Nein, Louis ging es gut, Amanda und Leon wohnten weit genug weg und waren vor dem Fluch sicher. Aber was war mit den anderen kleinen Würmchen? Hoffentlich übersahen die Pfadfinder keins von ihnen. Und hoffentlich kamen sie nicht zu spät.

»Was sollen wir tun?« Sie war den Tränen nahe. »Wo sollen wir hin?«

Per blies ratlos die Backen auf. »Die meisten haben bereits letzte Nacht begonnen, die Stadt zu verlassen. Sind zu Verwandten oder so.«

»Das ist doch Wahnsinn!« Alyssa glaubte, sich verhört zu haben. »Wenn die draußen Bescheid wissen, was hier los ist, kommen sie doch alle hierher und laufen in die Falle. Dann verwandeln sie sich auch.« Sie fasste sich an die Stirn, hinter der sich allmählich ein pochender Schmerz meldete. »Und wenn sie die Polizei verständigen, oder das Militär«, spann Karl den Gedanken weiter. »Dann haben wir hier bald eine Invasion von schwerbewaffneten Psychopathen.«

»Um Himmels willen, Per.« Alyssa spürte, wie ihr schwindelig wurde. »Sie dürfen auf keinen Fall erzählen, was hier passiert. Niemand darf erfahren, was sich hier abspielt.«

Per nahm sie bei den Schultern und schüttelte sie leicht. »Beruhige dich, Ella. Die Pfadfinder sagten, sie hätten mit einigen von denen gesprochen, als sie aufgebrochen sind. Allen ist klar, dass sie über die Sache schweigen müssen, sonst gibt es hier eine Katastrophe. Glaub mir, niemand von außerhalb wird von dem Chaos hier etwas mitbekommen. Sie denken sich irgendwas Harmloses aus. Streit mit den Eltern, Sehnsucht nach der Omi, etwas in der Art.«

»Ja okay.« Alyssa zwang sich, ruhig zu atmen. Die Panikattacke, die sie gerade überrollen wollte, zog sich zurück, aber sie hatte das Gefühl, sie würde tief in ihrem Innern nur auf die nächste Chance zum Ausbruch warten.

»Und was macht der Rest von uns? Was machen wir?«, fragte Ömer, der ziemlich blass geworden war.

»Ich hab gehört, dass sich eine kleine Gruppe im Keller vom Schulzentrum verkriechen wollte, bis dieser Horror vorbei ist. Da würden die Erwachsenen zuletzt nach ihnen suchen. Außerdem liegt es ein bisschen außerhalb der Stadt, da dürfte weniger los sein.« Er wandte sich an Alyssa. »Andere sind auf die Idee gekommen, sich in der Ruine zu verstecken, genau wie du und ich es gestern gemacht haben. Senta und ihr kleiner Bruder sind auch dabei.«

»Anton?«, fragte Alyssa beklommen. »Geht es ihm gut?«

Per ließ die Frage unbeantwortet. »Also, wer von euch mitkommen will, der kommt mit. Ich hau jetzt jedenfalls ab. Ella, kommst du?« Damit richtete er sich auf und spurtete los, in Richtung der Felder.

Alyssa hängte sich wie selbstverständlich an ihn, und als sie sich umdrehte, sah sie auch Ömer und Karl folgen.

Kapitel 8

Senta

Senta wiegte Anton in den Armen und versuchte, nicht dauernd auf die Uhr zu schauen. Inzwischen musste Per doch längst zurück sein. Vicky, Malte und einige andere Leute aus der Nachbarschaft hatten es sich auf den Umkleidebänken der Kleiderkaue gemütlich gemacht und berieten flüsternd, was nun geschehen sollte. Lea hatte an der Eingangstür Posten bezogen und hielt nach Per Ausschau. Hoffentlich brachte er Alyssa auch mit. Wenn er doch nur endlich käme. Nach allem, was in den letzten Stunden passiert war, war er der einzige Mensch, bei dem sie sich noch sicher fühlte. *Du musst Per anrufen*, war demnach auch ihr erster Gedanke gewesen, als das Grauen heute früh eine neue Qualität erreicht hatte. Alleine bei der Erinnerung daran fühlte es sich an, als würde ein eisiger Knoten ihre Innereien zusammenschnüren. Zum Glück hatte er ihr bei ihrem kurzen Telefonat ohne Zögern geglaubt, dabei hatte ihre Geschichte selbst in ihren eigenen Ohren wie das Gestammel einer Geisteskranken geklungen. Sofort war sie seiner Aufforderung gefolgt und war mit dem Kleinen hierher geflüchtet, während er sich auf die Suche nach Alyssa machen wollte. Nach und nach waren dann die anderen eingetrudelt, die meisten davon mindestens ebenso verstört wie sie selbst. Gefangen in ihrem Gedankenkarussell streichelte sie Antons Locken und beneidete den kleinen Kerl um seinen sorglosen Schlaf.

»Da, sie kommen«, rief Lea über die Schulter. »Und sie bringen noch welche mit.«

Senta schreckte auf, worauf Anton im Schlaf ein unleidiges Grummeln von sich gab.

Ein paar der Anwesenden hoben neugierig die Köpfe, als sich zuerst Alyssa und danach Ömer und ein weiterer Junge durch den Türspalt zwängten. Eine Schrecksekunde lang glaubte Senta, dass Per nicht dabei war, bis er kurz darauf als letzter der Gruppe die Kleiderkaue betrat und zusammen mit Lea die Tür hinter sich zuschob.

»Wir müssen darauf achten, nicht zu viel von dem Unkraut draußen zu zertrampeln. Sonst erkennt sogar ein Blinder, dass wir hier sind.« Er warf einen mahnenden Blick in die Menge, aber als er Senta entdeckte, hellte sich seine Miene auf. »Gott sei Dank, da seid ihr ja!« Mit schnellen Schritten eilte er ihr entgegen und blieb vor ihr stehen. »Alles okay mit euch?«

Vorsichtig schob Senta sich unter Anton hervor, bettete ihn auf ihre Jacke und stand auf. »Jetzt ja.« Sie spürte, wie sie errötete.

»Schau, wen ich mitgebracht habe.« Per deutete über die Schulter zu Alyssa, die zwischen Ömer und dem fremden Jungen auf einer Bank hockte und ziemlich mitgenommen aussah.

»Wo hast du sie gefunden?«

»Vor dem Supermarkt. Das war krass! Wie in einem Wes-Craven-Film. Und die Jungs haben wir bei den Schrebergärten eingesammelt. Aber vielleicht sollten wir uns erst einmal alle zusammensetzen und jeder erzählt, was ihm passiert ist. Danach überlegen wir, wie es weitergeht.« Er steckte zwei Finger in den Mund und stieß einen kurzen Pfiff aus, um sich Aufmerksamkeit zu verschaffen.

Nachdem er seinen Vorschlag vorgetragen hatte, stellten sie vier der Umkleidebänke zu einem Quadrat zusammen und setzten sich. Dann fingen sie reihum an zu erzählen. Malte und seine Schwester Vicky machten den Anfang.

»Es fing vor zwei Tagen an«, berichtete Vicky. »Gleich am Sonntagmorgen, als wir frühstücken wollten.«

»Also Vic und ich wollten frühstücken«, korrigierte Malte. »Unsere beiden Erzeuger saßen nur mürrisch herum und gifteten uns zur Begrüßung an, was wir hier zu suchen hätten.«

»Anfangs dachten wir, sie erlauben sich einen Scherz, aber sie meinten es bitterernst«, fuhr Vicky fort. Noch immer spiegelte sich auf ihrem Gesicht ungläubiges Entsetzen. Malte legte tröstend seinen Arm um ihre Schulter. Dankbar schmiegte sie sich an ihn.

Senta kannte die Geschwister von klein auf. Zwischen ihnen hatte es bei aller Liebe nie große Gesten der geschwisterlichen Zuneigung gegeben. Dies jetzt zu beobachten, sagte viel über ihren Gemütszustand aus.

»Im weiteren Tagesverlauf wurden sie immer biestiger«, setzte Malte den Bericht fort. »Anfangs nur mit Worten, und später wurden sie regelrecht handgreiflich. Mein Dad hat mir die Fernbedienung an den Kopf geworfen, nur weil ich ihm beim Fernsehen angeblich durchs Bild gelaufen bin.«

»Dabei hat er nur irgendeinen Trash über Auswanderer auf Malle geguckt. So was schaut er sonst nie«, ergänzte Vicky.

»Der Typ von meiner Mutter hat *Barbie und der Nussknacker* geguckt«, meldete sich Alyssa. »Das war echt schräg.«

Vicky nickte ihr verstehend zu. »Das ging den ganzen Tag und wurde immer schlimmer«, fuhr sie fort. »Wir sind richtig in Deckung gegangen vor ihnen. Bis sie gegen Abend völlig gleichgültig geworden waren und uns komplett ignoriert hatten. Das war das Schlimmste.« Verzweifelt fuhr sie sich durch ihre rote Mähne. »Von ihnen wie Luft behandelt zu werden, als ob man tot sei. Da werde ich lieber angeschrien.« Sie schüttelte sich fröstelnd, woraufhin Malte sie noch fester in die Arme nahm.

»Wir dachten schon, dass es nicht schlimmer kommen könnte, aber heute Morgen sind sie dann total ausgeflippt«, erzählte er weiter. »Sie haben das ganze Haus zerlegt und versucht, mich die Kellertreppe hinunter zu schubsen.« Fahrig rieb er sich über die Koteletten. »Wir wussten nicht, was wir tun sollten, bis plötzlich Per anrief und erzählte, was bei ihm abgegangen war und was gerade in der Stadt passiert.«

»Dann haben wir schnell ein paar Sachen zusammengepackt und sind abgehauen«, fuhr Vicky betrübt fort. »Draußen haben wir ein paar andere getroffen, denen es ähnlich ergangen war. Lea zum Beispiel und Erik und Sören von nebenan. Zusammen sind wir dann hierhin geflüchtet.«

Nach den Geschwistern war Lea an der Reihe mit ihrer Geschichte. Stockend erzählte sie, wie ihr Vater sie in ihrem Zimmer eingesperrt hatte und sie über das Regenrohr geflüchtet war.

Erik und Sören, die fünfzehnjährigen Zwillinge, die neben Vicky und Malte wohnten, beschrieben, wie ihre Mutter mit einem Toaster nach ihnen geworfen hatte. Ähnliches berichteten auch Emre und Kaan, zwei Freunde von Ömer, mit denen er in derselben Straße wohnte.

»Zum Glück ist meine *Anne* mit meinen kleinen Brüdern gerade in der Türkei«, beendete Kaan seinen Bericht. »Da sind wenigstens die in Sicherheit.« Er sah sorgenvoll auf. »Stimmt doch, oder?«

Die zwölfjährige Franziska, die mit ihrer achtjährigen Schwester Rebecca in der Nähe von Per wohnte, erzählte nur wenig, aber die Art, wie sie ihre kleine Schwester an sich presste, sagte schon genug.

»Was wird jetzt aus meinem Pferd?«, jammerte Franziska. »Es ist doch ganz alleine auf seiner Weide und niemand kümmert sich.«

»Mach dir lieber Sorgen um dich selbst«, entgegnete Kaan mürrisch. »Dein Pferd kommt schon klar.«

Bisher hatte Senta die beiden sommersprossigen Mädchen, die meistens in Reiterklamotten herumliefen und reichlich hochnäsig wirkten, nicht besonders leiden können. Aber als sie die fettigen Haare und die Dreckspuren auf ihren Designerjeans bemerkte, taten ihr die Mädchen leid.

Ömer wollte keine Details preisgeben, aber er bestätigte, dass seine Eltern und sogar seine erwachsenen Schwestern, die noch zu Hause wohnten, ähnliche Verwandlungen vollzogen hätten. Auch Alyssa erzählte nicht viel von zu Hause, aber Senta konnte ihrem Gesicht ablesen, dass sie Schlimmes gesehen hatte. Über ihre Beobachtung im Supermarkt jedoch sprach sie ausführlich, woraufhin Rebecca wieder zu weinen anfing. Als der fremde Junge, der sich Karl nannte, an der Reihe war, winkte der nur traurig ab.

»Nehmt eure Erlebnisse als Blaupause für meine«, antwortete er matt. »Sie unterscheiden sich nur geringfügig.«

Zuletzt erzählte Per davon, wie er auf dem Heimweg Sentas Anruf erhalten hatte. »Ich hab mich sofort auf den Weg in die Stadt gemacht, um die Lage zu checken. Überall Panik, sag ich euch. Ein paar erzählten, dass sie raus aus Gremmershoven oder sich verstecken wollten. Mir sind auch ein paar von den Pfadfindern über den Weg gelaufen. Sie sammeln gerade die kleineren Kinder ein, um sich mit ihnen draußen vor der Stadt zu verschanzen.«

»Oh mein Gott«, wimmerte Lea. »Die Kleinen! An die hab ich noch gar nicht gedacht.«

»Meinst du Olli und seine Gruppe?«, fragte Malte nach.

»Ja, genau.« Per nickte. »Die wollen ein, zwei Busse vom Jungbluth kurzschließen, um alle in einem Rutsch zu transportieren.«

»Na dann ist es ja gut.« Malte wandte sich an Lea. »Keine Sorge, Per und ich kennen die. Wenn Olli, Klara und die anderen das in die Hand nehmen, brauchen wir uns keine Sorgen zu machen. Die sind echt superclever und organisiert.«

»Also sind alle anderen Kinder in Sicherheit?« Lea sah von Malte zu Per. »Wir sind der klägliche Rest?«

Per nickte. »Jedenfalls glaube ich, wir sind so ziemlich die letzten, die noch hier in der Stadt geblieben sind. Mal die nicht mitgezählt, die sich im Keller vom Schulzentrum verstecken.«

Der Gedanke, sie könnten die letzten in Gremmershoven verbliebenen Kinder sein, ließ Senta schaudern. Vielleicht hätten sie auch die Gelegenheit zur Flucht nutzen sollen, stattdessen saßen sie jetzt hier fest. Und wie lange das Bergwerk noch sicher war, konnte niemand sagen. So oder so, nun war es eh zu spät. »Was passierte dann?«, fragte sie, obwohl sie es in Wahrheit gar nicht wissen wollte.

»Ich hab mit Malte telefoniert, dann bin ich nach Hause gerannt, um ein paar Sachen zusammenzupacken«, fuhr Per fort. »Auf dem Weg hat ein silbergrauer Kombi versucht, mich zu überfahren. Ich konnte mich gerade noch mit einem Sprung hinter einen Müllcontainer retten. Im Vorbeifahren konnte ich sogar noch einen Kindersitz auf der Rückbank und einen Phantasialand-Aufkleber am Heck erkennen. Eine Familienkutsche, die zum Stock-Car-Renner mutiert ist.« Unter den Rußstreifen wurde sein Gesicht bleich wie Frischkäse. »Das war eure Mutter, Franziska.«

Franziska schob die Unterlippe vor und wandte sich trotzig ab. »Das kann jeder behaupten.«

Per schüttelte nur mitleidig den Kopf. »Als ich schließlich nach Hause kam, quollen mir bereits Rauchschwaden entgegen. Meine Eltern hatten einen regelrechten Scheiterhaufen mit meinen Sachen aus dem Rübenkeller im Hof errichtet. Wie die Irren tanzten sie ausgelassen um die Flammen herum. Das war der reinste Hexensabbat. Ich schwöre, so was habe ich noch nie erlebt.« Seine Augen wirkten müde wie die eines alten Mannes. Ihn so zu sehen tat Senta in der Seele weh. »Aber wenigstens achteten sie nicht auf mich. Ich hätte vermutlich vor ihren Nasen sogar quer durchs Feuer laufen können, es hätte sie nicht gejuckt. Das gab mir die Chance, unbemerkt ins Haus zu schleichen, ein paar Sachen zusammenzuraffen und abzuhauen. Ich ahnte, dass Alyssa zum Supermarkt wollte, darum bin ich auch dorthin. Sie ist mir förmlich in die Arme gelaufen, und bei allem, was sie da drinnen erlebt hat, war das auch kein Wunder.« Er seufze matt. »Das war also mein Vormittag, und jetzt bist du dran, Senta. Ich glaube, dass deine Geschichte der Schlüssel zu allem ist.«

Malte warf Per einen fragenden Blick zu.

Rebecca hörte zu weinen auf und setzte sich aufrecht hin.

Mit skeptischer Mine verschränkte ihre Schwester die Arme vor der Brust.

Emre und Kaan hörten auf zu tuscheln und schauten Senta an.

»Ja, erzähl von der Puppe.« Alyssa, die sich an Ömer gelehnt hatte, nickte ihr aufmunternd zu.

»Was für eine Puppe?« Vicky schnäuzte sich in ein Taschentuch.

»Ich weiß nicht, ob ihr mir glauben werdet.« Senta sah zweifelnd von einem zum anderen.

Lea, die neben Senta Platz genommen hatte, nahm ihre Hand und drückte sie sachte. »Versuch's einfach.«

Senta erwiderte Leas Händedruck und nickte. »Alles begann in der Nacht zum Sonntag, als meine Eltern vom Wandern zurückkamen. Sie hatten sich unterwegs verlaufen, darum kamen sie erst so spät. In irgendeinem Moor hatten sie eine alte Puppe gefunden und mit nach Hause gebracht. Meine Mutter sagte, das sei vermutlich eine wertvolle Antiquität, die sie restaurieren wollte. Zunächst habe ich mir nichts dabei gedacht, aber am Sonntag wurde dann alles anders.«

Sie erzählte davon, wie ihre Eltern sich verändert hatten, und dass sie zunächst dachte, sie hätten sich vielleicht auf der Wanderung gezankt.

»Ich hab auch zuerst geglaubt, Mama und Papa würden wegen unserer neuen Reitlehrerin streiten«, bemerkte Rebecca, worauf Franziska ihr einen warnenden Blick zuwarf.

Die anderen nickten zustimmend und bekräftigten, dass es bei ihnen ähnlich angefangen hatte.

Als Senta von ihrem Erlebnis mit der Puppe in der Küche berichtete, hielten Rebecca und Vicky vor Schreck den Atem an.

»Du hast dich bestimmt geirrt!«, rief Emre dazwischen. »Puppen laufen nicht durchs Haus.« Er tippte sich an die Stirn.

»Oder war das vielleicht Chucky, die Mörderpuppe?« Kaan kicherte. »Davon habe ich alle Teile gesehen. Das Blut sah voll unecht aus.«

»Nee, wie bei Annabelle«, widersprach Emre. »Hast du den Teil gesehen, als ...«

»Seid bloß leise, ihr habt ja keine Ahnung«, unterbrach Alyssa ihn und sah die Jungs finster an.

»Aber du, was?« Kaan wollte aufstehen, aber Ömer stieß ihn wieder auf seinen Platz zurück.

»Du hast jetzt mal Pause, *Abi.* Lass das Mädchen weitererzählen.«

Kaan sah aus, als wollte er etwas erwidern, hielt dann aber lieber den Mund.

Senta warf Ömer ein dankbares Lächeln zu und setzte ihre Geschichte fort. Ein beklemmendes Gefühl kroch in ihr hoch und sie geriet ins Stocken, als sie von der brennenden Puppe erzählte und davon, wie sie den Eindruck hatte, sie würde sie mit ihren rauchenden Augenhöhlen ansehen. Hilfesuchend schaute sie Per an.

»Genauso war es.« Er nickte bestätigend. »Aber es ging ja noch weiter.«

Und so erzählte sie, wie sie die verkohlten Reste zerschlagen und verstreut hatten.

»Und sie hat dich letzte Nacht wirklich gebissen?« Franziska schien ihr die Geschichte noch immer nicht abkaufen zu können. Senta konnte es ihr nicht verübeln. Ihr selbst viel es schwer, das alles zu glauben. Wortlos stand sie auf und hielt Franziska zum Beweis ihren Handrücken hin, auf dem man noch immer deutlich den Zahnabdruck der Puppe erkennen konnte. Mit ausgestreckter Hand ging sie die Reihe ab und ließ jeden einen Blick auf die Male werfen, ehe sie sich wieder setzte.

»Danach sind wir alle nach Hause gefahren und ich bin schlafen gegangen. Als ich heute Morgen aufgewacht bin, schien es zuerst so, als sei alles in Ordnung.« Noch immer entsetzt erzählte sie, was sich in ihrem Elternhaus ereignet hatte, und wie ihr mit knapper Not die Flucht gelungen war.

Franziska zog skeptisch die Nase kraus. »Bist du sicher, dass es dieselbe Puppe war? Vielleicht haben deine Eltern auch nur eine neue gekauft, nachdem die alte weg war.«

»Glaub mir, sie war es. Das habe ich an der Seriennummer erkannt. Eins, acht. Ich werde mir doch wohl zwei simple Ziffern merken können. Es ist definitiv die Puppe, die wir zerstört hatten.«

»Die 18 sagtest du?«, fragte Karl nachdenklich. »Sehr interessant.«

»Ja, eine eins und eine acht. Kein Komma, kein Trennungsstrich oder so was dazwischen. Was ist denn daran so besonders?«

Karl sah sie überrascht an. »Ist das nicht offensichtlich? 18 ist die Quersumme von 666. Das ist ...«

»Die Zahl des Todes«, ergänzte Vicky. »Hab ich aus einem Film.«

»Was, bitteschön, guckst du für Filme?« Malte sah seine Schwester streng an.

»Nicht ganz«, korrigierte Karl. »Das ist die Zahl des Tiers oder des Antichristen. Stammt aus der Offenbarung des Johannes.«

»Wie bitte?« Lea sah aus, als würde sie jeden Moment einen hysterischen Anfall bekommen. »Wir haben es mit dem Werk des Teufels zu tun?«

»Nicht unbedingt«, beruhigte Karl sie. »Es gibt auch Deutungen, die besagen, dass damit Kaiser Nero gemeint ist, der aus dem Totenreich zurückkehrt, um wieder die Macht zu übernehmen.«

»Also ein Hinweis auf einen Untoten?« Senta fröstelte es bei dem Gedanken.

»Ehrlich, Karl. Das macht es nicht unbedingt besser.« Per sah zweifelnd drein. »Teufel, Tiere, Untote. Das klingt alles ein bisschen weit hergeholt.«

Karls Ausführungen folgte beklommenes Schweigen, das Alyssa irgendwann durchbrach. »Die Puppe ist böse. Das habe ich schon letzte Nacht gespürt, als wir sie erledigt haben. Wir müssen sie unbedingt loswerden.«

»Aber wie denn?«, jammerte Vicky. »Ihr habt es doch versucht, und trotzdem ist sie wieder aufgetaucht.«

»Ihr spinnt doch alle! Ich glaube euch kein Wort.«

Franziska warf den Kopf in den Nacken, doch Rebecca schien anderer Ansicht zu sein. »Und wenn wir sie wieder zurückbringen?«, meldete sie sich zaghaft zu Wort. »Dahin, wo sie hergekommen ist? Vielleicht will sie ja nur wieder nach Hause und macht deshalb all diese schlimmen Sachen.«

»Sei still.« Franziska warf ihr einen warnenden Blick zu.

»Ich glaube, sie hat recht«, mischte sich Karl ein. »In Thailand sind Geister allgegenwärtig. Vielleicht steckt in der Puppe ja ein Dämon?«

Bis vor wenigen Tagen hätte Senta noch jeden ausgelacht, der ihr etwas von allgegenwärtigen Geistern oder bösen Puppen mit Heimweh erzählt hätte. Mittlerweile aber schien ihr das, was Rebecca und Karl sagten, die einzig einleuchtende Erklärung für all das zu sein.

»Ich glaube auch, dass es so ist. Die Puppe muss zurückgebracht werden, und ich werde das erledigen«, verkündete sie und wandte sich an Lea. »Könntest du bitte solange auf Anton aufpassen, bis ich wieder hier bin?«

»Bist du verrückt?« Per sah sie schockiert an. »Warum ausgerechnet du?«

»Weil es meine Eltern waren, die die Puppe angeschleppt haben. Also ist es meine Aufgabe, das Ding wieder dahin zu bringen, wo es hergekommen ist.«

»Es war nicht deine Schuld!«, warf Lea ein. »Du bist doch nicht für deine Eltern verantwortlich.«

»Aber was bleibt mir übrig? Sie können schließlich nicht selbst dafür die Verantwortung übernehmen. Nicht in ihrem jetzigen Zustand.« Senta stand auf und hob hilflos die Arme. »Also muss ich es für sie tun, stellvertretend als ihre Tochter. Ich will meine Familie zurück.«

»Ja, verstehe. Dann komme ich mit.« Per stand ebenfalls auf.

»Ich auch.« Alyssa erhob sich beinahe zeitgleich mit Ömer.

»Bin dabei«, rief er und sah Kaan und Emre an. »Und ihr?«

»*Abi*, wir bleiben lieber hier und helfen den anderen«, antwortete Emre und wich seinem Blick aus.

Auf Ömers Stirn zeigte sich eine steile Falte, aber er akzeptierte die Entscheidung wortlos.

»Sonst noch wer?« Per blickte fragend in die Runde, und zu aller Überraschung meldete sich Karl.

»Ich habe dutzende Bücher über die heimische Flora und Fauna gelesen. Bestimmt kann ich euch helfen.« Er stand auf und zupfte sich sein Polohemd zurecht. »Und wie ich bereits erwähnte, Geister und Dämonen gehören zur Kultur meiner Heimat, wenn sich jemand damit am besten auskennt, dann ich, in aller Bescheidenheit.«

»Was die Geister betrifft, hast du recht. Aber da draußen durch die echte Natur zu laufen ist ein bisschen anders, als nur darüber zu lesen.« Zweifelnd musterte Senta den kleinen Jungen. In der Theorie mochte er tatsächlich hilfreich sein. Aber in der Praxis? »Bist du sicher, dass du das willst?«

»Da könnte man sich dreckig machen«, warf Kaan ein, worauf er Karls vernichtenden Blick einfing.

»Ich komme mit«, beharrte Karl und gesellte sich zu Senta und den anderen.

»Ich auch«, meldete sich Malte, doch Per winkte ab.

»Nein, kümmere du dich lieber um die anderen. Könnte ja sein, dass ihr entdeckt werdet, dann musst du sie alle in Sicherheit bringen.«

Malte überlegte einen Moment und nickte. »Okay, Diggah. Und was schlägst du vor, wohin ich sie bringen soll, falls was passiert?«

»Zeige ich dir später. Gut, also wir fünf.« Per nickte, nachdem sich niemand sonst bereiterklärt hatte, sie zu begleiten.

»Ich schlage vor, wir checken gleich mal unsere Vorräte, dann gehen wir zu mir nach Hause und schnappen uns die Puppe«, stellte Senta ihren Plan vor. Jetzt, da sie nicht alleine gehen musste und sogar Per mitkam, fühlte sie sich ein bisschen besser. Die Puppe holen, das GPS einstecken, das ihre Eltern immer zum Wandern mitnahmen, und der Route folgen, bis sie ein Moor erreichten. Dort würden sie die Puppe ablegen und machen, dass sie wegkamen. Was sollte da noch schiefgehen?

Per

Als sie klein waren, hatten Malte und er wie fast alle Kinder des Ortes trotz Verbots der Eltern regelmäßig in der Ruine gespielt. Die Verlockung des Abenteuers war einfach zu groß gewesen und es hatte so viel Spannendes zu entdecken gegeben. Anfangs hatten sie nur harmloses Zeug wie Verstecken oder Dschungelexpedition gespielt. Die Ketten der Kleiderkaue hatten ihnen als Lianen gedient, an denen sie sich von Bank zu Bank geschwungen hatten. In ihrer Fantasie hatte sich der Boden dazwischen in einen Fluss voller Krokodile verwandelt. Später hatten sie Silvesterböller in den Schacht geworfen und mit pochenden Herzen darauf gewartet, ob sie damit vielleicht eine Grubengasexplosion auslösten.

Einmal, da waren sie vielleicht in der siebten Klasse gewesen, hatte Per die Idee entwickelt, mit dem Fahrstuhlkorb nach unten zu fahren. Er hatte im Internet gegoogelt und herausgefunden, dass man den Mechanismus der Haspel, der früher von Dampfmaschinen und später elektrisch angetrieben wurde, auch per Hand bedienen konnte. Damit hatte man sicherstellen wollen, dass der Förderkorb im Notfall auch ohne Strom funktionierte. Allerdings hatten sie die Idee nie umgesetzt. Irgendwann hatte Malte angefangen, Mädchen mit in die Ruine zu bringen und damit war dann auch die Zeit der Dschungelexpeditionen und Grubenkatastrophen vorbei gewesen.

»Siehst du das Ding dort oben?« Per zeigte auf die riesige Haspel oberhalb des Fahrstuhlkäfigs. Eine wackelige Eisentreppe führte hinauf, die Per nun mit Malte bestieg. Er legte die Hände auf ein rostiges Rad, das aus der Maschine ragte. »Damit kann man die Treibscheibe per Hand drehen.« Er stemmte sich dagegen, doch nichts passierte. Auffordernd klopfte er Malte auf den Oberarm. »Komm, pack mit an.« Doch auch zu zweit schafften sie es nicht, das Rad auch nur einen Millimeter zu bewegen.

»Können wir helfen?«, rief unversehens eine Jungenstimme.

Per drehte sich um und entdeckte die Zwillinge am Fuß der Treppe. Die zwei machten nicht den Eindruck, als könnten sie hart anpacken. Sie hatten den typischen Körperbau von Fünfzehnjährigen, die in kurzer Zeit sehr schnell gewachsen waren. Hager und mit Armen und Beinen, die irgendwie viel zu lang für den Rest des Körpers schienen. Auf ihren blassen Gesichtern blühte die Akne, an denen Erik – oder war es Sören? – nervös herumpulte. Wie die meisten Jungs ihres Alters trugen sie Basecaps, wobei einer der beiden den Schirm nach hinten gedreht hatte. Seine dunkelblonden Ponysträhnen stachen kreuz und quer durch die

Öffnung oberhalb des Verschlussclips heraus und störten ein wenig den Coolnessfaktor, den er sicherlich beabsichtigte.

»Kennt ihr euch denn mit Maschinen aus?«, wollte Malte wissen.

»Ein bisschen«, antwortete der Pickelpuler und ließ die Hand sinken. »Unser Vater war, ich meine, ist Schlossermeister.«

Trotz ihrer schmächtigen Erscheinung erwiesen sich Sören und Erik als geschickte Handwerker. Mit einer Eisenstange, die sie aus dem Treppengeländer montierten, schlugen sie gegen die Nabe des Handrads, bis es sich gelockert hatte. Gemeinsam schafften sie es, das Rad ein paar Zentimeter zu drehen.

»Gelockert ist es, aber wir brauchen einen Rostlöser und ein Schmiermittel, sonst frisst es sich gleich wieder fest«, beurteilte einer der beiden die Lage. »Erik, was meinst du? Ein bisschen LM 47 oder LM 50 drauf, dann müsste es funktionieren, oder?«

»Und vorher das gute alte WD 40«, ergänzte Erik. »Papa hat sicher was davon in der Werkstatt, wir müssen es nur holen.«

»Nur holen.« Sören lachte spöttisch. »Nichts leichter als das.«

Malte, der der Fachsimpelei der Brüder ebenso ratlos zugehört hatte wie Per, nickte. »Was auch immer ihr sagt, ihr seid die Profis. Also holen wir das Zeug, dieses LM schießmichtot oder wie das heißt. Am besten noch bevor es dunkel wird, dann ist es sicherer.«

»Gut, ihr braucht nämlich dringend für alle Fälle ein Versteck.« Per beugte sich übers Geländer und warf einen Blick auf den Förderkorb unter ihnen. »Solltet ihr also entdeckt werden, bringst du die anderen nach unten, Malte. Du alleine kannst dich hier viel besser verstecken als die ganze Gruppe mit zehn Leuten.« Er stieß Malte den Ellbogen in die Seite. »Wie früher, Diggah.«

»Wir helfen ihm«, meldete sich Erik zu Wort. »Falls sich der Handbetrieb verklemmt, ist es besser, wenn noch welche mit anpacken.«

Dankbar klopfte Per den Brüdern auf die Schultern. In ihnen steckte offenbar doch mehr, als er anfangs erwartet hatte und auch Malte wirkte erleichtert. Per kannte ihn zwar schon seit dem Kindergarten und Malte hatte sich in all den Jahren stets als treuer Freund erwiesen, aber andere anzuführen zählte nicht gerade zu seinen Kernkompetenzen.

»Also gut, das hätten wir dann geklärt.« Per holte seinen Rucksack, den er erst gestern hier versteckt hatte, hervor. »Lasst uns zu den anderen gehen und nachsehen, wie es um unsere Vorräte bestellt ist.«

Das, was sie an Essbarem dabeihatten, war kaum der Rede wert. Pers eigene Bestände erstreckten sich neben seinem Kifferequipment auf vier Dosen Ravioli und zwei Flaschen Cola. Dazu ein paar Gramm Lemon Haze und ein Päckchen Five Gums. Nicht gerade weltbewegend. Außer Senta hatten lediglich Vicky und Malte vor ihrer Flucht Proviant eingesteckt. Erik und Sören hatten nur ihre Pausenbrote dabei, und der Rest hatte gar nichts mitgebracht.

»Wir müssen irgendwo etwas organisieren.« Kaan rieb sich nachdenklich das Kinn. »Sollen wir es mal im Supermarkt versuchen?«

»Damit uns dieser durchgedrehte Metzger mit seinem Schlachtermesser erwischt?« Lea tippte sich gegen die Stirn. »Vergiss es.«

»Außerdem wäre das Diebstahl«, empörte sich Franziska. »Und das ist verboten.«

Kaan lachte trocken auf. »Falls du es noch nicht bemerkt hast, Prinzessin: Wir befinden uns im Ausnahmezustand. Die Erwachsenen machen Jagd auf uns, und du machst dir Gedanken darüber, ob wir was klauen dürfen, damit wir nicht verhungern? Wach auf, wir sind nicht mehr in Disneyland.«

Franziska reckte trotzig die Nase hoch, und Per bemerkte mit Genugtuung, dass ihr ausnahmsweise mal die Worte fehlten.

»Die Gartenlaube meines Großvaters!« Karl schnippte mit den Fingern. »Er hat darin jede Menge Vorräte. Konserven, Nudeln, einfach alles. Mein Vater zieht ihn immer damit auf, er benähme sich fast wie einer von diesen Preppern, die sich für den Eintritt einer Apokalypse vorbereiten. Aber Großvater sagt, dass er einfach schon zu viel Hunger erlebt hätte und lieber auf Nummer sicher ginge. Er ist schon über achtzig, wisst ihr?«

Da niemand eine bessere Idee hatte, waren alle mit Karls Vorschlag einverstanden. Sie gingen davon aus, dass sich die Erwachsenen eher im Ortsinneren und weniger bei den Schrebergärten herumtrieben, darum machte Karl sich sogleich mit Ömer auf den Weg. Sogar Emre und Kaan schlossen sich ihnen an. In der Zwischenzeit machten sich die anderen nützlich, richteten sich häuslich ein und versuchten, ihre Lage zu begreifen. Während Malte und die Zwillinge sich die Fördermaschine des Fahrstuhls und ihren Mechanismus eingehend anschauten, saßen die Schwestern die meiste Zeit still da und starrten vor sich hin. Alyssa und Senta spielten mit Anton, und Vicky und Lea wechselten sich damit ab, an der Tür Wache zu halten.

Per packte seine Sachen zusammen, dabei fiel ihm das Päckchen mit Gras in die Hände. Alles in ihm sehnte sich danach, eine Tüte zu drehen und sich eine kleine Auszeit aus diesem Horrorszenario zu nehmen. Sobald Malte mit den Brüdern den Rostlöser besorgt und den Fahrstuhl betriebsbereit gemacht hatte, konnte der sich ganz gepflegt einen Joint reinziehen und hier auf die Auflösung dieses Horrortrips warten. Er hingegen musste hinaus, um diese verdammte Puppe loszuwerden. Wie war es nur dazu gekommen? Bisher hatte er sich doch aus allen Unannehmlichkeiten herausgehalten und übereilte Entscheidungen umgangen. Ob Abitur, Führerschein, Zukunftsplanung, alles hatte er entspannt auf sich zukommen lassen und stets vermieden, für irgendetwas oder irgendwen Partei zu ergreifen. Immer schön im Hintergrund bleiben, alle Optionen offenhalten, das war sein Motto. Wer sich für eine Sache entschied, der entschied sich automatisch gegen eine andere. Außerdem wurden immer nur die zur Verantwortung gezogen, die bei der Aufgabenverteilung zu schnell den Finger hoben. Nein, er war bekennender Indianer, zum Häuptling war er nicht geboren. Wie war es also dazu gekommen, dass er nun drauf und dran war, hier das Ruder zu übernehmen?

Er wog das Päckchen in den Händen und spielte mit dem Gedanken, es wie die Bong und den anderen Kram mitzunehmen. Als Notausgang quasi, falls da draußen alles aus dem Ruder geriet. Dann schob er es in seine Gesäßtasche und zog seinen Rucksack zu.

Eine Stunde später kehrten Karl und die anderen voll bepackt zurück. Ömer, Emre und Kaan zogen einen Bollerwagen, Karl ging mit einem Besenstiel bewaffnet voraus und erinnerte Per entfernt an einen ziemlich kleinen

Tambourmajor. Den Bollerwagen hatten sie laut Kaan in der Gartenlaube gefunden und mit Kirschen in Einmachgläsern, Dosensuppe, luftgetrockneter Salami, Paketen mit Kräckern, einer Prinzenrolle und Trinkwasserkanistern beladen. Sogar ein paar alte Decken und eine Petroleumlampe hatten sie aufgetrieben. Sie ließen sich wie Helden feiern, die von einer *Mission Impossible* zurückgekehrt waren. Erst nachdem der Jubel abgeklungen war, gab Ömer Per einen heimlichen Wink, ihm zu den Duschen zu folgen.

Als sie außer Hörweite waren, beschlich Per eine ungute Vorahnung. »Was gibt's? Irgendwelche Zwischenfälle?«

»Zum Glück nicht. Im Moment scheinen sie relativ ruhig«, antwortete Ömer mit ernster Miene. »Ein paar sind zwischen den Gärten herumgestromert, als wir auf dem Hinweg waren. Auf dem Rückweg haben wir gar keine mehr gesehen. Als würden sie auf etwas warten. Wie auf *Stand By.*«

»Haben sie euch bemerkt?« Per spähte um die Ecke und fürchtete beinahe, sie könnten bereits jetzt ihr Versteck ausfindig gemacht haben.

»Glaub nicht, nein. Sie wirken nicht besonders clever.«

»Wie meinst du das?«

Ömer zuckte mit den Schultern. »Es ist nicht so, dass sie Spuren lesen oder etwas in der Art. Sie taumeln ziellos umher und sehen sich nur oberflächlich um.«

Per atmete erleichtert auf, aber dann bemerkte er Ömers besorgten Blick. »Aber etwas beunruhigt dich.«

Ömer zögerte, ehe er antwortete. »Alle, die uns begegnet sind, hatten irgendwas in der Hand. Stöcke, Steine, Messer, Schaufeln, was auch immer. Ich habe das Gefühl, sie sind dabei, sich zu bewaffnen. Und zwar gegen uns.«

Diese Neuigkeit traf Per wie ein Faustschlag in den Magen. Was kam als Nächstes? Würden sie sich zusammenrotten und gemeinsam Jagd auf sie machen? Auf ihre eigenen Kinder? Wenn der kollektive Wahnsinn weiter so um sich griff, war es nur noch eine Frage der Zeit, bis es Verletzte gab. Oder Schlimmeres. Wie weit konnten sie gehen, um sich zu verteidigen? Trotz allem waren dies noch immer ihre Eltern, Freunde, Nachbarn, Verwandten. Sie konnten nichts für ihren Zustand und wussten nicht, was sie taten. Er wünschte, jemand anderes wäre hier, um die Verantwortung zu übernehmen und alles in Ordnung zu bringen. Wie sollte eine Handvoll Kinder das alleine schaffen? Ob sie vielleicht doch versuchen sollten, Hilfe zu holen? Es gab für solche Fälle doch sicher irgendeine militärische Sondereinheit, die für so was ausgebildet war.

Er nickte und legte Ömer die Hand auf die Schulter. »Ich werde nachher mit Malte drüber reden. Sag den anderen vorerst nichts davon, ich möchte sie nicht unnötig beunruhigen.«

»Geht klar, *Abi.* Die Kleinen sollen ja nicht noch mehr Angst bekommen.«

Trotz des Ernsts der Lage musste Per grinsen. Ömer, der selbst noch ein Kind war, machte sich Sorgen um die Kleinen. »Gut, dann geh jetzt und hilf den anderen beim Verteilen eurer Beute. Das habt ihr super gemacht.«

Mit stolzer Brust ging Ömer hinüber zu Lea und Vicky.

Gemeinsam verteilten sie die Sachen und achteten peinlich genau darauf, dass niemand zu kurz kam. Franziska beschwerte sich zwar, dass für ihren Geschmack kaum etwas dabei war und forderte die Kirschen und Kekse für sich alleine ein, doch sie wurde von allen anderen und sogar ihrer eigenen Schwester überstimmt.

Während sie zu Mittag aßen, beugte sich Per zu Malte hinüber. Flüsternd bat er ihn um ein Gespräch unter vier Augen, was Franziska nicht verborgen blieb.

»He, worüber tuschelt ihr?« Forsch reckte sie die Nase. »Etwa über mich? Ich esse nun mal kein Fleisch.«

Per seufzte. »Ob du es glaubst oder nicht, mir sind deine Essgewohnheiten völlig egal.«

»Ach ja? Worüber denn dann? Wenn es um uns alle geht, sollten wir das wissen.«

»Was ich mit meinem Freund Malte zu besprechen habe, geht dich nichts an.« Mit größter Mühe versuchte Per, gleichgültig zu klingen.

»Eben hast du mit Ömer so geheimnisvoll getan, und jetzt mit Malte. Ihr heckt doch was aus, und wir sollen es nicht wissen. Etwa, weil wir die Jüngsten sind?«

»Du willst doch nur deine schlechte Laune wegen der Essensverteilung an jemandem auslassen«, mischte sich Ömer ein. »Krieg dich wieder ein und iss deine Ravioli.«

»Aha!« Empört sprang Franziska auf die Füße und deutete auf Ömer. »Es ist also ein Jungs-Ding. Dass jemand wie du das feiert, ist ja mal wieder typisch.«

»Typisch was?« Ömer verengte die Augen zu Schlitzen. »Typisch Türke, oder wie? Nur, dass du es weißt, ich habe vier ältere Schwestern. Wenn ich was gegen Mädchen hätte, wär ich längst tot.«

Per grinste und hielt Ömer gratulierend die Ghettofaust hin. Dieser erwiderte die Geste.

Franziska stampfte mit dem Fuß auf und lief puterrot an. Tränen traten ihr in die Augen und sie sah aus, als würde sie jeden Moment platzen. Einen Moment lang feierte Per diesen Anblick, doch dann erinnerte er sich, dass sie nur ein kleines Kind war, das seine Angst und Unsicherheit mit Trotz zu überspielen versuchte.

»Du willst also wissen, was ich mit Malte bereden wollte?« Er stellte sein Essgeschirr beiseite. »Kein Problem, dann eben laut. Ich wollte ihn fragen, ob es nicht vielleicht doch besser wäre, das Ganze abzublasen, uns stattdessen rüber nach Ziewersheim durchzuschlagen und dort zur Polizei zu gehen. Ich habe Schiss, dass uns das hier über den Kopf wächst und am Ende Leute verletzt werden. Ich weiß nicht, ob wir vielleicht unnötig Zeit verschwenden, wenn wir die Puppe zurückbringen. Oder ob unser Plan überhaupt funktioniert, und falls ja, ob wir dann auch heile zurückkommen. Das alles macht mir eine Scheißangst, und ich wollte mich darüber mit Malte beraten, den ich länger kenne, als du auf der Welt bist. Er ist der einzige Mensch hier, dem ich mich da anvertrauen und dem ich meine Angst zumuten kann. Bist du jetzt zufrieden?«

Rings herum war es still geworden. Alle starrten ihn halb mitfühlend, halb erschüttert an, während er dabei zusah, wie Franziska schniefend die Nase hochzog und sich wieder auf ihren Platz setzte.

»Gut«, piepste sie. »Ich weiß ja nicht, was Malte dazu sagt, aber ich finde, ihr solltet die Puppe zurückbringen.« Sie hob den Kopf und sah ihn an. »Wenn du dabei bist, habe ich keinen Zweifel, dass es klappt.«

»Und zwar je früher, desto besser«, ergänzte Ömer. »Sonst tauchen doch noch Leute von außerhalb auf, die nachsehen wollen, was hier los ist. Und dann gerät das hier völlig außer Kontrolle.«

Senta sah auf. »Ömer hat recht. Wir müssen handeln, und zwar jetzt, sonst wird alles nur noch schlimmer. Es hat mit der Puppe angefangen, sie ist der Schlüssel. Darum sehe ich keine andere Chance, um es zu beenden. Wir müssen sie so schnell wie möglich zurückbringen.«

Dem konnten sie nur schweigend zustimmen, und so machten sich die fünf Freiwilligen bereit. Per und Ömer schulterten die Rucksäcke mit ihren Vorräten, während Senta und Alyssa die wenigen Schlafsäcke verschnürten, die sie dabeihatten.

Skeptisch sah Per ihnen zu. »Seid ihr sicher, dass das nötig ist? Wir sind doch heute Abend wieder zurück.«

Senta befestigte einen Schulterriemen so, dass sie damit zwei Bündel zugleich auf den Rücken binden konnte. »Haben ist besser als brauchen, sagt mein Vater immer.« Sie biss sich auf die Unterlippe, als sie sich ihrer Worte bewusst wurde. »Meine Eltern sind erfahrene Wanderer, und bei dieser Tour haben sie sich trotz GPS so verlaufen, dass sie erst mitten in der Nacht zurück waren. Da will ich lieber vorbereitet sein, falls was passiert. Aber vermutlich hast du recht und ich schleppe das Zeug völlig umsonst mit.«

Karl hingegen nahm nichts weiter mit als seinen Besenstiel, über dessen Sinn und Zweck er sich ausschwieg. Per vermutete, dass er ihm ein Gefühl von Sicherheit gab, wenngleich er sich kaum vorstellen konnte, wie das funktionieren sollte.

In einem unbeobachteten Moment zog Per das Graspäckchen aus seiner Hosentasche und drückte es Malte in die Hand.

»Eine Art Talisman«, raunte er ihm auf seinen überraschten Blick hin zu. »Ich wollte dir vorhin auch noch etwas anderes erzählen.« Mit knappen Worten berichtete er ihm, was Ömer ihm zuvor berichtet hatte.

Maltes Stirn legte sich in Falten. »Okay, ich sag es nur den Älteren, sonst gerät noch jemand in Panik. Am besten, wir warten gar nicht erst, bis sie uns entdecken und verstecken uns gleich unten im Schacht, solange wir noch Ruhe vor ihnen haben.«

»Macht das.« Per nickte. »Es wird sicher alles gut, und wenn ich zurück bin, ziehen wir uns ordentlich was davon rein.« Er deutete auf das Gras in Maltes Hand. »Viel Glück für nachher, wenn ihr das Rostzeugs holt.«

Sie umarmten einander kurz und verabschiedeten sich.

Anton machte ein ziemliches Geschrei, als Senta sich von ihm trennte und ihn Lea in die Arme drückte. Nicht einmal sein Findus konnte ihn trösten. Für einen Augenblick fürchtete Per, sie würde seinem Quengeln nachgeben und zurückbleiben. Doch dann löste sie ganz vorsichtig die kleinen Fingerchen ihres Bruders, die sich an ihr Shirt gekrallt hatten, und ging ohne sich nochmal umzudrehen fort.

Kapitel 9

Alyssa

Sie ließen die Schrebergartensiedlung hinter sich und näherten sich dem Ortsrand. »Wie wollen wir es anstellen?« Alyssa sah sich beklommen um. Auf den Straßen war es ruhig geworden und sie musste daran denken, wie Patrick und ihre Mutter apathisch in ihrer Wohnung gesessen hatten. Sie vermutete, dass die gesteigerte Aggressivität sehr viel Energie kostete und dafür sorgte, dass sich die Erwachsenen irgendwann im Laufe des Tages in lallende Zombies verwandelten. Oder vielleicht sammelten sie auch nur Kraft, um dann aufs Neue auf die Jagd zu gehen. Sie schüttelte den Kopf, um das Bild ihrer Mutter, die im Morgenmantel in alten Fotoalben blätterte, zu vertreiben. Was auch immer die Erwachsenen derart veränderte, sie mussten es stoppen, wenn sie ihre Mutter retten wollte.

»Ich gehe voraus und gebe euch ein Zeichen, wenn die Luft rein ist«, schlug Karl vor. »Keine Sorge, ich habe den Stadtplan hier oben gespeichert, ich kenne alle Versteckmöglichkeiten.« Mit überzeugtem Ausdruck tippte er sich an die Schläfe.

»Okay, dann los.« Per wies mit einem Kopfnicken den Weg, und Karl flitzte davon, dicht gefolgt von Ömer.

Zuerst hatte Alyssa Ömer für einen Aufschneider gehalten, der die Gegend mit seinen *Tags* zupflasterte, aber in Wahrheit nicht halb so verwegen war, wie er zu sein glaubte. Inzwischen hatte sie ihre Meinung über ihn geändert. Alyssa wusste nicht wieso, aber es gefiel ihr, dass Ömer sich ungefragt dieser gefährlichen Aufgabe stellte. Ob er ihr etwas beweisen wollte? Oder sich selbst? Er hatte ihr von seinen vier älteren Schwestern erzählt, die ihn mehr oder weniger gemeinsam großgezogen hatten. Zwei von ihnen lebten noch zu Hause und Alyssa konnte sich vorstellen, dass es einem Jungen – noch dazu dem Nesthäkchen – schwerfallen musste, bei dieser weiblichen Übermacht seine Rolle zu finden.

Sie beobachtete, wie die beiden Jungs zum nächsten Vorgarten schlichen und sich zwischen zwei Fliederbüsche duckten. Karl deutete auf die andere Straßenseite, wo eine Plakatwand einen guten Sichtschutz abgab. Er wisperte Ömer etwas zu, preschte vor und duckte sich hinter die Wand. Ömer sah sich um, dann bedeutete er ihnen dreien, ebenfalls zu Karl zu laufen. Instinktiv griff Alyssa nach Pers und Sentas Händen und rannte in geduckter Haltung quer über die Straße. Als sie sich hinter der Holztafel zusammenkauerten, schlug ihr das Herz bis zum Hals.

»So ähnlich müssen sich die Leute in *The Walking Dead* fühlen.« Keuchend legte sie die Hand auf ihr Herz. Es pumpte bis zum Anschlag.

»Schon möglich.« Senta schob sich die Brille zurecht. »Nur gibt es einen kleinen Unterschied: das hier sind keine Beißer, vor denen wir flüchten, sondern die Erwachsenen unserer Stadt.«

Alyssa lachte bitter. »Stimmt. Außerdem ist dies das echte Leben und keine Fernsehserie. Live und in 3D ist das noch viel beschissener.«

Vorsichtig spähte sie um die Holzwand herum und beobachtete, wie Ömer auf der anderen Straßenseite zwischen den Fliederbüschen hervorkam. Karl gab ihm das O. K.-Zeichen, und schon setzte sich Ömer in Bewegung. Er hatte die Straße schon halb überquert, da schoss wie aus dem

Nichts eine ältere Frau auf einem Fahrrad um die Ecke. Sie trug eine dieser geblümten Kittelschürzen über ihrem Kleid, die auch Alyssas Oma immer trug, wenn sie Staub putzte oder das Geschirr abspülte. In den Haaren steckten Lockenwickler, die sich teilweise gelöst hatten und wie struppige Jojos um ihren Kopf baumelten. In einer Hand hielt sie eine Gartenschaufel, wie man sie zum Einpflanzen von Stiefmütterchen benutzte. Eigentlich ein komischer Anblick, wenn sie nicht kreischend auf Ömer zugesteuert und ihm im Vorbeifahren mit einem Tritt auf den Boden befördert hätte. Ehe Ömer sich aufrappeln konnte, hatte sie schon mit quietschenden Reifen gebremst und ihr Hollandrad gewendet. Erneut raste sie auf den am Boden liegenden Ömer zu und holte mit dem Schäufelchen aus.

»Verdammt, die bringt ihn noch um!« Alyssa wollte ihm zu Hilfe eilen, doch Senta hielt sie zurück. Stattdessen sprang Karl vor, zog seinen Besenstiel unter dem Gürtel hervor und ließ ihn wie einen Propeller über den Kopf kreisen. Mit einer geschickten Drehung stellte er sich der Frau in den Weg und stach den Stiel in die Speichen des Vorderrads. Sofort blockierte es und katapultierte sie über den Lenker. Ihre Lockenwickler flatterten im Wind, während ihr pummeliger Körper einen Bogen beschrieb und rücklings in eine Forsythienhecke plumpste.

Inzwischen hatte es Ömer wieder auf die Füße geschafft und starrte nun abwechselnd Karl und die Forsythienhecke an. Zwischen den Zweigen drangen ein paar Flüche hervor, die Alyssa niemals von einer Blümchenkittelomi erwartet hätte, dann verriet ihr ein Rascheln im Geäst, dass die Dame zum Gegenangriff überging. Wie eine Furie sprang sie auf die Straße. Ein paar der Lockenwickler hatten sich verabschiedet, ihre Hornbrille saß schief auf der Nase. An ihrem

Kittel war die rückseitige Naht aufgeplatzt, aus der nun ihr üppiges Hinterteil hervorblitzte, das nur noch von einem zerrissenen Kleid und ein paar Grasflecken verhüllt war. Ihr Kampfgeist jedoch schien ungebrochen. Spuckend sprang sie auf Ömer und Karl zu, der wie ein Kreisel um die Frau herumwirbelte und ihr ein paar gezielte Schläge mit dem Besenstiel verpasste. Sie waren nicht hart, aber so verwirrend schnell ausgeführt, dass die Frau schließlich völlig entnervt davonrannte.

Endlich wagten sich Alyssa und die anderen aus ihrem Versteck und traten zu Karl und Ömer.

»Wie hast du das nur gemacht?« Alyssa starrte voller Respekt den kleinen Burschen an.

Karl schob sich den Besenstiel hinten unter den Gürtel. »Das war *Krabi Krabong*. Eine alte, thailändische Kampftechnik. Die trainiere ich schon, seit ich vier bin.« Er versuchte, cool zu wirken, doch Alyssa konnte deutlich den stolzen Glanz auf seinem Gesicht erkennen.

»Boah, Alter! Kannst du mir das beibringen?« Ömer musterte ihn mit unverhohlener Bewunderung.

»Selbstverständlich. Sobald das hier erledigt ist.«

»Kommt, wir müssen weiter«, unterbrach Senta sie. »Ich habe keine Lust auf noch eine Begegnung mit Ninja-Omi.«

Sie kauerten sich wieder hinter die Plakatwand und bahnten sich von dort aus ohne weitere Zwischenfälle den Weg zu Sentas Haus.

Hinter den Gardinen des Wohnzimmerfensters wirkte alles ruhig und auch im darüberliegenden Fenster rührte sich nichts.

Senta drehte sich zu ihren Freunden um. »Okay, wir machen es also wie besprochen. Während Ömer und Karl hier draußen Schmiere stehen, gehen wir anderen rein. Alyssa, du schnappst dir die Autoschlüssel vom Schlüsselbrett, Per greift sich die Puppe und ich suche das GPS mit den Daten der Wanderung. Dann nichts wie weg hier.«

»Aus deinem Mund klingt das wie ein Kinderspiel.« Ömer grinste schief.

»Wenn wir Glück haben, sind sie noch immer im Badezimmer eingesperrt.« Mit einem hoffnungsvollen Blick zum Obergeschoss ging Senta voran. An der Haustür hockte sie sich hin, hob die Briefkastenklappe an und spähte hindurch. »Nichts zu sehen.« Sie zog ihren Haustürschlüssel hervor, doch ehe sie ihn ins Schloss stecken konnte, hielt Alyssa sie zurück.

»Gibt es noch einen anderen Weg hinein?«

»Ja. Hinten durch den Garten gelangt man in die Küche.«

»Dann lasst uns lieber von dort ins Haus gehen. Das ist unauffälliger.«

Senta dachte kurz nach und nickte. Sie duckten sich unter dem Wohnzimmerfenster vorbei und kletterten über das abgeschlossene Gartentörchen, das links neben dem Haus den Zugang zum hinteren Bereich des Gartens begrenzte. Ein schmaler Pfad aus Altstadtpflaster führte an einer Reihe von Spalierobstbäumen vorbei, machte einen Knick nach rechts und endete vor den Stufen einer Terrasse.

Alyssa ließ den Blick über die gepflegten Blumenbeete wandern, den perfekt getrimmten Rasen und über die teuren Gartenmöbel auf der Terrasse. Sentas Mutter hatte ein sicheres Händchen für Dekorationen – hier ein hübsches Windlicht aus verwittertem Eisen, dort ein alter, zum Kräuterbeet umfunktionierter Reisekoffer. Einst hatte ihr eigener Garten ähnlich ausgesehen, aber mittlerweile wucherte zwischen leeren Bierdosen und verrotteten Schnellimbisspackungen das Unkraut.

»Nett habt ihr es hier.« Sie spürte die Bitterkeit in sich aufsteigen. Alles wirkte friedlich, keine umgeworfenen Möbel, keine zerschlagenen Blumentöpfe, alles stand tadellos an seinem Platz. Sie stiegen auf die Terrasse und gingen zur Hintertür. Ein kurzer Blick durch die Scheibe, und auch hier schien die Luft rein zu sein. Senta legte die Hand auf die Türklinke und drückte sie. Es war nicht abgeschlossen. Ein gutes Zeichen, dann saßen Sentas Eltern womöglich noch immer im Badezimmer fest, sonst hätten sie bestimmt längst abgesperrt.

Sie folgten Senta in die Küche und auch hier sah alles ganz normal aus. Aus einer Schublade kramte Senta eine Rolle Gaffaband hervor und reichte sie Per, dann schlichen sie weiter. In der Diele deutete nur ein umgeworfener Schirmständer darauf hin, dass hier kürzlich eine Verfolgungsjagd stattgefunden hatte. Senta gestikulierte zur halb offenstehenden Wohnzimmertür, worauf Per nickte und hineinging, um sich um die Puppe zu kümmern. In einem Wanderrucksack, der bei der Garderobe am Boden lag, suchte Senta nach dem GPS-Gerät. Alyssa durchforstete inzwischen das Schlüsselbrett nach einem Autoschlüssel, doch vergebens.

»Hier ist nichts.«

»Zumindest Papas Schlüssel muss da sein, er hängt immer da.« Senta stand auf und sah selbst nach.

»Vielleicht in seiner Jackentasche? Oder in der Handtasche deiner Mutter?«

Senta unterdrückte einen Fluch und deutete auf den Rucksack. »Such du weiter nach dem Navi, ich gehe rauf und sehe mal oben im Schlafzimmer nach.« Sie schlich die Treppe hinauf und Alyssa inspizierte den Rucksack. Sie hatte das Gerät gerade in einer Seitentasche ausfindig gemacht, als aus dem Wohnzimmer schrille Schreie und Kampfgeräusche drangen.

»Hilfe! Diebe! Hilfe!«

Gleichzeitig vernahm sie von oben ein Poltern, als ob sich jemand gegen eine geschlossene Tür warf.

»Alyssa! Hilf mir mal!«, schrie Per aus dem Wohnzimmer, gefolgt vom Klang splitternden Glases.

Alyssa stopfte sich das GPS in den Hosenbund und stürmte ins Wohnzimmer, wo sich ihr ein grotesker Anblick bot: Per lag zwischen den Resten einer zerbrochenen Stehlampe am Boden und hielt die zappelnde Puppe im Schwitzkasten.

»Schnell, das Klebeband!« Mit einem Kopfnicken deutete er auf die Kleberolle neben dem Sofa. »Um den Kopf, mach schon!«

»Diebe! Verbrecher!«

Mit einem Satz war Alyssa bei ihm, zog ein Stück Band von der Rolle und umwickelte damit den Mund der Puppe. Endlich hörte zumindest das fürchterliche Kreischen auf. Das Poltern von oben jedoch wurde immer lauter, begleitet von unartikulierten Schreien.

»Um die Hände, ich kann sie nicht mehr lange halten!« Per stemmte sich mit seinem vollen Gewicht auf die Puppe, die sich weiterhin nach Leibeskräften wehrte. Wo zum Teufel nahm dieses Ding die Kraft her?

Alyssa wickelte das Klebeband ein paarmal fest um die Handgelenke der Puppe, und danach mehrmals um den Rumpf und die Beine. Allmählich wurde die Gegenwehr schwächer, doch aus den Glasaugen der Monstrosität sprühte der blanke Hass. Hastig klebte Alyssa so viele Lagen Tape um die Puppe, dass sie wie eine Raupe in einem riesigen Kokon aus Gaffa aussah. Zuletzt riss sie mit den Zähnen den Streifen durch und umwickelte noch einmal den Kopf, um den Blick nicht mehr ertragen zu müssen. Endlich gab die Puppe Ruhe.

Schwitzend und schwer atmend stand Per auf und klemmte sich das verschnürte Bündel unter den Arm. »Nichts wie weg hier.«

Sie betraten die Diele, als Senta herunterstürmte. »Ich hab die Schlüssel!«

Über ihren Köpfen zerbarst etwas, schnelle Schritte trampelten.

Senta rannte ihnen voraus und riss die Haustür auf. Kaum waren alle draußen, zog sie sie hinter ihnen zu und fummelte den Schlüssel ins Schloss. Ehe sie ihn herumdrehen konnte, zerrte jemand die Tür von innen einen spaltbreit auf. Eine Frauenhand mit abgebrochenen Fingernägeln grapschte hindurch.

»Schnell, helft mir!« Panisch sah Senta sich nach Per und Alyssa um.

Per packte mit der freien Hand den Türgriff, Alyssa umklammerte Sentas Handgelenke. Mit aller Kraft zerrten sie an der Tür, dabei quetschten sie die Frauenhand ein. Sentas Mutter schrie, dann verschwand die Hand und endlich gelang es ihnen, die Tür zuzuziehen und abzuschließen.

»Entschuldige, Mama, es tut mir so leid.« Weinend wandte sie sich ab.

»Der da?« Per deutete auf einen dunkelgrünen Passat Kombi am Straßenrand und entriss Senta den Schlüsselbund, als sie nickte.

Noch im Laufen drückte er Alyssa die Puppe in die Hand und entriegelte die Türschlösser. Ömer und Karl sprangen als erste auf den Rücksitz. Alyssa stieg zu ihnen, warf die Puppe über die Rückbank nach hinten und wischte sich die Hände an den Oberschenkeln ab. Alleine die wenigen

Sekunden der Berührung gaben ihr das Gefühl, von oben bis unten beschmutzt zu sein. Per kletterte auf den Fahrersitz, Senta nahm neben ihm Platz.

»Wie viele Fahrstunden hattest du noch gleich?«, fragte Senta skeptisch.

»Drei. Die hier mit eingerechnet.« Hektisch richtete er den Innenspiegel ein. »Ach du Scheiße, sie kommen.«

Alyssa drehte sich um und erkannte einen Mann und eine Frau, die soeben über das Gartentörchen kletterten. »Mach schon!«

»Alles klar, alles gut.« Mit bebenden Fingern steckte Per den Schlüssel ins Zündschloss und drehte ihn. Der Wagen machte einen Satz nach vorne. »Ach ja, die Kupplung.« Er trampelte auf einem der Pedale herum, versuchte es erneut, und diesmal sprang der Motor an.

Sentas Eltern hatten die Gartentür überwunden und rannten über den Rasen auf sie zu.

»Handbremse lösen, Gas geben, zugleich Kupplung loslassen …« Wie ein Mantra betete Per die Prozedur runter.

Der Motor heulte auf, das Auto bockte und ging aus.

»Schneller!« Senta beugte sich vor, drückte auf den Autoschlüssel und die Türschlösser schnappten zu. Im selben Moment erreichte ihr Vater das Auto, rüttelte am Türgriff und schrie wirres Zeug.

Per drehte erneut am Autoschlüssel, der Motor gab ein hässliches Schleifgeräusch von sich, doch diesmal ging er nicht gleich wieder aus.

Nun hatte auch Sentas Mutter den Wagen erreicht. Mit beiden Fäusten trommelte sie aufs Autodach. Alyssa presste die Hände auf die Ohren und kniff die Augen zu.

»Bitte, bitte, lass uns endlich hier wegkommen«, betete sie und bemerkte, wie Ömer sie an sich zog. Das Auto ruckelte, und endlich spürte Alyssa, wie sie sich fortbewegten. Sie öffnete die Augen und sah, wie Sentas Eltern neben ihnen herliefen. Per schaltete krachend in den nächsten Gang, der Wagen beschleunigte, und kurz darauf gaben Sentas Eltern ihre Verfolgung auf.

***

Malte

Nachdem Per, Senta und die anderen aufgebrochen waren, suchte Malte ein vertrauliches Gespräch mit den Zwillingen. Es war an der Zeit, sich um das Problem mit dem Aufzug zu kümmern. Solange der nicht richtig funktionierte, saßen sie hier in der Falle, sollten die Erwachsenen ihnen auf die Schliche kommen. Im Moment sah es zwar nicht danach aus, aber das konnte sich jederzeit ändern. Er hatte Pers Warnung nicht vergessen, der zufolge die Erwachsenen nun dabei waren, sich zu bewaffnen. Umso besser, wenn sie das mit dem Rostlöser für die Aufzugmechanik schnell erledigten.

»Ist die Werkstatt von eurem Vater weit weg von hier?«

»Auf der anderen Seite von Gremmershoven im Industriegebiet«, antwortete Sören.

»Hinter dem Getränkemarkt. Wir können gleich los, wenn du magst«, ergänzte Erik.

Die Jungs sahen aus, als könnten sie es nicht erwarten, aufzubrechen. Malte konnte es ihnen kaum verdenken. Nur tatenlos herumzusitzen und darauf zu warten, dass Per und die anderen das Problem für sie erledigten, fühlte sich nicht richtig an. Trotzdem war er nicht besonders scharf darauf, auf dem Weg womöglich seinen durchgeknallten Erzeugern zu begegnen. Nicht, weil er sich vor ihnen fürchtete, vielmehr scheute er deren Anblick in diesem Zustand. Würde er sie hinterher noch mit denselben Augen sehen, wenn sie ihm jetzt als hirnlos lallende, messerschwingende Schwachköpfe über den Weg liefen?

»Wir haben uns schon eine Strecke überlegt«, riss Erik ihn aus seinen Gedanken. »Die ist zwar fast doppelt so lang wie die direkte Route, aber mit ein bisschen Glück treffen wir so auf niemanden.«

Sie beschrieben Malte eine Route, die nicht durch die Schrebergärten direkt in den Ort hineinführte, sondern über die Wiese, danach quer durch das davorliegende Waldstück und zum Ufer des Pering. Der kleine Fluss schlängelte sich durch das Wäldchen bis runter zum Industriegebiet, wo er hinter dem genannten Getränkemarkt weiter nach Norden floss. Tatsächlich betrug der Weg rund fünf Kilometer, die aber größtenteils durch unbewohntes Gebiet führten. Ein sinnvoller Plan, wie Malte befand.

»Das müsste klappen«, stimmte er zu. »Dann brechen wir am besten gleich auf.«

»Wir?«, hakte Erik nach. »Willst du mitkommen?«

»Scheint mir sicherer. Sechs Augen sehen mehr als vier.«

»Und was ist mit denen? Können wir die alleine lassen?« Erik deutete mit einer Kopfbewegung auf die kleine Gruppe, die inzwischen die Sitzbänke zu einem provisorischen Lager umfunktioniert hatte. Immer zwei Bänke standen sich nun mit den Sitzflächen gegenüber und bildeten einen Schlafplatz, der mit Decken und Jacken notdürftig gepolstert war. Franziska und Rebecca hatten sich darauf eingekuschelt und schienen zu schlafen. Zwischen ihnen kauerte Anton, der völlig verstört mit glasigen Augen vor sich hinstarrte. Seinen Findus hielt er fest umklammert. Vicky hockte hellwach daneben. Sie hatte irgendwo ein Stück Dachlatte aufgetrieben und hielt sie nun wie einen Baseballschläger über der Schulter. Sie wirkte fest entschlossen, es mit jedem aufzunehmen, der den Kindern zu nahe trat. Lea stand wieder an der Tür und hielt mit ernster Miene Wache. Emre und Kaan saßen lebhaft tuschelnd in einer Ecke. Dabei gestikulierten sie aufgeregt, als wollten sie einander gleich an die Gurgel gehen.

»Wartet mal, das kläre ich gleich.« Malte ging zu Lea und gab im Vorbeigehen seiner Schwester einen Wink, ihm zu folgen.

»Hey, Lea. Irgendwas zu sehen?«

Ohne die Umgebung aus den Augen zu lassen, schüttelte sie den Kopf. »Nein, alles ruhig.«

Mit ernster Miene kam Vicky hinzu. »Was ist los?«

»Ich muss nochmal mit den Zwillingen raus, was besorgen.« In knappen Worten erklärte Malte den Mädchen sein Vorhaben.

»Und während du weg bist, sollen wir hier auf die anderen aufpassen«, schlussfolgerte seine Schwester richtig.

»Es wird nicht lange dauern. Und wahrscheinlich passiert hier eh nichts. Ist nur zur Sicherheit.«

»Okay, und wenn ihr wiederkommt, verstecken wir uns unten in den Stollen?« Lea lachte humorlos auf. »Ist das dein Ernst?«

Malte zuckte mit den Schultern. »Einen besseren Plan haben wir nicht.«

»Dann seht zu, dass ihr irgendwo Taschenlampen und noch mehr Decken auftreibt«, riet Lea. »Da unten ist es bestimmt deutlich kälter als hier oben, und wenn uns da das Licht ausgeht, sind wir geliefert.«

»Geht klar.« Malte sah zu Emre und Kaan hinüber. Die hatten anscheinend zu Ende diskutiert und schienen Maltes

Gespräch mit den Mädchen genau zu beobachten. Mit einer raschen Geste winkte er sie heran.

»Was‘n los, *Abi*?«, fragte Emre. »Brauchst du Hilfe?«

Malte nickte. »Ja, ich muss nochmal weg, was besorgen. Sören und Erik kommen mit, aber ihr beide ...«

»Ja klar, ich weiß schon. Wir passen auf die Frauen und Kinder auf.« Kaan winkte lässig ab. »Kein Thema.«

»Nicht ganz.« Malte grinste schief. »Vicky und Lea hier übernehmen das Kommando, und ihr beide unterstützt sie, so gut ihr könnt. Verstanden?«

Kaan guckte, als hätte er sich verhört. »Ey, *Abi*, was laberst du da? Die Mädchen sollen auf die Männer aufpassen? Wo gibt's denn so was?«

»Wo siehst du hier Männer?« Vicky tat, als würde sie im Rücken der beiden etwas suchen. »Etwa hinter euch kleinen Jungs?«

»Hast du mich grad beleidigt?« An Kaans Hals traten dicke Adern hervor. Mit vorgestreckter Brust trat er auf Vicky zu, doch ehe er einen Streit vom Zaun brechen konnte, legte Emre ihm die Hand auf die Schulter.

»Bleib locker. Die Mädchen haben das bis jetzt gut gemacht, so mit aufpassen und so. Hab ich dir eben doch gesagt. Ist wie bei uns zu Hause. *Baba* hat die Muskeln, aber *Anne* bestimmt, was er damit macht.« Lachend schlug er ihm auf den Rücken, worauf Kaan zögernd mit einstimmte. Ob aus Überzeugung, oder weil er fürchtete, den Kürzeren zu ziehen, konnte Malte nicht sagen, aber das war auch nebensächlich. Dankbar nickte er Emre zu. Hoffentlich behielt er seinen Freund auch dann noch unter Kontrolle, wenn es hart auf hart kam. Genauso hoffte er, Vicky würde ihr Temperament zügeln.

»Und was hast du mit den Brüdern zu erledigen?«, wollte Kaan wissen. Um ihn nicht weiter vor den Kopf zu stoßen erzählte Malte es ihnen und damit auch die Neuigkeit, dass sich die Erwachsenen inzwischen bewaffneten.

Kaan sah in die Runde. »Wir sollten Streife gehen um das Bergwerk. Immer zu zweit, ein Junge und ein Mädchen. Dann merken wir früher, wenn Gefahr kommt.«

»Gute Idee.« Vicky nickte. »Lasst uns gleich damit anfangen.«

Malte war froh, dass seine kleine Schwester den Sprung über ihren Schatten so gekonnt hingelegt hatte, denn ihre Begeisterung für Kaans Idee klang nur eine winzige Spur gekünstelt. Wenn beide ihre Egos ein bisschen herunterschraubten, dürfte es keine weiteren Probleme mit ihnen geben. Ohne weitere Diskussionen brach er mit den Brüdern auf.

Kapitel 10

Senta

Senta lehnte sich im Sitz zurück und schloss für einen Moment die Augen. Noch immer gellte ihr der Schmerzensschrei ihrer Mutter in den Ohren, als sie ihre Finger in der Haustür eingeklemmt hatten. Bis jetzt hatte sie lediglich sich selbst und Anton als Opfer der Veränderungen betrachtet, aber das war nur die halbe Wahrheit. Ihre Eltern waren es mindestens ebenso. Die Menschen, die sie am meisten auf der Welt liebte, hatten sich in wutzerfressene und hirnlose Fremde verwandelt, aber sie konnten nichts dafür. Vermutlich ahnten sie nicht einmal, was um sie herum vorging. Ihnen Schmerzen zufügen und vor ihnen fliehen zu müssen, brach ihr schier das Herz, aber wie würde es für ihre Eltern sein, wenn der Spuk vorbei war? Wie würden sie damit fertigwerden?

»Wohin?«, fragte Per und ließ das Getriebe krachen.

Senta öffnete die Augen und schaute sich um. Inzwischen hatten sie die geschlossene Ortschaft von Gremmershoven verlassen und rollten über eine Landstraße Richtung Autobahnauffahrt. Per hatte große Mühe, den Wagen auf der richtigen Straßenseite zu halten und umklammerte das Steuer so fest, dass sich seine Fingernägel in die lederne Lenkradumwicklung gruben. Was für ein Himmelfahrtskommando. Sollten sie je heile am Ziel ankommen, käme alleine das bereits einem Wunder gleich. Senta betete, dass sein unorthodoxer Fahrstil keiner Polizeistreife auffiel. Wenn sie ihn anhielten und feststellten, dass er noch gar keinen Lappen hatte, würden man sie garantiert nach Hause bringen. Und was dann los wäre, wollte sie sich lieber nicht ausmalen.

Sie drehte sich zu Alyssa um. »Gibst du mir bitte mal das GPS?«

Alyssa reichte ihr das kleine Gerät nach vorne. »Klar, hier. Ich werde eh nicht daraus schlau.«

Nach wenigen Klicks hatte sie die letzte Wanderroute ihrer Eltern im Track-Menü gefunden. Ihr Ausgangsort lag irgendwo im Hohen Venn nahe der belgischen Grenze, etwa eineinhalb Autostunden von hier entfernt. Sie schaltete das Navi am Armaturenbrett des Autos an und tippte die Adresse ein. Nach wenigen Sekunden verkündete die Computerstimme, dass sie die nächste Autobahnauffahrt nehmen mussten. Per bremste ab, schaltete in einen kleineren Gang und setzte den Blinker. Letzteres hätte er sich allerdings sparen können, denn außer ihnen war keiner mit dem Auto unterwegs. Erst, nachdem sie eine Weile auf der Autobahn gefahren waren, bemerkten sie andere Fahrzeuge.

»Seht euch das an.« Alyssa deutete aus dem Fenster. »Verrückt, oder?«

»Ich verstehe, was du meinst«, stimmte Karl zu. »Die wirken alle völlig normal.«

Senta spähte in die vorbeifahrenden Autos und musterte die Insassen: Ein kleiner Junge im Fond eines SUV saß fröhlich in seinem Kindersitz und spielte mit einem Playmobilflugzeug, zwei junge Männer in einem quietschgelben Lupo sahen aus, als würden sie einen Hit aus dem Radio mitsingen, und eine Frau auf dem Beifahrersitz eines grauen Volvo las ganz entspannt in einem Buch.

»Sieht aus, als konzentriert sich das Böse der Puppe alleine auf Gremmershoven«, stellte sie staunend fest. »Oder es hat sich einfach noch nicht bis hierhin ausgebreitet.

Hoffentlich können wir es aufhalten.« Sie warf einen zweifelnden Blick auf das Bündel Gaffa auf dem Rücksitz. Die Puppe regte sich nicht und machte auch keine Geräusche. Hoffentlich ein gutes Zeichen. Die Vorstellung, dass dieses Ding im Vorbeifahren auch die anderen Erwachsenen in den Autos vergiftete, war einfach zu schauderhaft.

»Wir schaffen das schon. Du wirst sehen.« Per schenkte ihr kurz einen aufmunternden Blick.

Inzwischen hatte er den Wagen ganz gut im Griff und entspannte sich so weit, dass er sogar das Radio einzuschalten wagte. Gedankenverloren ließ Senta die Musik und die Albernheiten der *Eins Live* Moderatoren an sich vorbeiplätschern, bis zur vollen Stunde die Nachrichten begannen. Sie beugte sich vor und drehte das Radio lauter, doch außer einem Flugzeugunglück in Australien, dem überraschenden Ende einer Promiehe und der Prognose eines ungewöhnlich warmen Sommers gab es nichts zu berichten. Sie warteten die Lokalnachrichten ab, doch auch hier meldeten sie nichts vom seltsamen Verhalten der Gremmershovener Erwachsenen.

»Komisch, dass woanders alles normal ist. Man kommt sich vor wie ein Alien«, fasste Ömer ihre Gedanken in Worte.

Trotz der Menschen in den vorbeifahrenden Autos fühlte Senta sich fremd und einsam. Sie vermisste das fröhliche Geplauder ihrer Mutter morgens am Frühstückstisch, wenn sie selbst sich vor lauter Müdigkeit nur in Grunzlauten verständigte. Oder Papas geduldige Erklärungen, wenn sie mal wieder ratlos über ihren Mathehausaufgaben brütete. Sogar mit ihnen um die Fernbedienung zu streiten, fehlte ihr. Geborgenheit in der Banalität, das war es, wonach sie sich am meisten sehnte. Aber zumindest musste sie all das nicht alleine durchstehen. Ein Kiffer, eine Außenseiterin, ein Möchtegerngangster und ein Nerd standen ihr, der Langweilerin, bedingungslos zur Seite. Ein echtes Dreamteam. Was sollte da noch schiefgehen?

»Alles okay mit dir?« Per warf ihr einen kurzen Seitenblick zu.

»Ja.« Sie verzog den Mund zu einem Lächeln, und erstaunlicherweise fühlte es sich sogar echt an. »Ja, ich bin okay.«

Nach einer knappen Stunde forderte das Navi sie auf, die nächste Ausfahrt zu nehmen. Per folgte hochkonzentriert den Anweisungen des Geräts und steuerte den Wagen zuerst durch ein kleines Industriegebiet und anschließend über eine gut ausgebaute Bundesstraße. Sie führte an ein paar kleineren Ortschaften vorbei und anschließend durch ein weitläufiges Waldgebiet. Senta versuchte, sich zu orientieren, aber die Ortsnamen auf den gelben Hinweistafeln an den Kreuzungen sagten ihr gar nichts. Manche davon klangen Französisch und sie vermutete, dass sie sich bereits in der Nähe der belgischen Grenze befanden. Ein unruhiges Kribbeln erfasste sie. Nicht mehr lange, und sie waren die elende Puppe endlich los. Mit etwas Glück wären sie noch vor Sonnenuntergang wieder zurück und alles würde wieder normal.

An einer Abzweigung bogen sie in eine wenig befahrene Landstraße ein und kurz darauf gelangten sie auf eine Schotterpiste, die zu einem abgelegenen Wanderparkplatz führte. Neben einer Informationstafel mit Wanderwegen stellte Per den Wagen ab, drehte den Zündschlüssel und atmete tief durch.

»*Abi,* das hast du klasse gemacht.« Ömer klopfte ihm von hinten auf die Schulter. »Besser als Hamilton und Vettel zusammen.«

Alyssa hielt den Daumen hoch. »Die Fahrprüfung machst du ganz easy mit links.«

»Er muss nur die Pflichtstunden absolvieren, der Rest ist reine Formsache«, ergänzte Karl.

Nur zögerlich ließ Per das Lenkrad los und lockerte seine verkrampften Hände. Zum ersten Mal wurde Senta klar, unter welcher Anspannung er in den letzten Stunden gestanden haben musste. Bei ihren Eltern sah Autofahren immer so leicht aus. Man setzte sich hinters Steuer, fuhr los und der Rest ging irgendwie von selbst. Dass einem die nötigen Mechanismen erst nach jahrelanger Übung in Fleisch und Blut übergingen und man sich ständig konzentrieren musste, darüber hatte sie bisher nie nachgedacht. Mit seinen gerade mal zwei Fahrstunden musste Per nervlich fix und fertig sein. Sie konnte nicht anders, als sich zu ihm hinüber zu beugen und ihm einen Kuss auf die stoppelige Wange zu drücken.

»Wofür war der denn?« Erstaunt drehte er sich zu ihr um.

Im Hintergrund gab Ömer ein kurzes Johlen von sich, worauf Alyssa ihm den Ellbogen in die Seite stieß.

»Dafür, dass wir alle noch am Leben sind und nicht an irgendeiner Leitplanke kleben.« Sie versuchte, ihre Antwort wie einen Scherz klingen zu lassen, tatsächlich war sie bitterernst gemeint.

»Immer wieder gerne.« Pers Finger berührten die Stelle, auf die sie ihn geküsst hatte, und tauchte seinen Blick in ihren.

Bisher hatte sie gedacht, seine Augen seien nur grau, aber nun entdeckte sie blaue Sprengsel darin. Wie die Facetten eines Schmetterlingsflügels. Eine Frage spiegelte sich in ihnen, doch sie konnte sie nicht ganz erfassen. Noch nicht.

»Wir sollten zusehen, dass wir es schnell hinter uns bringen, damit wir vor Einbruch der Dunkelheit zurück sind«, holte Karl sie wieder auf den Boden der Tatsachen zurück.

»Gute Idee.« Ömer rutschte unruhig auf dem Sitz herum. »Außerdem muss ich mal pinkeln.«

Sie verglichen die Strecke auf dem GPS mit den Wanderwegen auf der Informationstafel, doch sie entdeckten kaum Übereinstimmungen. Sentas Eltern mussten nach einer anderen Route gewandert sein, vielleicht einer aus dem Internet.

»Ich glaube, wir müssen dort lang«, entschied Senta, nachdem sie das Gerät eingehend studiert hatte. Den Blick immer aufs Display gerichtet ging sie voraus und beobachtete den kleinen blauen Pfeil, der sich mit ihr bewegte. Allerdings entfernte er sich nach ein paar Metern von der roten Linie, die den aufgezeichneten Weg ihrer Eltern markierte. Ratlos blieb sie stehen und schaute sich um.

»Kann ich mal?« Karl, der seinen Besenstiel zum Wanderstab umfunktioniert hatte, streckte die Hand nach dem Gerät aus.

»Wenn du glaubst, dass du es besser kannst?« Sie drückte ihm das GPS in die Hand und sah zu, wie er darauf herumtippte. Hoffentlich wusste er, was er tat. Die Route war ihr einziger Anhaltspunkt, und wenn er sie versehentlich löschte, waren sie angeschmiert. Die Puppe in Pers Rucksack verhielt sich im Moment zwar friedlich, aber wer wusste schon, ob das so bleiben würde, wenn sie sie hier einfach irgendwo in die Büsche warfen.

»Ah, ich habe es! Wir müssen dort entlang.« Mit einem zufriedenen Nicken wies Karl auf einen Pfad, der sich links vom Hauptweg abzweigte.

In stummer Übereinkunft übernahm er die Führung und leitete sie tiefer in den Wald. Zunächst begegneten ihnen hier und dort andere Wanderer, meistens Pärchen in den

Sechzigern in Khakihosen und Funktionsjacken. Diese Leute hielten sie vermutlich für den versprengten Teil einer Schulklasse oder einer Jugendgruppe, jedenfalls fragte sie niemand, weshalb sie an einem Schultag durch den Wald rannten.

Eine Stunde später begegnete ihnen niemand mehr und auch die Markierungen an den Bäumen wurden seltener. Außerdem hatte sich die Wegbeschaffenheit verändert. Zunächst waren sie auf befestigten und teilweise gekiesten Wanderwegen unterwegs gewesen, die hier und da von Reifenspuren der Forstmaschinen zerfurcht waren. Nach ein paar Kilometern veränderte sich der Untergrund, und sie mussten sich ihren Tritt auf verwurzelten, mit Farn und Gräsern überwucherten Naturpfaden suchen. In den Pfützen entlang des Weges dösten Molche, die hastig in Deckung schwammen, sobald sie an ihnen vorbeistapften. Wenigstens hatten sie genug Wasser, falls ihnen die Getränke ausgingen. Ob Anton auch genug trank? Kleine Kinder vergaßen manchmal zu trinken und dehydrierten, ohne dass jemand es bemerkte. Vielleicht hätte sie vor ihrem Aufbruch Lea ein paar Tipps geben sollen, worauf sie bei ihm zu achten hatte. Vielleicht, vielleicht. Jetzt war es zu spät. Aber Lea kannte Anton. Sie hatte oft genug mit Senta auf ihn aufgepasst, sie wusste, was er brauchte. Senta zwang sich, nicht an Anton zu denken, sie konnte ja eh nichts für ihn tun, außer darauf zu vertrauen, dass Lea und die anderen gut auf ihn aufpassten. Dennoch spürte sie eine latente Nervosität bezüglich ihres kleinen Bruders. Da war es auch wenig hilfreich, dass sie selbst allmählich kirre wurde, da jeder freie Quadratzentimeter ihrer klebrig feuchten Haut kribbelte. Sie hatte das Gefühl, einen ewigen und aussichtslosen Feldzug gegen Mücken, Spinnweben und Pferdebremsen zu führen und kam kaum hinterher, nach ihnen zu schlagen oder sich zu kratzen.

»Warte, du hast da was.« Mit ein paar schnellen Schritten schloss Per zu ihr auf und strich ihr sanft über den Nacken.

Stocksteif hielt Senta inne. »Was war das?«

Per lächelte. »Irgendein Krabbeltier, aber jetzt ist es weg. Alles in Ordnung bei dir?«

Senta atmete auf. »Ja, danke. Ich mache mir nur ein paar Gedanken um Anton.«

»Dem geht's prima. Die anderen passen sicher gut auf ihn auf. Ich kenne Malte, solange er dabei ist, hast du nichts zu befürchten.«

»Du hast recht.« Senta seufzte und sah sich um. »Eigentlich ganz schön, so ein Ausflug in den Wald. Bis auf die Blutsauger. Ich glaube, die haben es auf mich abgesehen.«

»Vermutlich bekommen sie nicht alle Tage so was Süßes.«

»Spinner.« Sie stieß ihn freundschaftlich in die Seite. »Und bei dir?«

»Alles bestens. Ich wünschte nur, ich könnte das auch von den beiden da sagen.« Mit einem Kopfnicken deutete er auf Karl und Ömer, die über das GPS gebeugt hitzig miteinander diskutierten. »Hey Jungs, gibt's Probleme?«

Ohne aufzusehen machte Karl eine beschwichtigende Geste. »Kein Problem, wir haben alles im Griff.«

Stirnrunzelnd nahm Per die Antwort zur Kenntnis. »Na, wer's glaubt«, murmelte er kaum hörbar. »Hoffentlich sind wir bald da. Je eher wir das hinter uns haben, desto besser.«

Am späten Nachmittag hatte Senta zum ersten Mal das Gefühl, völlig von der Zivilisation abgeschnitten zu sein. Der Wald um sie herum wirkte älter und ursprünglicher als noch zu Beginn ihrer Wanderschaft. Bäume mit Stämmen so dick wie Traktorräder reckten sich hinauf und bildeten hoch über ihren Köpfen ein grünfleckiges Blätterdach. Das Totholz vermoderte, zugedeckt von Moos, unter duftigen Buchen und spendete Nahrung und Unterschlupf für Asseln, Käfer und Würmer. Alles schien sich selbst überlassen und in bester Eintracht, so dass sie sich wie ein Eindringling fühlte.

»Ist es noch weit?«, fragte sie Karl, als sie an einer Weggabelung stehen blieben.

Er tippte auf dem GPS herum und hob ratlos die Schultern. »Um die Wahrheit zu sagen – ich weiß es nicht. Ich kann nicht einmal annähernd sagen, wo wir uns befinden. Sobald ich den Kartenausschnitt vergrößern will, springt die Anzeige hin und her. Nicht einmal die Himmelsrichtung wird verlässlich angegeben. Wir könnten sonst wo sein.«

»Aber wir sind doch noch auf dem Weg, oder?« Per trat an Karls Seite und schaute ihm über die Schulter.

»Das schon, aber fragt mich nicht, wann wir am Ziel sind. Die Infos, die das GPS liefert, stimmen hinten und vorne nicht.«

Senta schlug beiläufig eine Mücke an ihrem Oberarm tot. »Es kann ja nicht mehr weit sein. Als wir starteten, funktionierte das Ding noch. Da zeigte es die Route meiner Eltern mit ungefähr zwanzig Kilometern an, die Umwege mitgerechnet.« Sie sah auf die Uhr und überschlug, wie lange sie bereits unterwegs waren. »Bei dem Tempo, das wir vorlegen, müssten wir weit über die Hälfte der Strecke geschafft haben.«

Per runzelte besorgt die Stirn. »So oder so, wir sollten zusehen, dass wie diese verdammte Puppe loswerden und uns schleunigst auf den Heimweg machen. Ich bin nicht scharf auf eine Übernachtung im Wald. Ihr etwa?«

Ömer schüttelte energisch den Kopf. »Ohne mich. Wir gehen sicherheitshalber noch ein Stückchen, werden das Teil los und nichts wie ab nach Hause.«

»Und wo müssen wir jetzt lang?« Alyssa hatte sich auf einem Baumstumpf niedergelassen und schaute missmutig auf die abzweigenden Wege. Einer führte tiefer in den Wald hinein, der andere wand sich auf eine grasbewachsene Lichtung zu.

Karl drehte das Gerät in der Hand, machte ein paar Schritte Richtung Wald und entschied sich dann für den Weg hinaus auf die Lichtung.

»Wenigstens etwas.« Seufzend stemmte Alyssa sich in die Höhe. »Noch mehr Bäume, und mir wäre ein Geweih gewachsen.«

Alyssa

Es war nicht so, dass Alyssa den Wald nicht mochte. Tatsächlich hatte sie sich immer wohl gefühlt, wenn sie draußen in der Natur war. Die Erinnerungen an sonntägliche Spaziergänge durch den Tierpark mit der Familie gehörten zu ihren schönsten, aber dieser Wald hier strahlte etwas Unheimliches aus. Nicht nur, weil er ihnen jede Orientierung nahm, er hatte etwas Besitzergreifendes an sich. Ganz so, als wollte er seine Besucher nicht wieder hergeben. Dementsprechend war sie zunächst erleichtert, als Karl den Weg Richtung Waldwiese einschlug. Bald darauf veränderte sich die Vegetation. Entlang trübbrauner Tümpel wucherte mannshohes Schilfrohr. Nur noch vereinzelt standen ein paar mit Flechten überzogene Birken zwischen Heidesträuchern und Wollgras. Der Boden unter ihren Füßen wurde immer nachgiebiger, bis sie schließlich mit dem Schuh im Morast steckenblieb.

Per packte ihr Bein unterhalb des Knies und befreite sie mit einem kräftigen Ruck aus dem Matsch. »Wir sollten besser hintereinander gehen, jeder in die Fußstapfen des Vordermanns. Das ist sicherer.«

Wie selbstverständlich setzten sich Ömer und Karl an die Spitze ihrer Gruppe, um nach einem geeigneten Pfad Ausschau zu halten. Alyssa wusste nicht so recht, ob Abenteuerlust hinter Ömers Tun steckte, oder der Wunsch, ihnen zu imponieren. Jedenfalls freute sie sich, dass er ihnen die Aufgabe abnahm, selbst nach einem sicheren Tritt zu suchen. Im Gänsemarsch folgten sie seiner Führung und mäanderten immer tiefer ins Moor. Libellen surrten im Zickzack über die kaffeebraunen Tümpel, Mückenschwärme tummelten sich in den Schattenflecken der Bäume und eine leichte Brise strich sanft über die Schilfrohre. Außer dem Quaken der Frösche und den gelegentlichen grellen Warnrufen einer Uferschnepfe herrschte Stille. Trotz ihrer heiklen Mission und der finsteren Aura der Wildnis um sie herum breitete sich Zufriedenheit in Alyssa aus. Jahrelang hatte sie sich eingeredet, ohne Freunde besser dran zu sein. Wenn man niemanden an sich heranließ, konnte man auch nicht verletzt werden. Oder verlassen. Am Ende war es doch immer so, dass einen die Menschen verließen, die man liebte. Auf die ein oder andere Weise. Ihr Vater, Amanda, und sogar ihre eigene Mutter. Die war zwar körperlich noch da, aber in Wahrheit hatte sie sich inzwischen so weit von ihr entfernt, als ob sie auf einem anderen Planeten lebte. Auf dem Planeten Patrick. Hier hingegen, zusammen mit Ömer, Senta und den anderen, fühlte Alyssa sich zum ersten Mal seit Ewigkeiten nicht gehetzt oder genötigt, sich verteidigen zu müssen. Sie schaute nach vorne auf Sentas Rücken. Ihr Bündel mit den Schlafsäcken hing so tief, dass Alyssa ihre Schulterblätter sehen konnte. Zwischen den Trägern ihres Tops blitzte ein Tattoo hervor: Ein stilisiertes Flügelpaar aus zarten Linien, wie die Flügel einer Elfe. Bei jedem Schritt bewegten sie sich, als würden sie augenblicklich losschwirren und Senta davontragen. Alyssa konnte nicht anders, sie streckte die Hand aus, berührte die Flügel mit den Fingerspitzen und erschrak, als Senta zusammenzuckte und sich zu ihr umdrehte. Doch statt ihr eine blöde Bemerkung an den Kopf zu knallen, lächelte sie.

»Ach, du warst das. Ich dachte, mich hätte eine Mücke erwischt.«

»Das ist hübsch.« Alyssa deutete auf das Tattoo. »Hat das sehr weh getan?«

»Danke!« Senta wandte ihren Blick wieder nach vorne und stieg über eine Wurzel. »Klar, ein bisschen schon. Es fühlt sich an, als würde dir jemand mit einem feinen Messer in die Haut ritzen. Aber das gehört dazu. Der Schmerz sorgt dafür, dass man es nicht leichtfertig tut.«

Alyssa überlegte, welches Motiv wohl zu ihr selbst passen könnte. Vielleicht ein Rabe auf der Schulter? Voller Zuneigung beobachtete sie noch eine Weile den Rhythmus der Elfenflügel. Nein, man war nicht besser dran ohne Freunde. Sie kannten sich zwar noch nicht lange, aber sie spürte ein unsichtbares Band zwischen ihnen allen, das weit mehr miteinander verknüpfte, als nur ihr gemeinsames Abenteuer. Sie gingen eine Weile schweigend weiter, bis Per unter einer Birke stehenblieb.

»He, Karl. Was sagt das Navi?«

Karl hob ratlos die Schultern. »Nichts, außer, dass wir noch auf der Route sind. Wie weit wir bereits gegangen sind, ob wir uns schon auf dem Rückweg befinden – keine Ahnung. Es ist wie verhext.«

»Still. Sag so was nicht.« Beklommen rieb Alyssa sich die Oberarme.

Karl hatte das nur so dahingesagt. Eine Redewendung, nichts weiter. Aber in Alyssas Innerem regte sich etwas, wie bei einem Reh, das eine unsichtbare Bedrohung witterte, die langsam näher kam.

»Aber es ist doch wahr«, widersprach Karl. »Durchschnittliche Wanderer schaffen vier bis fünf Kilometer in der Stunde in einem Gelände wie diesem. Wir sind gut und gerne schon vier Stunden unterwegs, und wir haben nur kurze Pausen eingelegt. Wenn die Tour von Sentas Eltern wirklich zwanzig Kilometer betrug, dann müssten wir längst wieder in der Zivilisation sein.«

»Zumindest sollten wir ab und zu Spuren davon sehen.« Ömer sah sich unbehaglich um. »Wegweiser an den Bäumen, Abfall, aber wir sind hier am Arsch der Welt.«

»Wo auch immer wir sind, ich glaube, das ist weit genug«, befand Per. »Wir legen die Puppe hier ab, und dann verschwinden wir. Irgendwelche Einwände?«

Fragend schaute er sie der Reihe nach an. Senta hatte ihre Schlafsäcke abgesetzt und strich sich eine Strähne aus der verschwitzten Stirn. Karl stand auf seinen Besenstiel gestützt da und sah sich mit ernster Miene um. Kein einziger Schweißfleck und nicht die geringste Spur von Schmutz beeinträchtigte sein Erscheinungsbild. Er wirkte, als wäre er eben erst aus einer gut klimatisierten Bibliothek geschlendert, während Ömer abgekämpft und dreckig wie ein Indianer auf dem Kriegspfad aussah.

»Einverstanden.« Ömer fächelte sich mit seinem Basecap Luft zu. »Dieser Ort hier ist so gut wie jeder andere.«

»Nichts dagegen.« Senta zog eine Wasserflasche aus Ömers Rucksack hervor und trank einen tiefen Schluck, ehe sie sie an Alyssa weiterreichte. »Was denkst du?«

Skeptisch musterte Alyssa die Umgebung. Ob hier, oder sonst wo, sie hatte das Gefühl, das ganze Moor sei verdorben. Ratlos zuckte sie mit den Schultern.

»Also gut.« Per hockte sich hin und öffnete die Schnalle seines Rucksacks.

Als er die verschnürte Puppe herauszog, spürte Alyssa eine Welle der Übelkeit in sich aufsteigen. Irgendetwas stimmte nicht. Auch Karl schien es zu spüren. Angriffsbereit hob er seinen Besenstiel, während Per die Puppe unter der Birke ablegte. Stille breitete sich aus, es war, als hielten alle Frösche, Mücken und Uferschnepfen in der Umgebung den Atem an.

Per richtete sich auf und sah noch einmal auf die Puppe herab, die regungslos zwischen den Baumwurzeln lag. »Kommt, wir gehen.«

Er wandte sich um, und im selben Moment brach ein ohrenbetäubendes Kreischen los. Hastig schlug Alyssa die Hände vor die Ohren. Es kam von allen Seiten und klang so, als würden ringsherum tausende Fingernägel über Schultafeln gezogen werden.

»Was ist das?«, schrie Senta über den Lärm hinweg. Tränen traten ihr in die Augen, während sie die Fäuste auf die Ohren presste. Ömer hatte sich bäuchlings auf den Boden geworfen und vergrub den Kopf unter den Armen.

»Pack sie wieder ein!« Karl stieß den vor Entsetzen erstarrten Per beiseite und riss die Puppe an sich. Mit bebenden Händen stopfte er sie zurück in den Rucksack. Der Lärm verstummte so schlagartig, dass Alyssa zusammenzuckte.

Mühsam rappelte Ömer sich auf und versetzte dem Rucksack mitsamt der Puppe einen leichten Fußtritt. »Ich hab so eine leise Ahnung, als ob wir noch nicht ganz am richtigen Ort sind. Wir sind hier zum Kreischen falsch.«

Trotz seiner käsigen Blässe grinste er. Sein Spruch war nicht einmal besonders witzig gewesen, doch Alyssa spürte, wie ihr unaufhaltsam ein Kichern die Kehle hinaufkroch. Eine Überreaktion auf den Stress, schoss es ihr durch den Kopf, bevor sie lauthals losprustete. Die anderen sahen sie irritiert an, doch dann stimmten auch sie mit ein. Senta hielt sich die Rippen fest und Per wischte sich die Tränen aus den Augen. Ömer schlug sich auf die Oberschenkel, während Karl sich mit bebenden Schultern gegen ihn lehnte. Jedes Mal, wenn Alyssa sich halbwegs beruhigt hatte, schoss ihr Ömers dummer Spruch wieder in den Sinn, und sie gluckste von Neuem los. Inzwischen hatte Senta Schluckauf, was ihren Lachflash nicht gerade milderte, bis ihnen buchstäblich die Puste ausging. Das Lachen ebbte so schnell ab, wie es gekommen war.

»Lasst uns weitergehen.« Karl klang ernüchtert. »Es wird bald dunkel, die Zeit läuft uns davon.«

Inzwischen war der Drang zu lachen völlig verloren gegangen und machte einer dumpfen Katerstimmung Platz. Wortlos reihten sie sich hinter Karl und Ömer ein und trotteten weiter.

Kapitel 11

Malte

Die Gegend um das alte Erzbergwerk schien ruhig, als Malte und die Zwillinge am späten Nachmittag aufbrachen. Ihnen blieben noch gut drei Stunden Zeit, bis die Sonne unterging, bis dahin wollte er unbedingt zurücksein. Auch wenn die *Insani* im Moment weniger aggressiv schienen, es würde sicher nicht ewig dauern, bis sie wieder in Angriffsmodus gingen. Und wenn das so war, wollte er auf keinen Fall draußen in der Dunkelheit unterwegs sein. Es kam ihm beinahe vor, als ob sie zwischen den Angriffswellen Kraft sammelten. Aber auch das war nur so eine grobe Vermutung, sie wussten einfach noch zu wenig über deren Verhalten. *Insani*, das lateinische Wort für Verrückte, hatte er für sich als Bezeichnung für die Erwachsenen ausgewählt, um sie mit etwas mehr emotionalem Abstand betrachten zu können. Sie in diesem Zustand als Nachbarn, Verwandte oder gar Eltern zu sehen, ging ihm zu sehr an die Nieren.

Er folgte den Brüdern hinunter zu einer bewaldeten Böschung, hinter der der Pering träge dahinfloss. Normalerweise saßen an einem schönen Tag wie diesem zu beiden Seiten des Flüsschens alle paar Meter Angler, die es auf Rotaugen, Welse oder Karpfen abgesehen hatten. Meistens genügte es ihnen aber, in geselliger Runde an der freien Natur ein paar Bierchen zu zischen und sich gegenseitig mit Geschichten in bestem Anglerlatein zu überbieten. Früher hatte Malte hin und wieder seinen Onkel Ernst dabei begleitet und ihm geholfen, Bienenmaden auf den Haken zu ziehen oder die Angelrollen zu drehen. Aber das war schon ewig her. Heute saß kein Onkel Ernst hier, der die selbstgebastelten Köder wie bunte Federn an seinem Schlapphut befestigt hatte und genau zu wissen schien, was die Forelle unter der Pose dachte. Nein, kein Onkel Ernst und auch sonst niemand angelte heute, und Malte fragte sich, ob das überhaupt je wieder der Fall sein sollte. Falls ja, so schwor er sich hier und jetzt, würde er seinen Onkel wieder öfter beim Angeln begleiten. Seinen Onkel, der jetzt ein *Insanus* war.

»Kommt, hier lang«, wisperte Erik, der die Führung übernommen hatte. Malte hatte inzwischen herausgefunden, dass er der draufgängerischere der Zwillinge war, wogegen Sören etwas besonnener schien. Beide Jungs verstanden sich blind, wirkten im Kontakt mit Fremden allerdings ein bisschen unsicher. Malte folgte Erik mit etwas Abstand, um den hinter ihm zurückflitschenden Zweigen zu entgehen. Sören, der das Schlusslicht bildete, behielt die Umgebung im Auge.

Eine Weile folgten sie schweigend dem schmalen Trampelpfad, nur begleitet vom Summen der Mücken und Zirpen der Vögel im dichten Unterholz. Nach einem knappen Kilometer mündete der Pfad in einen Wanderweg, der von frischen Fahrradspuren zerfurcht war. Am Rand des Weges, gleich am Ufer des Pering, stand eine Bank. Den dazugehörigen Mülleimer hatte jemand mit roher Gewalt aus seiner Verankerung gerissen und ins Wasser geschleudert. Ringsherum verstreut lagen aufgeweichte Imbisskartons, Getränkedosen, Zigarettenschachteln und anderer Unrat. Für Malte sah es so aus, als hätten hier kürzlich irgendwelche Chaoten eine wilde Party gefeiert.

»Seht mal da.« Sören deutete ins Gestrüpp auf der anderen Seite des Weges. Zwischen den Sträuchern ragte ein mit Stoff bespanntes Metallgestänge mit zwei kleinen

Gummirädern hervor. Malte spürte, wie sich sein Magen zusammenzog. War das ein Kinderbuggy? Erik trat näher heran, um sich die Sache genauer anzusehen.

Bitte, lass es kein Buggy sein, flehte Malte stumm und wagte kaum hinzusehen.

»Ein Einkaufstrolley!« Erik lachte erleichtert auf. »Das ist nichts, nur so ein oller Hackenporsche.«

Malte stieß die Luft aus. Er hatte gar nicht gemerkt, dass er sie angehalten hatte.

»Wir sollten uns querfeldein durch die Büsche schlagen«, schlug Sören vor. »Wenn sie sogar hier schon gewütet haben, ist es auf dem Weg zu unsicher.«

»Aber dann dauert es sicher noch länger.« Malte hob ungeduldig die Hände. Die Aussicht, nach Anbruch der Dunkelheit noch unterwegs zu sein, klang nicht gerade verlockend.

Erik versetzte dem Trolley einen missmutigen Tritt und sah sich um. »Im Moment scheint noch alles friedlich zu sein. Wir sollten es riskieren und auf dem Weg bleiben.«

Sören blickte skeptisch drein, nickte dann aber. »Dann lasst uns Gas geben. Je schneller wir das hinter uns haben, desto besser.«

Ohne ein weiteres Wort setzten sie sich wieder in Bewegung. Malte ertappte sich dabei, wie er noch aufmerksamer auf die Umgebung achtete. Jedes Rascheln im Gestrüpp, jedes Flügelschlagen eines aufgescheuchten Vogels ließ ihn zusammenzucken. Erst als sie das Waldstück hinter sich ließen und auf einen Schotterweg kamen, entspannte er sich. Sie passierten die rückseitigen Gebäudekomplexe eines asiatischen Baumaschinenherstellers, einer Waschanlage für LKW und eines Autoglasservices und gelangten zu einem asphaltierten Wendehammer.

»Da lang.« Erik ging ihnen voraus die Straße hinauf.

Malte kam sich vor, wie in einer Geisterstadt oder einer verlassenen Filmkulisse für einen Endzeitthriller.

Zwischen den trostlosen Industriekomplexen aus Beton, Glas und Stahl dehnten sich menschenleere Rasenflächen und asphaltierte Parkplätze aus, über die sachte der milde Frühsommerwind strich. Ein paar Werbeflaggen knatterten über ihren Köpfen, das ganze Areal wirkte wie ausgestorben.

Nach gut hundert Metern mündete die Straße in eine Abzweigung, die rechts zum Parkplatz des Getränkemarkts und dahinter zu einem Schlossereibetrieb führte. Vor dem Betrieb parkten ein silberner Passat und ein dunkelblauer Mercedes Sprinter mit dem Werbeaufdruck *Scheller – keiner hilft schneller* und darunter etwas kleiner: *Ihr Spezialist für individuelle Metallbaulösungen*.

»Ja, ich weiß, ein ziemlich blöder Slogan«, gab Erik achselzuckend zu. »Aber die Auftragsbücher sind voll, also scheint er zu funktionieren.«

Sie überquerten den Parkplatz vor der Schlosserei, die aus zwei Gebäudeteilen bestand. Links befand sich ein flacher Bau, in dem laut Sören das Büro und die Verwaltung untergebracht waren. Gleich rechts daneben stand eine Halle, die von einem Sektionaltor mit Schlupftür verschlossen war. Erik rüttelte probehalber am Griff der Tür, doch vergebens.

»Wär auch zu leicht gewesen.« Enttäuscht wandte er sich zum Bürogebäude. Er wollte noch etwas hinzufügen, da vernahmen sie aus dem Inneren der Halle ein metallisches Scheppern, gefolgt von einem Stöhnen.

***

Alyssa

Sie würden nicht vor Einbruch der Dunkelheit zu Hause sein. Das wurde Alyssa immer klarer, je tiefer sie ins Moor vordrangen. Womöglich würden sie sogar erst morgen früh den Heimweg antreten. Alleine der Gedanke, hier in der Wildnis zusammen mit dieser Scheußlichkeit von Puppe die Nacht verbringen zu müssen, verursachte ihr Magenschmerzen. Mittlerweile hatten sich Wolken vor die Sonne geschoben und die Farben der Landschaft ausgebleicht. Alles wirkte wie von einem grauen Schleier überzogen, der sogar die Geräusche verschluckte. Tiere hatte sie schon länger nicht mehr vernommen, höchstens mal das träge Platschen eines Froschs, der am Wegesrand ins Wasser sprang. Vor ihr sprachen Ömer und Karl miteinander, und ihre Stimmen klangen so dumpf, als würden sie unter der Bettdecke miteinander reden. Zuerst schienen sie nur über den weiteren Weg zu beratschlagen, doch dann wurde Ömer lauter.

»*Abi*, wir sind hier falsch, glaub es mir!«

Sie blieben so abrupt stehen, dass Per ins Stolpern geriet.

»Gibt es ein Problem?«, fragte er und wischte sich mit dem Ärmel den Schweiß von der Stirn.

»Von meiner Seite her nicht.« Karl schien um Beherrschung bemüht. »Aber Ömer ist der Ansicht, er wüsste es besser.«

»Weiß ich auch!« Ömer riss ihm das GPS aus der Hand und hielt es Per unter die Nase. »Sieh selbst.«

Per warf einen kurzen Blick auf das Display und zuckte die Achseln. »Mich dürft ihr nicht fragen, ich kenne mich mit dem Ding nicht aus.«

Ömer versuchte es bei Senta. »Wir sind der kleine blaue Pfeil mit der gelben Linie, und die rote Linie ist die Route, die deine Eltern gewandert sind. Siehst du, wie weit wir von unserem Weg entfernt sind?«

»Das hat überhaupt nichts zu sagen.« Karl nahm seinen Stab in beide Hände. »Wir haben hier dauernd Empfangsstörungen. Wenn wir noch ein Stück weiter gehen, landen wir wieder auf der richtigen Fährte.«

»Oder auch nicht.« Ömer verschränkte die Arme vor der Brust. »Wir werden hier noch alle verrecken.«

Karl lachte spöttisch auf. »Wenn wir deinem Vorschlag vorhin gefolgt wären, würden wir schon längst bis zum Hals im Sumpf stecken.« Er machte eine weit ausholende Geste. »Sieh dich doch mal hier um, hier ist kein anderer begehbarer Weg.«

Senta nahm das GPS und schaute skeptisch auf die Anzeige. »So, wie ich meine Eltern kenne ...«

»Deine Eltern, deine Eltern!«, fiel Ömer ihr ins Wort. »Wenn ich das schon höre! Alleine wegen deiner Eltern sitzen wir doch hier in der Scheiße.«

»Hey, das ist nicht fair«, mischte Per sich ein.

Karl packte den Stab mit beiden Händen. »Halte du dich da raus. Das kannst du sowieso am besten.«

Per verengte seine Augen zu Schlitzen. »Was soll das heißen?«

»Du hast mich schon richtig verstanden. Du tust zwar hier, als wärst du der große Anführer, doch wenn es darum geht, etwas zu entscheiden, hältst du dich gepflegt zurück. Du Windbeutel.«

»Sag das nochmal.« Per machte einen Schritt auf Karl zu.

Der umklammerte seinen Stock fester und hob ihn hoch.

»Das ist alles nur ihre Schuld.« Ömers Zeigefinger zuckte in Sentas Richtung.

Mit bleichem Gesicht wich sie zurück.

Karl holte mit dem Stock aus.

Per ballte die Hände zu Fäusten.

Entsetzt hielt Alyssa den Atem an. Hier stimmte etwas nicht. Etwas Unheimliches rollte auf sie zu, spürten sie es nicht? »Halt!« Mit ausgebreiteten Armen sprang sie zwischen die Kampfhähne. »Habt ihr sie nicht mehr alle?«

Sie prallten zurück, als hätte Alyssa ihnen einen elektrischen Schlag versetzt.

»Was ist nur los mit euch?« Schockiert schaute sie vom einen zum anderen. Wären sie wirklich um ein Haar aufeinander losgegangen?

Ihre Freunde erwiderten mit schreckensweiten Augen ihre Blicke, da dämmerte es ihnen. Karl ließ den Stock sinken, Per musterte seine Fäuste, als hätte er sie nie zuvor gesehen.

»Das, das habe ich nicht so gemeint«, stammelte Ömer und wich vor Senta zurück, die ihre Brille absetzte und mit dem Zipfel ihres Tops die Tränen von den Gläsern wischte.

»Das war diese elende Puppe.« Alyssa deutete auf Pers Rucksack. »Sie will uns auseinanderbringen.«

»Verdammt!« Per nahm den Rucksack ab und schleuderte ihn von sich. Als er gegen einen Baumstumpf prallte, quietschte etwas darin protestierend auf.

»Ich glaube, mir wird schlecht.« Senta presste den Handrücken gegen den Mund.

»Wir dürfen das nicht zulassen.« Karl rammte den Stab in den Boden. »Nur gemeinsam haben wir eine Chance, diese Sache zu beenden. Wir brauchen etwas, das unsere Freundschaft stärkt.«

»Und was schlägst du vor? Sollen wir Blutsbrüderschaft schließen?« Ömer kramte ein Taschenmesser aus der Hosentasche und hielt es Karl hin.

Alyssa betrachtete das Taschenmesser mit gemischten Gefühlen. Kurz nach dem Tod ihres Vaters war es ihr so schlecht gegangen, dass sie angefangen hatte, sich zu ritzen. Es erschien ihr damals die einzige Möglichkeit zu sein, dem Schmerz in ihrem Inneren etwas entgegenzusetzen, und eine Zeit lang hatte das auch funktioniert. Dann hatte die Wirkung nachgelassen und es war von Tag zu Tag schlimmer geworden. Zum Glück hatte ihre Mutter es bemerkt und sie zu einer Psychologin geschleppt. Damals hatten sie ja auch noch einen besseren Draht zueinander. Anfangs hatte Alyssa sich dagegen gesträubt, aber nach einigen Monaten hatte sie gespürt, dass ihr die Gespräche mit der fremden Frau guttaten. Sie lernte, den Schmerz zuzulassen und so hatte auch der Zwang nachgelassen, ihn mit selbstzugefügten Verletzungen zu bekämpfen. Und nun sollte sie wieder damit anfangen?

»Das mache ich nicht!« Abwehrend hob sie die Hände.

»Nein, das meine ich auch nicht.« Karl schüttelte den Kopf. »Aber es gibt da eine alte buddhistische Meditationstechnik. Sie heißt Metta-Meditation, und mit ihr kann man die positiven Gefühle für seine Freunde und Mitmenschen verstärken. Das sollten wir mal probieren. Versucht, euch so bequem wie möglich hinzusetzen.«

Per und Ömer sahen sich überrascht an, doch dann zuckten sie mit den Schultern. Warum nicht? Sie hockten sich, dort wo sie standen, auf den feuchten Boden, während Senta und Alyssa nebeneinander auf einem umgestürzten Baumstamm platznahmen. Karl setzte sich ihnen gegenüber im Schneidersitz auf einen Stein, legte die Hände auf die Knie und bat sie, die Augen zu schließen.

»Alles um uns herum ist still und friedlich«, begann er mit ruhiger Stimme.

Ömer gluckste, fing sich aber sofort wieder.

»Richtet euren Blick nach innen und spürt eure Zufriedenheit.«

Alyssa hörte, wie Karl ganz ruhig ein und ausatmete, und probierte es ebenfalls. Sie glaubte zwar nicht, dass es funktionierte, aber sie wollte kein Spielverderber sein.

»Und nun lasst ihr folgenden Wunsch durch euch hindurch strömen: Möge ich glücklich sein. Spürt die freundliche Haltung in euch. Wiederholt es. Und nun denkt: Möge ich gesund und mein Geist frei von Dunkelheit sein.«

Alyssa richtete ihre Gedanken auf diese Wünsche und wiederholte sie im Rhythmus ihres Atems. Tatsächlich spürte sie nach einiger Zeit, wie sie sich entspannte und sich eine innere Ruhe in ihr ausbreitete.

»Und nun richten wir diese Wünsche auf die, die hier mit uns anwesend sind«, fuhr Karl beinahe flüsternd fort. »Mögest du glücklich sein. Möge dein Geist gesund und frei von Dunkelheit sein.«

Wie von selbst übertrug Alyssa die angenehmen Gedanken von sich auf Senta neben ihr. Entzückt stellte sie fest, dass sie sich dabei keineswegs abschwächten, sondern sogar noch verstärkten. Beflügelt schloss sie auch Ömer, Per und Karl in ihre Wünsche ein. Sie wiederholte die guten Gedanken für ihre Freunde und berauschte sich an der Freude, die sie in ihr auslösten.

»Lasst eure guten Gefühle fließen. Immer weiter. Schließt unsere Freunde im Bergwerk mit ein, jeden Menschen, den wir kennen. Jeder Mensch ist gleich wichtig.«

Mühelos folgten Alyssas Gedanken Karls Anweisungen, bis sie vor ihrer Mutter stehenblieben. Nach kurzem Zögern schloss sie auch sie mit ein, aber bei Patrick gelang es ihr nicht.

»Zuletzt möchte ich, dass ihr euch den Menschen zuwendet, die euch nicht wohlgesonnen sind. Die ihr vielleicht als eure Feinde betrachtet«, hörte sie Karl sagen. »Stellt euch vor, wie dieser Mensch leidet, denn er findet kein Glück. Möge dieser Mensch von seinem Leid befreit werden.«

Sie sollte ihre guten Wünsche an Patrick verschwenden? Widerwille regte sich in ihr. Immerhin hatte er sie gedemütigt und verprügelt und ihr Leben in eine Hölle verwandelt. Das konnte Karl nicht ernsthaft von ihr verlangen! Sie versuchte, irgendein positives Gefühl für Patrick in sich zu entdecken, aber da war nichts. Stattdessen beschränkte sie sich darauf, ihn gedanklich fortziehen zu lassen. Als Karl sie aufforderte, wieder die Augen zu öffnen, fühlte sie sich tatsächlich gestärkt und ihren Freunden innig verbunden.

Nach einem Moment der Stille räusperte Ömer sich. »Wir sollten uns wieder auf den Weg machen.«

Damit löste er die gemeinsame Besinnung und stand auf. Senta gab ihm das GPS, das er wie selbstverständlich an Karl weiterreichte.

»Ganz ehrlich, Freunde. Ich habe keinen Schimmer, wo wir hier sind.« Karl runzelte ratlos die Stirn und stand auf. »Die Anzeige springt dauernd hin und her und bei dem Licht kann man nicht einmal die Himmelsrichtung korrekt bestimmen. Mein Instinkt sagt mir zwar, dass wir hier richtig sind aber ...«

Im Vorbeigehen klopfte Per ihm auf die Schulter. »Dein Instinkt reicht mir als Sicherheit.« Damit reihte er sich hinter Ömer ein.

Ein Lächeln ließ Karls Gesicht erstrahlen, und zum ersten Mal wirkte er wie ein ganz normaler Zehnjähriger, und nicht wie ein altkluger Snob.

Niemand verlor auch nur ein Wort über ihren Streit. Das war auch nicht nötig, denn Alyssa spürte ganz deutlich die Veränderung, die die Meditationsübung in ihnen ausgelöst hatte. Sie nahm Sentas Hand und drückte sie, bevor sie aufstand und ihr Bündel auf dem Rücken zurechtrückte.

»Na los, *Abi*!« Ömer gab Karl einen spielerischen Schubs. »Immer deiner Nase nach.«

Kapitel 12

Malte

»Was ist das?« Sören wich mit bleicher Miene vor dem Tor zurück.

Malte sah sich unbehaglich um. War das eine Falle?

Erik trat langsam vor. »Ich schau mal nach.« Er beschirmte die Augen seitlich mit den Händen und spähte durch die Glasscheibe in der Schlupftür. »Es ist zu dunkel da drin, ich kann nichts …«, plötzlich schlug eine dreckverschmierte Hand von innen gegen die Scheibe. »Verdammt!«

Die Hand rutschte ab und hinterließ Schlieren auf dem Glas.

Sören packte seinen Bruder am Arm und zog ihn zurück. »Da ist jemand, nichts wie weg hier.«

»Nein, warte.« Mit einem flauen Gefühl im Magen deutete Malte auf die Tür. »Wer auch immer da drin ist, im Moment kann er uns nichts antun, und wir brauchen dieses Rostlöserzeug und das Schmiermittel.« Er konnte kaum glauben, was er da sagte. Wo holte er plötzlich diesen Mut her? »Gibt es noch einen anderen Weg da rein?«

Erik kratzte nachdenklich an einem seiner Pickel und nickte. »Durchs Büro, aber dafür haben wir keinen Schlüssel.«

»Dann müssen wir eben eine Scheibe einschlagen. Kommt.«

Sie gingen hinüber zum Bürogebäude und sahen sich nach etwas um, mit dem sie die Fensterscheibe zertrümmern konnten. Probehalber rüttelte Erik an der Türklinge, doch vergeblich.

»Hiermit müsste es gehen.« Sören kippte einen schmiedeeisernen Aufsteller mit einem Willkommensschild auf die Seite. »Pack mal einer mit an.«

Malte vermutete, dass der Vater der Zwillinge dieses Schild handgeschmiedet hatte und bewunderte seine Kunstfertigkeit. Inzwischen dürfte der Mann aber kaum in der Lage sein, seinen Vornamen unfallfrei zu buchstabieren. Erik kam seinem Bruder zu Hilfe und gemeinsam wuchteten sie das Ding mit einem hässlichen Splittern durch die Scheibe. Augenblicklich ertönte ein schriller Alarm.

»Mist, das hab ich nicht bedacht.« Sören verzog grimmig den Mund.

»Denkst du, die Bullen rücken aus? Vergiss es.« Erik schlug ein paar Scherben aus dem Rahmen.

»Das nicht, aber vielleicht die *Insani*«, gab Malte zu bedenken. War das nicht in jedem Zombiefilm so, dass laute Geräusche die Biester anlockten? Er verschränkte die Hände zur Räuberleiter und half Erik beim Einsteigen. Wenige Sekunden später öffnete er von innen die Eingangstür und sie betraten den Flur. Links befand sich laut der Aufschrift der Zugang zum Büro. Weiter hinten führte eine Brandschutztür nach rechts. Wie Malte vermutete, in die Werkshalle.

»Ich versuche, den Alarm auszuschalten«, rief Sören über den Lärm hinweg und schlüpfte ins Büro, während Erik und Malte weiterliefen und in den rückwärtigen Bereich der Halle gelangten. Der riesige Raum lag im Zwielicht, nur erhellt durch ein paar milchige Oberlichter. Sie wagten nicht, die Leuchtstoffröhren anzuknipsen, die in langen Reihen zwischen den meterhohen Regalen hingen. Bis zur Decke stapelten sich darin Eisenstangen, Rohre, gekantete Bleche und sonstiges Metallzeug in allen möglichen Längen und

Ausführungen. Ein kleiner Hubwagen parkte schräg dazwischen. Weiter hinten entdeckte Malte eine achtlos abgestellte E-Meise, auf der noch eine Industriepalette mit irgendwelchen Winkeleisen lag.

Erik tippte ihm auf die Schulter und deutete auf ein Regal weiter rechts, da verstummte der Alarm so plötzlich, dass Malte zusammenzuckte. Seine Ohren brauchten einen Moment, um das Klingeln loszuwerden, da vernahm er vom Rolltor her ein Schaben wie Eisen auf Beton, begleitet vom Stöhnen eines Menschen.

»Hier drüben.« Erik gab ihm einen Wink und schlich zu einer Regalreihe voller Sprayflaschen, Kanister und Blechdosen. Auf den Etiketten prangten Warnsymbole, die den Inhalt als hochgiftig, leicht entflammbar, ätzend oder sonst wie gefährlich kennzeichneten. Mit sicherem Griff kramte Erik einen Kasten mit gelb und blau bedruckten Sprayflaschen heraus. Ein paar Meter weiter wählte er einen Karton mit ein paar blauweißen Tuben aus, die mit der Bezeichnung LM 47 beschriftet waren.

»Hast du's?« Inzwischen war Sören zu ihnen gestoßen und nahm Erik einen der Behälter ab.

»Nur das 47er, vom 50er ist nichts da.«

Malte fühlte sich wieder, als würde er einem Geheimcode lauschen.

»Gut, das tut's auch. Und jetzt weg hier.«

Sie wandten sich um, da klang vom Tor her erneut ein Stöhnen zu ihnen. Diesmal hörte es sich weniger bedrohlich, dafür gequält an.

Malte zögerte. Wer auch immer da lag, er hatte sicher Schmerzen.

»Was ist? Willst du hier übernachten?«, drängte Erik und verlagerte das Gewicht des Kartons auf die Hüfte.

»Da ist jemand verletzt. Hörst du das denn nicht?« Malte blieb stehen.

»Und wenn schon! Wir haben andere Probleme.« Erik trat ungeduldig von einem Fuß auf den anderen.

»Wenn das euer Vater ist?«

»Ist er nicht, der war heute Vormittag zu Hause, als Mama sich die Aktion mit dem Toaster geleistet hat.«

»Malte hat recht«, mischte sich Sören ein. »Wir können ihn da nicht einfach liegenlassen, wer auch immer das ist.«

Erik verdrehte die Augen. »Ihr geht mir echt auf die Nerven.« Dennoch stellte er den Karton ab und zog ein armlanges Stahlrohr aus einem der Regale. So bewaffnet gab er den anderen ein Zeichen ihm zu folgen, und schlich auf das Segmenttor zu.

Sie passierten eine Werkbank, auf der ein halbfertig zusammengeschweißter Stuhl eingespannt war. Ein Schweißgerät stand daneben und es sah so aus, als hätte jemand die Arbeit daran nur kurz unterbrochen. Ein paar Schritte weiter noch eine Werkbank mit einem Gitterrahmen im Schraubblock. Darüber baumelte an einem Flaschenzug aus Eisenketten ein kompliziert geformtes Maschinenteil. Malte vermutete, dass es sich um ein Getriebe oder so handelte.

Je näher sie dem Wehklagen kamen, desto mulmiger wurde ihm. Erik hatte sich als einziger bewaffnet, aber würde er das Rohr auch benutzen, wenn es sich bei dem *Insanus* um jemanden handelte, den er kannte? Etwas schabte erneut über den Betonboden. Auf einmal hatte Malte das dringende Gefühl, er sei im Begriff, einen Riesenfehler zu begehen. Er wünschte sich, sie hätten doch auf Erik gehört. Sie erreichten eine Stanzmaschine und duckten sich. Vorsichtig spähte Erik um die Ecke.

»Scheiße, das ist Mitri«, flüsterte er. »Anscheinend ist er eingeklemmt.«

»Wie, eingeklemmt?« Malte schob sich an Erik vorbei und riskierte selbst einen Blick.

Da lag ein junger Mann von vielleicht dreißig Jahren gleich hinter dem Tor am Boden. Er trug einen dunkelbauen Arbeitsoverall, seine schwarzen Haare klebten vor Schweiß auf der bleichen Stirn. Die Hände umklammerten ein Moniereisen, mit dem er vergeblich seinen rechten Fuß zu befreien versuchte, der unter dem Dachholmen eines umgestürzten Gabelstaplers eingeklemmt war. Überall lagen wild verstreut meterlange Metallrohre herum, die bei dem Unfall vom Gabelzinken gerollt sein mussten. Malte vermutete, dass Mitri mit dem Ding durch die Halle gekurvt war und dabei die Kontrolle über das Fahrzeug verloren hatte. Rings um den eingeklemmten Fuß hatte sich eine dunkelrote Pfütze gebildet, die durch seine vergeblichen Befreiungsversuche schon ganz verschmiert war.

Sören riskierte ebenfalls einen Blick auf die Szene. »Na toll. Und was machen wir jetzt? Wir können ihn nicht so liegenlassen. Am Ende verblutet er noch.«

Malte kaute nervös an seiner Unterlippe. »Habt ihr hier irgendwo einen Verbandskasten?«

»Da vorne rechts, gleich neben dem Schalter für das Tor. Siehst du ihn?« Erik deutete mit einem Kopfnicken auf eine große rote Plastikbox, auf der mit weißen Buchstaben *Erste Hilfe* stand. Darunter prangte ein weißes Kreuz auf grünem Quadrat. Sie hing kaum zwei Meter von Mitri entfernt an der Wand.

Malte wandte sich zu den Brüdern um. »Okay, mein Plan sieht so aus: Wir packen ihn an den Armen, fesseln ihn, dann nehmen wir eins von den Rohren und befreien sein

Bein. Dann fesseln wir seine Beine und verbinden ihn. Und dann nichts wie weg.«

»Wie? Du willst ihn einfach so liegenlassen?« Sören sah ihn unbehaglich an. »Er ist doch völlig hilflos.«

»Willst du ihn etwa ins Krankenhaus bringen?« Erik nahm sein Basecap vom Kopf und wischte sich mit dem Handrücken den Schweiß von der Stirn. Als er es wieder aufsetzte, stachen seine Ponyfransen schweißnass über der Verschlussleiste hindurch. »Das nächstgelegene ist in Korrenz, und wir waren uns doch einig, dass niemand von Außerhalb hiervon erfahren darf.«

»Nee, natürlich nicht«, stimmte Sören zu. »Aber ...«

»Aber was? Willst du ihn mitnehmen?« Erik lachte humorlos auf. »Vergiss es.«

Sören holte tief Luft und nickte. »Ja, okay. Ihr habt recht. Aber wohl fühle ich mich nicht dabei.«

»Denkst du, ich?« Eriks Ärger über seinen Bruder schien so schnell verflogen, wie er gekommen war. »Das ist immerhin Mitri. Bis vor Kurzem hat er uns noch regelmäßig Ninjago-Karten geschenkt und uns auf seinem Moped fahren lassen.« Er legte Sören die Hand auf die Schulter. »Mehr können wir nicht für ihn tun, außer zu hoffen, dass morgen schon wieder alles gut ist und er medizinische Hilfe bekommt.«

Malte atmete innerlich auf. Jetzt hier noch ewig zu diskutieren, kostete nur wertvolle Zeit. Sie hatten ja jetzt schon viel länger gebraucht als geplant, und wer konnte schon sagen, wann die *Insani* wieder in den Aggro-Modus wechselten.

»Okay, also gut.« Er wischte die Hände an den Oberschenkeln ab. »Packen wir es an. Aber wie fixieren wir ihn?«

Erik schlich nach hinten zu den Lagerregalen und kehrte kurz darauf mit einem Spanngurt und einer Handvoll Kabelbindern zurück. Ein paar davon reichte er an Malte und

Sören weiter. Sie erhoben sich und traten aus ihrer Deckung. In einer Reihe gingen sie auf Mitri zu, der sie zunächst gar nicht bemerkte. Viel zu sehr war er damit beschäftigt, an seinem Fuß zu zerren und mit der Stange unter dem Dachholmen des Gabelstaplers herumzustochern. Malte fragte sich, ob *Insani* vielleicht weniger Schmerzen verspürten als normale Menschen, denn der unnatürlichen Stellung des Beins nach zu urteilen, musste es gebrochen sein und ihm höllisch wehtun. Sören schwärmte nach links aus, zugleich bewegte Erik sich nach rechts. Erst, als sie direkt bei Mitri standen, bemerkte der sie. Sein Kopf schnellte hoch und wirbelte herum. Blitzschnell erkannte er, dass er eingekreist war und begann augenblicklich, unter lautem Geschrei mit der Stange nach ihnen zu stechen.

»Verpisst euch, ihr Drecksäcke! Ich bring euch alle um!«, brüllte er heiser und versprühte dabei feine Speicheltröpfchen.

»Alles gut, Mitri, wir tun dir nichts.« Beruhigend hob Sören die Hände. »Wir wollen dir nur helfen.«

Malte fragte sich, ob der Junge immer noch ernsthaft daran glaubte, man müsse den *Insani* nur gut zureden, um sie zur Vernunft zu bringen, da bemerkte er, wie Sören seinem Bruder kaum merklich zunickte.

»Halt die Fresse, ich schlag dich tot!«, brüllte Mitri, der nun ganz auf Sören fixiert war. Die anderen beiden hatte er völlig ausgeblendet. »Komm her, dann mach ich dich fertig!«

Sören schob die Kabelbinder in die Hosentasche und bewegte sich langsam mit erhobenen Händen auf Mitri zu. »Alter, du bist verletzt. Das sieht nicht gut aus. Lass mich mal nachsehen, vielleicht ist dein Bein gebrochen.«

Aus den Augenwinkeln beobachtete Malte, wie Erik sich in Mitris Rücken schlich und sich ihm unbemerkt näherte.

Ganz vorsichtig machte Malte ein paar Schritte auf Mitri zu.

»Komm mir bloß nicht zu nahe, du Missgeburt«, lautete Mitris Antwort auf das freundliche Hilfsangebot. Abermals fuchtelte er mit dem Eisen herum, diesmal nur in Sörens Richtung.

»Hey, beruhige dich«, fuhr Sören fort. »Du brauchst einen Arzt, ich kann dich zu einem bringen.«

Mitri setzte zu ein paar weiteren Beschimpfungen an, da stürzte Erik vor und umklammerte von hinten dessen Oberkörper. Im selben Moment sprang Sören herbei und trat dem vor Wut aufheulenden Mitri das Moniereisen aus der Hand. Scheppernd verschwand es hinter dem Gabelstapler. Malte riss noch im Laufen einen Kabelbinder hoch, ging neben dem jungen Mann in die Hocke und bog ihm die Handgelenke hinter seinem Rücken zusammen. Mit einem kurzen Ratsch zog er die Behelfshandschellen zu.

»Ihr Drecksäcke«, schrie Mitri und spuckte Malte an. Angewidert wischte er sich mit dem Ärmel übers Gesicht. Hoffentlich hatte der Kerl keinen Virus oder so.

Erik, der auch ein paar Tröpfchen abbekommen hatte, riss einen Streifen von Mitris T-Shirt ab und stopfte es ihm unsanft in den Mund. Wütend warf der den Kopf hin und her und starrte sie mit vor Hass funkelnden Augen an.

»So, das müsste vorerst halten.« Erik keuchte vor Anstrengung. »Sören, die Oberschenkel auch, sonst reißt er sich los.«

Geschickt wickelte Sören den Spanngurt um Mitris Beine und Oberkörper und zurrte ihn fest. Nachdem das erledigt war, setzte er sich schwer atmend neben seinen Bruder.

Mitri wand sich wie ein Fisch auf dem Trockenen, doch nach einer Weile ließen seine Kräfte nach, und er sank erschöpft auf den Rücken. Der Stofffetzen dämpfte seine letzten Flüche, dann wurde er still.

»Nun wollen wir uns das mal ansehen.« Malte stand auf und betrachtete den eingeklemmten Fuß unter dem Gabelstapler. Das Bein hatte vorher schon ziemlich beschissen ausgesehen, aber die Rangelei hatte ihm nicht gerade gutgetan. Frisches Blut sickerte aus dem Hosenbein, und jetzt lag es noch unnatürlicher als vorher. Kein Zweifel, es war gebrochen, wenn nicht Schlimmeres.

Probeweise schob Malte die Hände unter den Dachholmen und versuchte, ihn anzuheben, doch keine Chance.

»Hier, versuchen wir es damit.« Erik war neben ihn getreten und hielt ein Eisenrohr von etwa zwei Metern Länge hoch.

»Wir brauchen noch einen Drehpunkt.« Sören sah sich um. Neben einem der Werktische entdeckte er einen Amboss. »Das da. Los, packt mal mit an.«

Zu dritt schleiften sie den Amboss zum Gabelstapler, schoben das Rohr unter den Holmen und legten es über den Amboss.

»Packen wir das?«, fragte Malte und legte die Hände auf das Eisen.

»Kraft gleich Last mal Lastarm durch Kraftarm«, dozierte Sören. »Also wenn wir davon ausgehen, dass der Gabelstapler knapp drei Tonnen wiegt ...«

»Ich will jetzt keine Physikstunde«, unterbrach Malte ihn.

»Na gut.« Grinsend nickte Sören seinem Bruder zu. »Gewaltig ist des Schlossers Kraft ...«

»... wenn er es mit Verläng'rung schafft«, setzte Erik den albernen Handwerkerspruch fort, und gemeinsam stemmten sie sich mit aller Kraft auf das Rohr. Sie hängten ihr volles Körpergewicht rein, und endlich hob sich der

Dachholmen vom Boden. Nur eine Handbreite, aber das genügte für Sören, Mitri zu packen und seinen Fuß herauszuziehen. Seine Gegenwehr bestand aus wütendem Grunzen und dem Versuch, mit dem gesunden Fuß nach ihnen zu treten, aber Sören kniete sich darauf und hielt ihn so am Boden fest.

»Ich hatte zwar noch keinen Erste-Hilfe-Kurs, aber der ist gebrochen, ganz eindeutig.« Erik verzog mitleidig den Mund.

»Meiner ist erst ein halbes Jahr her, und du hast recht«, stimmte Malte zu. »Dazu noch eine ziemlich fiese Fleischwunde. Ich würde sagen, da hilft ein Druckverband und schienen.« Er stand auf, nahm den roten Kasten von der Wand und ging zurück zu den Jungs, wo er den Inhalt inspizierte. Nachdem er die Einmalhandschuhe übergestreift hatte, machte er sich daran, mit der Schere Mitris Hosenbein aufzuschneiden und den verletzten Bereich freizulegen. Sein Magen verkrampfte sich, als er eine tiefe, gut fünf Zentimeter lange Fleischwunde unterhalb der Wade erkannte. Blut quoll heraus, aber glücklicherweise war es dunkelrot und lief in einem gleichmäßigen Strom. Also keine verletzte Arterie. Immerhin. Er riss eins der Verbandspäckchen auf und verband die Wunde mit einer Routine, die ihn selbst verblüffte. Mitri beobachtete sein Tun aus weit aufgerissenen Augen, die inzwischen dunkel umrandet waren.

»Geschafft.« Malte stieß erleichtert die Luft aus. »Aber jetzt kommt der schwierige Teil.« Er stand auf, suchte im Werkstattbereich herum und fand eine Dachlatte, die er über seinem Knie in zwei Teile zerbrach.

Erik, der neben Mitri hockte, hielt sicherheitshalber dessen Schultern auf dem Boden. »Kann losgehen, ich hab ihn.« Er nickte Malte aufmunternd zu.

Mit Sörens Hilfe befestigte Malte die Dachlattenstücke über der Hose an Mitris Bein und umwickelte sie fest mit Fixierbinden. Zuletzt wickelten sie ein paar Dreieckstücher um beide Unterschenkel und ließen ihn los. Die ganze Prozedur musste äußerst schmerzhaft für den Mann gewesen sein, aber in seinem immer blasser werdenden Gesicht spiegelte sich nichts als Wut und Hass. Dann verdrehte er die Augen und wurde bewusstlos.

Erik stöhnte auf. »Scheiße, und was jetzt?«

***

Per

Im monotonen Rhythmus setzte Per einen Fuß vor den anderen und überließ nur allzu gerne Karl und Ömer die Führung. Mittlerweile boten die beiden eine eingespielte Einheit: Karl bestimmte die Richtung, und an den schwierigen Stellen ging Ömer voraus und testete die Begehbarkeit der Route. Dieses Metta-Zeug hatte wirklich Wunder gewirkt. Wenn Per darüber nachdachte, dass er vorhin kurz davor war, sich mit den beiden zu schlagen, konnte er sich selbst nicht begreifen. Gewalt war doch noch nie sein Ding gewesen. Vielleicht hatte es auch einfach nur daran gelegen, dass ganz plötzlich Senta ins Schussfeld geraten war. Das hatte etwas in ihm überschnappen lassen. Er warf einen Blick über die Schulter und lächelte ihr aufmunternd zu. Trotz ihrer misslichen Lage schien ein besonderer Glanz von ihr auszugehen. Sie erwiderte sein Lächeln, und sofort schlug sein Herz schneller. Egal, wie diese Geschichte ausging, ihre eigene Geschichte fing gerade erst an. Von dem warmen Gefühl in seiner Brust beflügelt, richtete er seinen

Blick wieder nach vorne und hielt nach einem geeigneten Lagerplatz Ausschau. Es war offensichtlich, dass sie es nicht schaffen würden, vor Einbruch der Dunkelheit zurück zu sein, aber er war frohen Mutes, dass sie morgen um diese Zeit diesen Alptraum hinter sich hatten.

Am frühen Abend erreichten sie einen flachen Hügel, auf dem ein paar junge Birken wuchsen.

Karl hielt an und drehte sich zu ihnen um. »Seht mal, was haltet ihr von dieser Stelle hier?«

»Für die Puppe?« Ömer sah sich stirnrunzelnd um.

»Zum Lagern«, erklärte Per. »Wir müssen irgendwo pennen, und

der Boden scheint hier relativ trocken und durch die Bäume windgeschützt zu sein.«

»Finde ich auch«, stimmte Karl zu. »Außerdem hat man von hier aus eine gute Sicht. Also, wer ist dafür?«

»Was meinst du mit gute Sicht?« Alyssa sah sich beklommen um. »Doch nicht, damit wir früh genug sehen, wenn sich etwas nähert?«

»Oder jemand«, ergänzte Senta, die sich fröstelnd die Arme rieb.

»Blödsinn.« Per lachte und warf Karl einen warnenden Blick zu. Das fehlte noch, das er hier leichtsinnig Angst verbreitete. »Wer ist denn außer uns so bescheuert, sich in diese gottverlassene Gegend zu verirren? Wir werden schlafen wie die Murmeltiere. Kommt, wir schlagen das Lager auf.«

Erleichtert setzten Senta und Alyssa ihr Gepäck ab, doch Ömer blickte sich misstrauisch um.

»Es gefällt mir hier nicht.« Er zog sein Cap in die Stirn.

Das Licht der tiefstehenden Sonne sickerte nur schwach durch die Wolkendecke und verwandelte die Landschaft in ein Gemälde aus fahlen Farben. Bleigrau spiegelte es sich auf den Tümpeln und zerfaserte an den aufziehenden Nebelfetzen. Die mageren Äste der Bäume schienen sich wie Krallen über ihren Köpfen zu krümmen und zwischen den Schilfrohren bewegte sich irgendetwas, vermutlich eine Wasserratte oder ein Brachvogel auf Futtersuche.

»Mir auch nicht.« Per rieb sich über die Arme. »Aber wir haben keine andere Wahl. Wenigstens ist es trocken.«

Während Per und Senta zwischen den Bäumen aus ihren Schlafsäcken und Isomatten einen Schlafplatz errichteten, kümmerte Karl sich um das Lagerfeuer. Er legte aus Steinen einen Kreis und schichtete abgestorbene Schilfrohre hinein. Ömer und Alyssa machten sich auf die Suche nach trinkbarem Wasser und Feuerholz. Sie waren kaum fünf Minuten weg, als ein gellender Schrei die Stille zerriss.

Per, der gerade Ömers Schlafsack ausrollen wollte, hielt in der Bewegung inne.

»Das war Alyssa«, keuchte Senta. Im nächsten Moment war sie auf den Beinen.

Auch Karl schaute von seiner Arbeit auf, nahm den Besenstiel und rannte los. Per und Senta folgten ihm dicht auf den Fersen durchs hohe Wollgras. Unter einer abgestorbenen Eberesche entdeckten sie Alyssa und Ömer. Äußerlich wirkten sie zwar unverletzt, trotzdem schienen sie unter Schock zu stehen. Mit bleichen Gesichtern starrten sie hinauf und hielten einander fest umklammert.

»Was zum ...«, begann Per, dann blickte auch er nach oben und verstummte.

Neben ihm schrie Senta kurz auf und tastete nach seiner Hand.

»Zumindest wissen wir nun, dass wir auf dem richtigen Weg sind«, murmelte Karl und stieß mit dem Stock nach dem Ding, das dort oben zwischen den knorrigen Ästen baumelte.

Es steckte in einem Frotteestrampler, der früher mal lila gewesen sein musste. Inzwischen war er von Schimmel überzogen und an den Füßen ausgefranst. Schwarz verfärbte Zehen lugten daraus hervor und auf dem eingedellten Kopf saß ein ehemals gelbes Strickmützchen. Per wollte den Blick abwenden, schaffte er aber nicht. Die Faszination des Grauens, dachte er beiläufig.

»Eine Babypuppe!«, rief Karl. »Das ist nichts weiter als eine alte, verwitterte Baby Born oder so. Seht doch selbst!«

Erneut hob er seinen Stock und drehte das Bündel mit dem Gesicht zu ihnen.

»Tatsächlich!« Alyssa lachte nervös auf. »Und ich dachte schon, das wäre ein echtes ...«

»Ich auch«, stimmte Senta zu. »So was Blödes.« Sie zwang sich zu einem Lächeln, und nur langsam kehrte wieder Farbe in ihr Gesicht zurück.

»Widerlich!« Ömer schüttelte den Kopf und wandte sich ab.

Per konnte ihm nur zustimmen. Die Babypuppe mochte vor etlichen Jahren ja mal niedlich gewesen sein, jetzt verursachte ihr Anblick nur noch Gänsehaut. Die Witterung hatte den Plastikkopf im Laufe der Zeit verformt und die Gesichtszüge grotesk in die Länge gezogen. Noch immer lächelten die Lippen, aber inzwischen wirkte das Lächeln gemein, und der Blick aus den blauen Glasaugen höhnisch.

»Da hängt noch eine.« Senta deutete zu einer Gruppe Kiefern. Am Stamm eines der Bäume hatte jemand eine weitere Plastikpuppe befestigt. Sie schien wesentlich älter zu sein als die Babypuppe, vielleicht aus den Fünfzigern. Ihr kahler Kopf war nach vorne gesackt, als hätte man sie gehenkt.

Spinnennetze spannten sich wie ein schwarzes Spitzenkleid über den ansonsten nackten Körper und in den leeren Augenhöhlen wimmelte es von Ameisen. Die Hitze der Sonnenstrahlen hatte die Plastikoberfläche zu Schorf aufgeworfen, der an alte Wunden erinnerte.

»Süß.« Alyssa machte ein Würggeräusch. »Können wir jetzt gehen? Ich habe genug gesehen.«

Sie gingen zu ihrem Lagerplatz, und während Karl das Feuer entfachte, kramte Per unter Alyssas angewiderten Blicken die Puppe hervor. Mit spitzen Fingern trug er sie zu den Kiefern und klemmte sie zwischen die Äste. Diesmal protestierte sie nicht, stattdessen schien es, als würde sie auf etwas lauern. Endlich waren sie das Ding los. Ob sie zu Hause schon etwas davon spürten? Er hoffte es, aber was würden sie nach ihrer Rückkehr vorfinden? Konnten sich die Erwachsenen noch daran erinnern, was geschehen war und was sie getan hatten? Oder war es für sie, als erwachten sie aus einem schlimmen Traum, dessen Einzelheiten sich umso rascher verflüchtigten, je stärker sie sich zu erinnern versuchten? Und was war mit seinen eigenen Erinnerungen? Wie sollte er seinen Eltern begegnen, wenn er die Bilder ihrer wutverzerrten Gesichter nicht mehr loswurde? Am liebsten wollte er sich gleich auf den Rückweg machen. Einerseits, um sich zu vergewissern, dass alles wieder in Ordnung war, andererseits, um nicht länger als unbedingt nötig in der Nähe dieses Dings zu bleiben.

»Was haltet ihr davon, uns gleich auf den Heimweg zu machen, und nicht erst morgen früh?« Fragend sah er in die Runde. »Vielleicht schaffen wir es vor Einbruch der Nacht nach Hause.«

Karl schüttelte den Kopf. »Ich halte das für zu riskant. Sich in der Dunkelheit im Moor zu verirren, ist lebensgefährlich.

Wir sehen ja bereits jetzt kaum, wo wir gefahrlos hintreten können.«

»Aber hier schlafen?« Ömer schaute beklommen zur Stelle hinüber, an der Per die Puppe abgelegt hatte. »Gleich neben diesem Mistvieh?«

»Wir könnten uns ja wenigstens auf den Weg machen, solange es noch hell ist«, schlug Senta vor. »Wir gucken, wie weit wir kommen und lagern bei Einbruch der Dunkelheit. Hauptsache, wir sind weit genug weg von diesem Ort.«

Alyssa schüttelte den Kopf. »Und wenn wir Pech haben, sind wir genau zu diesem Zeitpunkt irgendwo mitten in der Matschepampe. Ihr habt doch selbst gesehen, wie sumpfig es unterwegs war. Hier ist es wenigstens trocken, und ehrlich gesagt: ob wir hier neben dieser Puppe pennen, oder irgendwo anders bei den anderen, kommt doch aufs Selbe raus.«

»Auch wieder wahr.« Ömer gähnte herzhaft. »Außerdem bin ich echt platt. Sollen wir abstimmen?«

»Also gut.« Karl stand auf und hob die Hand. »Wer ist für hierbleiben?«

Alyssa meldete sich, und auch Ömer hob nach kurzem Zögern die Hand.

»Ich bin zwar nicht scharf darauf, in der Nähe dieser Monsterpuppe zu schlafen, aber ihr habt mich überzeugt.« Senta hob nun ebenfalls die Hand. »Also gut, bleiben wir hier.«

Damit war es entschieden. Enttäuschung machte sich in Per breit, aber Karl hatte ja recht. Es brachte nichts, sich unnötig in Gefahr zu bringen, indem sie sich im sumpfigen Gelände verirrten, oder sich jemand bei einem unbedachten Schritt verletzte. Trotzdem wurde er das Gefühl nicht los, einen Fehler zu machen, wenn sie nicht schleunigst den Heimweg antraten.

»Kommst du, Per? Wir wollen was essen«, riss ihn Sentas Stimme aus den Gedanken.

»Komme schon!« Angeekelt kehrte er der Puppe den Rücken und ging davon. Was auch immer ihn zu Hause erwartete, er musste sich dem nicht alleine stellen. Er hatte Freunde, und er hatte Senta.

Sie erwärmten zwei Dosen Ravioli über dem Feuer und reichten sie reihum weiter. Obwohl Per gewaltig der Magen knurrte, brachte er kaum einen Bissen herunter. Zu sehr drückte ihm die Umgebung auf die Stimmung. Je weiter die Dämmerung voranschritt, umso dichter wurden die Nebelschwaden. Geisterhaft stiegen sie aus den Tümpeln herauf und tasteten sich langsam zu ihnen vor. Nur der Schein ihres Lagerfeuers hielt sie davon ab, nach ihnen zu greifen. Jenseits ihrer flackernden Insel brach die Nacht herein und mit ihr kamen die Geräusche. Irgendwo raschelte es und Per spürte, wie Senta neben ihm zusammenzuckte.

»Nur ein Biber oder so«, flüsterte er.

»Meinst du?« Zitternd schmiegte sie sich an ihn.

»Ganz bestimmt.«

Er legte beruhigend den Arm um sie, aber so ganz überzeugt war er selbst nicht. Karl an seiner anderen Seite murmelte irgendwas, anscheinend war er bereits tief eingeschlafen.

Per lauschte auf die Atemzüge der anderen. Auch Ömer und Alyssa, die sich neben Karl zusammengerollt hatten, schliefen bereits.

»Ob es hier Schlangen gibt?«, fragte Senta.

Per zögerte. »Nein«, log er und zog behutsam seinen Schlafsack über ihre Schultern. »Schlaf jetzt.«

Endlich entspannte sie sich neben ihm. Auch seine eigenen Gedanken kamen allmählich zur Ruhe und er schloss die Augen. Er war schon fast drüben im Traumland, als ihn erneut ein Geräusch aufschrecken ließ. Eine Art Flüstern.

Kapitel 13

Malte

Erik und Malte nahmen Mitri zwischen sich und legten seine Arme um ihre Schultern. Auf drei hoben sie den Bewusstlosen an.

»Scheiße, ist der Kerl schwer«, ächze Malte.

»Und er stinkt wie eine kaputte Güllepumpe«, ergänzte Erik. »Der hat sicher seit Tagen nicht geduscht. Sagt mir nochmal, warum machen wir das?«

Mitri ließ den Kopf kraftlos zwischen ihnen baumeln, während sie ihn durch den Flur zum Büro schleiften. Das Aroma, das seinen strähnigen Haaren entstieg, erinnerte Malte an ranziges Frittenfett.

»Weil wir einen verletzten Bewusstlosen nicht einfach liegenlassen können«, erklärte Malte und verlagerte das Gewicht auf seiner Schulter ein paar Zentimeter. »Selbst wenn wir ihn in die stabile Seitenlage bringen, könnte er zwischendurch aufwachen, auf den Rücken rollen und an seiner Kotze ersticken. Bei so was kann man nicht einfach weggehen, das muss man überwachen. Außerdem könnte er einen Schock kriegen oder wer weiß was.«

»Ist ja schon gut.« Erik schnaufte. »Aber die anderen werden nicht gerade begeistert sein. Sören! Hast du endlich die Autoschlüssel?«

Sören schob seinen Kopf aus der Bürotür. »Ja, von dem Sprinter draußen.« Er hielt einen Schlüssel mit Sternsymbol hoch. »Und jetzt nichts wie weg.«

Malte blinzelte genervt in die Sonne, die ein gutes Stück weitergewandert war. Sie hatten viel zu viel Zeit verloren, und womöglich machten die anderen sich bereits Sorgen. Außerdem konnten die *Insani* jeden Moment aus ihrer Lethargie erwachen und auf Jagd gehen. Besser, sie kamen langsam in die Gänge.

»Los jetzt«, maulte er. »Oder wollt ihr hier übernachten?«

Gemeinsam bugsierten sie Mitri durch die Schiebetür und legten ihn auf dem Boden des Sprinters ab. Noch immer gab er keinen Mucks von sich, aber als Malte seine Stirn anfasste, fühlte sie sich fiebrig an. Hoffentlich hatte er keine Sepsis.

»Ich bleib hinten und pass auf ihn auf«, schlug Erik vor und stieg ebenfalls in den Laderaum.

Malte kletterte hinters Steuer und startete den Wagen. Sören nahm neben ihm Platz. Das Motorengeräusch klang unnatürlich laut in Maltes Ohren. Misstrauisch spähte er in alle Richtungen.

»Da lang.« Sören deutete geradeaus. »Und dann die zweite rechts.«

Malte lenkte den Sprinter nach Sörens Anweisungen durch das Industriegebiet und hielt zugleich Ausschau nach irgendwelchen verdächtigen Bewegungen. Nichts. Vorerst. Langsam fiel die Anspannung von ihm ab. Der schwere Mercedes schaukelte durch menschenleere Straßen, über ihnen färbte sich der Himmel langsam golden. Unter anderen Umständen perfekte Voraussetzungen für einen smoothen Sundowner aus der Tüte. Es fehlte nur noch Bob Marley aus dem Autoradio und ein Joint, aber allein der Gedanke daran war utopisch. Was für eine Verschwendung eines so schönen Frühsommerabends. Sie hatten fast den Rand des Industriegebiets erreicht, als Malte rund hundert Meter vor sich Rauch aufsteigen sah. Er verlangsamte das Tempo. »Verdammt, was ist das denn?«

»Sieht wie ein Unfall aus.« Sören deutete zum Straßenrand. »Halt lieber mal an.«

Malte trat auf die Bremse und stoppte am rechten Seitenstreifen. Tatsächlich, vor ihnen blockierten zwei Autos die Straße, aus denen dicke schwarze Rauchschwaden aufstiegen. Flammen schlugen aus den zerborstenen Frontscheiben und er betete, dass niemand mehr darin saß. Es sah so aus, als wären sie frontal ineinander gekracht. Der Gestank nach verkohltem Gummi und Motoröl drang durch die halb geöffneten Seitenfenster herein.

»Puh. Ist ja ekelhaft.« Sören betätigte den Fensterheber und Malte tat es ihm gleich.

»Was ist los, warum halten wir?«, rief Erik von hinten.

»Da vorne brennen zwei Autos. Sieht wie ein Unfall aus«, antwortete Sören. »Da kommen wir nicht weiter.«

»Vielleicht sollten wir aussteigen und nachsehen, ob jemand verletzt ist«, schlug Malte vor.

»Wer sind wir, das scheiß Rote Kreuz?« Erik klang nicht gerade begeistert.

»Was schlägst du vor?«, rief Malte über die Schulter. »Einfach umkehren und so tun, als ginge uns das nichts an?«

Von hinten kamen ein paar unverständliche Flüche, bei denen Sören theatralisch die Augen verdrehte. Er kannte die Launen seines Bruders anscheinend zur Genüge.

»Aber wir steigen nicht aus!«, rief Erik, nachdem er sich eingekriegt hatte. »Nur langsam vorbeirollen und gucken. Klar?«

»Glasklar!« Malte fuhr los und rollte im Schritttempo auf die Unfallstelle zu. Je näher sie kamen, desto unwohler fühlte er sich. Irgendwas stimmte nicht. Die Autos standen zwar frontal einander gegenüber und brannten lichterloh, aber sie waren kaum verbeult. Jedenfalls nicht genug, um beim Zusammenstoß in Flammen aufgegangen zu sein.

Außerdem passte die Position nicht zur Straßenführung. Sie mussten schon beide gleichzeitig aus entgegengesetzten Richtungen versucht haben, zu wenden, um …

»Pass auf!« Sören deutete hektisch nach rechts.

Hinter einer Hecke stürmte gut ein halbes Dutzend *Insani* hervor und hielt auf sie zu. Sie schwangen Holzlatten und einer hob sogar eine Spitzhacke über den Kopf. Und sie waren schnell. Sehr schnell.

Hastig lenkte Malte nach links und trat aufs Gaspedal. Dabei hätte er um ein Haar die Karre abgewürgt. Schlingernd schoss der Sprinter vor, direkt auf eine weitere Horde zu, die grölend von links über eine Rasenfläche auf sie zu rannte. Auch sie hatten sich mit Stöcken und Schaufeln bewaffnet.

Aus dem Laderaum polterte es, gefolgt von Eriks Schmerzensschrei.

»Eine Falle! Weg hier!«, schrie Sören, aber auf die Idee war Malte längst selbst gekommen. Er trat das Gaspedal bis zum Anschlag durch, haute krachend den zweiten Gang ein und raste mit quietschenden Reifen davon. Ein paar Sekunden sah er im Rückspiegel, wie die *Insani* die Verfolgung aufnahmen, dann wurde der Abstand immer größer, bis sie hinter der nächsten Kurve verschwunden waren. Malte blies erleichtert die Backen auf.

»Alles okay da hinten?«, rief Sören über die Schulter.

»Hab mir das Knie angeschlagen«, gab Erik zurück. »Aber Mitri pennt wie ein Baby.«

»Die Biester wollten uns austricksen.« Sören keuchte. »Ich fass es nicht.«

»Nenn sie nicht Biester, das sind unsere Leute.« Malte sah ihn finster an. »Sie können nichts dafür.«

Sören schaute verlegen zur Seite und schwieg den Rest der Fahrt über.

Sie mussten ständig Umwege nehmen, um eine erneute Begegnung mit den *Insani* zu vermeiden. Als sie erschöpft und hungrig durch die Tür der Kleiderkaue traten, war die Sonne längst untergegangen und die anderen in größter Sorge.

Wie erwartet schlug die Erleichterung über ihre unversehrte Rückkehr und die Begeisterung über ihre Ausbeute in Missmut um, als sie den noch immer bewusstlosen Mitri anschleppten.

»Was habt ihr euch bloß dabei gedacht?«, keifte Franzi. »Einen von denen hierher zu bringen? Soll er uns alle im Schlaf erschlagen?«

»Der erschlägt niemanden.« Sören deutete vage auf den jungen Mann, den sie auf dem blanken Boden abgelegt hatten. »Du siehst doch, der pennt tief und fest.«

»Aber irgendwann wacht er auf«, beharrte sie. »Und was dann? Kannst du garantieren, dass er nicht gefährlich ist?«

»Was hätten wir denn tun sollen?«, mischte sich Malte ein. »Ihn dort lassen, wo er vielleicht stirbt?«

Die Kleine konnte leicht reden, sie war ja nicht dabei gewesen, als sie ihn so elend vorgefunden hatten.

»Mir doch egal, besser der als wir.« Franzi schob trotzig die Unterlippe vor. Ihr Gesichtsausdruck ließ Malte ahnen, wie verhärmt sie in zwanzig Jahren aussehen könnte, wenn sie nicht anfing, ein bisschen lockerer zu werden. Er war zu erschöpft, um mit ihr zu diskutieren und schüttelte resignierend den Kopf. Ausgerechnet Franzis kleine Schwester Becky kam ihm zu Hilfe.

»Was bist du nur für ein herzloses Biest!«, schrie sie, baute sich vor ihrer Schwester auf und ballte die kleinen Hände zu Fäusten. »Du bist noch viel schlimmer als die *Insani!* Die können nichts für ihr Verhalten und würden sich ganz sicher zu Tode schämen, wenn sie mitbekämen, wie sie sich aufführen. Aber auf ihnen lastet ein Fluch, der ihren Verstand vergiftet hat. Was ist deine Entschuldigung für dein böses Benehmen?«

Franzi war viel zu verblüfft, um darauf zu reagieren. Vermutlich hatte sich ihre Schwester noch nie derart gegen sie aufgelehnt, oder vielleicht hatte sie auch einen wunden Punkt bei ihr getroffen. Jedenfalls zog sie sich schmollend in die hinterste Ecke zurück und gab Ruhe.

Kaan zollte der Kleinen Respekt, indem er ihr die Hand zur Ghettofaust hinhielt. Schüchtern erwiderte sie die Geste und suchte sich einen Schlafplatz abseits ihrer Schwester. Das Thema Mitri ließen sie vorerst fallen, auch wenn ihnen allen klar war, dass sie sich seinetwegen früher oder später etwas einfallen lassen mussten.

Nachdem Malte und die Brüder den gröbsten Hunger gestillt hatten, berichteten sie den anderen von ihrem Ausflug.

»Na klasse, jetzt haben wir einen von ihnen am Hals.« Vicky hob ratlos die Hände, nachdem sie geendet hatten. »Ich meine, versteht mich nicht falsch, ich bin auch der Meinung, dass ihr ihn mitnehmen musstet, aber was machen wir jetzt mit ihm?«

»Erst mal so verschnürt in die Schwarzkaue mit ihm, würde ich sagen«, schlug Lea vor.

»Und seine Verletzungen? Was machen wir damit?« Kaan verzog den Mund. »Das Bein von dem sieht aus wie Köfte.«

»Wir überlegen uns morgen was.« Malte gähnte erschöpft. »Heute hab ich keinen Kopf mehr dafür.«

»Ja, okay. Morgen fällt uns bestimmt mehr ein als jetzt«, stimmte Lea zu und wandte sich an Rebecca. »Kleines, was hältst du davon, mit Anton mal ein schönes Bild zu malen? Als Geschenk für Senta, wenn sie wieder zurück ist?«

Rebecca zog verwundert die Stirn kraus, dennoch nahm sie Anton bei der Hand und ging mit ihm hinüber zum Schlafplatz der Schwestern.

Kaum waren die beiden außer Hörweite, wandte sich Lea mit gedämpfter Stimme an Malte und die anderen. »So, jetzt sind wir ungestört. Nun erzählt mal, wie das mit den beiden Autos war.«

»Das übernehmt am besten ihr beide.« Erik machte eine abwehrende Geste. »Ich hab ja von hinten nicht viel mitbekommen.«

»Also gut, das war so«, fing Malte an, und berichtete abwechselnd mit Sören, wie sie auf den gefaketen Autounfall gestoßen waren.

»Findet ihr das nicht auch ziemlich beunruhigend?« Lea zog die Stirn kraus. »Für mich klingt das nämlich, als hätten sie euch ganz gezielt eine Falle gestellt.«

»Seh ich auch so.« Sören nickte.

»Nur haben sie sich dabei nicht besonders clever angestellt«, warf Emre ein.

»Mag sein«, gab Vicky zu. »Aber es zeigt, dass sie inzwischen halbwegs planvoll vorgehen. Und dass sie dazulernen.«

»Ach, hör doch auf!« Emre lachte nervös. »Wenn das stimmt, sind wir spätestens in ein paar Tagen am Arsch.«

»So weit wird es gar nicht kommen«, widersprach Malte. »Morgen haben Per und die anderen die Puppe zurückgebracht und der Spuk ist vorbei.«

»Und falls nicht ...« Sören ließ den Satz unvollendet, stand auf und gab Erik ein Zeichen, ihm zur Fördermaschine zu folgen.

Dieser Gedanke hielt Malte ein paar Stunden später noch lange wach. Er hoffte, dass Per und die anderen morgen früh dem Spuk ein Ende setzten, sonst würde Emre mit seiner Befürchtung recht behalten. Und wie das aussehen würde, wollte er sich lieber gar nicht erst vorstellen. Unruhig warf er sich hin und her, und als er endlich einschlief, verfolgten ihn schlimme Träume über *Insani*, die immer cleverer wurden.

***

Per

Zuerst dachte Per, es wären Fragmente aus seinem Traum, die ihm einen Streich spielten. Er schlug die Augen auf und schaute lauschend zu den knorrigen Ästen hinauf, die sich wie Scherenschnitte vor dem bleichen Schein des Mondes abzeichneten. Ihn fröstelte bei dem Anblick. Nein, da war nichts. Er wollte bereits wieder die Augen schließen, da hörte er es erneut. Vorsichtig, um die anderen nicht zu wecken, setzte er sich auf. Es war eine Stimme, die ihm seltsam vertraut vorkam. Was – nein – wer war das?

»Diggah, ist das abgefahren!«, kicherte jemand ganz in der Nähe. »Du bist ja so was von breit!«

Das konnte doch nicht sein! »Malte?«, fragte Per zaghaft. »Bist du das?«

Angestrengt spähte er um sich. Ein Schemen löste sich aus der Dunkelheit und kam näher. Es war tatsächlich Malte, der sich im Schneidersitz am Feuer niederließ und ihn breit angrinste.

Per traute seinen Augen nicht. »Alter, wie kommst du denn hierher?«

Maltes Augen blitzten im Schein des Feuers, als er lachte. »Ich würde mal sagen, durch die Tür.«

»Was soll das heißen, durch die Tür? Durch welche Tür denn?«

Malte deutete über die Schulter. »Na, durch *die* Tür natürlich. Ey, sag mal, dein Kraut hat es ja echt drauf.«

Inzwischen kapierte Per gar nichts mehr. »Was für ein Kraut?«

»Du bist tatsächlich noch stoned, was? Du hast mich doch vorhin eingeladen, um ein bisschen Gras zu rauchen. Hier, guck dir die WhatsApp an.«

Er hielt Per sein Handy hin. Auf dem Display leuchtete ganz deutlich die Nachricht, die er Malte vor ein paar Tagen geschickt hatte, und darunter dessen Antwort *Jo, Diggah!* Was war hier los?

»Aber, die Puppe, ihr seid doch im Bergwerk, unsere Eltern haben ...«, stammelte er, dann dämmerte es ihm. »Willst du damit sagen, das alles ist gar nicht passiert?«

Malte schüttelte den Kopf. »Keine Ahnung, von was du da faselst, aber deine Eltern sitzen unten ganz brav vor der Glotze und gucken *The Voice of Germany*. Was sagtest du noch gleich, woher du die Mutterpflanze hast? Alter Falter, das Zeug zieht ja echt rein.«

Fassungslos starrte Per auf seine Hände und entdeckte einen halb gerauchten Joint zwischen seinen Fingern. Ein schmaler Faden blauen Dunsts stieg daraus hervor und verbreitete den typisch würzigen Duft von Cannabis.

»Na, dämmert's dir wieder?« Malte gluckste. Inzwischen saß er nicht mehr am Lagerfeuer, sondern hockte ganz entspannt auf Pers Sitzsack mitten in seinem Zimmer. Er selbst fand sich halb aufgerichtet in seiner Hängematte wieder. Der Mond schien zum Fenster herein und ganz in der Nähe schlug die Kirchturmuhr zwölf. Von Senta und den anderen keine Spur mehr, Malte und er waren ganz alleine.

Per schüttelte den Kopf, um die Erinnerungen zu vertreiben. Es hatte sich alles so real angefühlt. Aber jetzt, je klarer sein Verstand wurde, umso absurder erschien ihm die ganze Geschichte. Eine Geisterpuppe, die sie ins Moor führte. Was für ein Stuss!

»Junge, ich sage dir, das war der abgefahrenste Trip, den ich je hatte.«

»Das glaube ich dir aufs Wort, Diggah. Du hast so viel krauses Zeug erzählt, dass ich mir schon Sorgen gemacht habe.« Er reichte Per eine Packung Eistee. »Hier, trink.«

Per leerte die Packung in einem einzigen Zug. Tat das gut! Endlich kehrten seine Lebensgeister zurück, und mit ihnen ein monstermäßiger Hunger. Normalerweise lagen in seinem Zimmer immer ein paar Snickers oder eine Rolle Pringles und solche Sachen herum. Er reichte Malte den Joint, dann kletterte er aus der Hängematte und durchwühlte seine Schreibtischschublade, doch er fand nur noch eine leere Gummibärchentüte. Hatte seine Mutter heute Morgen nicht Waffeln zum Frühstück gebacken? Vielleicht hatte sie ja noch ein paar im Kühlschrank.

»Warte, ich hole uns was zu futtern.«

»Wenn's geht, was Süßes«, rief Malte ihm hinterher und zog genüsslich an der Tüte.

Während Per die Treppe hinunterging, versuchte er, sich an Details seines Trips zu erinnern. Aber je stärker er sich bemühte, umso schneller verflüchtigten sie sich. Welchen Gegenstand sollten sie nochmal fortbringen? Es war irgendetwas aus Porzellan. Vielleicht eine Blumenvase? Oder ein Spielzeug? Egal, jedenfalls würde er niemandem davon erzählen. Nicht einmal seinen Eltern, das war einfach zu peinlich. Aus dem Wohnzimmer hörte er die Schlussmelodie von *The Voice of Germany*. Bestimmt war sein Vater wieder in der Werbepause eingeschlafen. Schmunzelnd ging er in die Küche und schaltete das Licht an. Etwas schien mit der Deckenlampe nicht zu stimmen. Eins der LEDs spielte verrückt und flackerte nervtötend. Gleich morgen würde er es auswechseln. Er öffnete die Kühlschranktür, aber da waren keine Waffeln. Weder die, noch sonst etwas an Lebensmitteln. Nicht einmal die Glasböden waren mehr vorhanden, der Kühlschrank war buchstäblich leer. Nur ein Kratzen drang aus dem Gefrierfach. Fasziniert starrte Per das Eisfach an. Es klang als ob jemand versuchte, sich daraus zu befreien. Einem inneren Zwang folgend streckte er seine Hand nach der Öffnungsklappe aus und zog sie auf. Sogleich quollen ihm Nebelschwaden entgegen, aus denen dürre Äste herausschossen. Gierig streckten sie sich nach ihm aus. Hastig versuchte Per, die Kühlschranktür zu schließen, doch sie war verschwunden. Über seinem Kopf flackerte die Deckenlampe ein letztes Mal auf und erlosch. Scheiße, was war hier los? Entsetzt wich er vor den Ästen zurück, die raschelnd näher kamen und ihn zum Herdblock trieben. Hart stieß er mit der Hüfte dagegen. Die Backofentür schlug auf und ließ weiteres Geäst frei. Rasch wuchs es über seinen Kopf und verfing sich in seinen Dreads. Per hob schützend die Arme über den Kopf, doch seine Haare verhedderten sich immer mehr in den Zweigen. Mit Leibeskräften versuchte er, sich aus der Falle zu befreien. Seine Kopfhaut brannte wie Hölle und machte ihn fast blind vor Schmerz.

Panisch schrie er um Hilfe, doch wozu? Etwas in ihm ahnte längst, dass weder seine Eltern, noch Malte ihn hören würden. Eine Wurzel wand sich wie ein Aal aus dem Ausguss des Spülbeckens, umwickelte seine Beine und warf ihn zu Boden.

»Hilfe!« Seine Stimme war kaum mehr als ein Krächzen. Die Wurzel umwickelte seine Brust und schnürte ihm die Luft ab. Sein Herzschlag flatterte und wurde mit jedem Pulsieren schwächer. Verzweifelt wehrte er sich gegen das Unvermeidliche. Ein letztes Mal stemmte er sich gegen die Umklammerung, da hörte er, wie jemand aus weiter Ferne seinen Namen rief. Er wollte antworten, doch dazu fehlte ihm die Luft.

»Per? Wo bist du?« Es war eine Mädchenstimme. Senta.

»Hier drüben!« Karl, ganz in der Nähe. »Fasst mal mit an!«

Nässe drang durch seine Kleidung, stieg höher und erreichte sein Gesicht.

»Was zum Teufel ...?« Alyssa.

Irgendwo platschte es. Erdiges Wasser füllte seinen Mund.

»*Allah*!«

Jemand packte ihn unter den Achseln und riss. Das Moor hielt ihn für einen Moment umklammert, dann gab es ihn zäh schmatzend frei.

»Leg ihn hier hin!« Wieder Senta.

Er spürte festen Boden unter sich und Hände, die ihn auf die Seite drehten. Seine Lungen bäumten sich auf und stießen protestierend einen Schwall Wasser aus. Jemand klopfte ihm zwischen die Schulterblätter.

»Alles okay, *Abi*?«

Erschöpft rollte sich Per auf den Rücken und öffnete blinzelnd die Augen. Er blickte in vier Gesichter, die vor Schreck ganz grau waren.

»Was ...?«, brachte er stammelnd hervor.

»Eine Halluzination.« Senta strich ihm einen Dreadlock aus dem Gesicht. »Du bist geradewegs in den Tümpel gewandert.

Zieh die nassen Sachen aus, du frierst ja. Wir hängen sie nachher ans Feuer, bis morgen müssten sie trocken sein.«

Eine irre Sekunde lang fragte Per sich, was Malte wohl sagen würde, wenn er nicht aus der Küche zurückkäme, doch dann biss er die Zähne zusammen. Malte war nicht in seinem Zimmer. Stattdessen hockte er mit den anderen im Bergwerk und versteckte sich vor den Erwachsenen.

»Es war so real.« Per richtete sich auf, streifte sein Shirt und nach kurzem Zögern auch die Baggy Shorts ab. Für Schamgefühl war er echt am falschen Ort, trotzdem war er froh, sich heute für etwas längere Boxershorts entschieden zu haben.

»Das glaube ich dir aufs Wort«, antwortete Ömer ernst. In seinen Haaren hingen Büschel von Wollgras und auf seiner Stirn prangte eine blutige Schramme.

»Du bist nicht der Einzige, der Wahnvorstellungen hatte«, erklärte Senta auf Pers fragenden Blick. »Vor dir haben wir bereits Ömer zurückgeholt. Er wollte sich selbst mit einem Ast erschlagen.«

»Da war ein Junge, der behauptete, mein großer Bruder zu sein. Er wollte, dass ich mit ihm gehe. Dann waren da plötzlich überall Blutegel auf meinem Körper.« Ömer schüttelte sich bei der Erinnerung.

»Es sind diese Puppen«, flüsterte Karl. »Sie wollen, dass wir alle hierbleiben.«

»Wir sollten wachsam sein.« Alyssa sah sich misstrauisch um. »Ich glaube, uns steht eine lange Nacht bevor. Es ist noch nicht zu Ende, das fühle ich.«

Sie gingen zurück zum Lager, warfen ein paar Zweige auf das fast erloschene Feuer und Per hängte seine Sachen zum Trocknen daneben über einen Ast. Angespannt warteten sie auf den Sonnenaufgang.

Alyssa behielt recht, es wurde eine lange Nacht. Per zählte die Herzschläge und schaute auf seine Uhr, wenn nach seinen Berechnungen fünf Minuten verstrichen sein mussten, aber die Zeiger bewegten sich kaum. Irgendetwas schien die Zeit unnatürlich in die Länge zu ziehen und obwohl er sich gegen das Einschlafen wehrte, fielen ihm schon bald die Augen zu. Erst als er eine Bewegung neben sich spürte, schreckte er hoch. Es war Senta, die aufgestanden war und nun suchend im Lager herumstrich.

»Findest du auch keine Ruhe?«, fragte er flüsternd und beobachtete, wie sie zu Ömer schlich und sich über ihn beugte. Er war wie die anderen trotz der Anspannung in einen unruhigen Schlaf gefallen und schnarchte leise vor sich hin.

»Er muss doch irgendwo sein«, murmelte sie und wandte sich nun Alyssa zu, die neben ihm lag.

»Was suchst du?« Alarmiert setzte Per sich auf, doch statt ihm zu antworten, wanderte Senta hinüber zu Karl, der eingekuschelt auf der Seite lag. Sie fasste ihn vorsichtig an der Schulter und drehte ihn um. Karl gab einen unwilligen Laut von sich, schlief aber weiter.

»Wo steckt er nur?« Aus Sentas Stimme klang die pure Verzweiflung.

»Wer denn? Kann ich dir helfen?« Per zog bereits den Reißverschluss seines Schlafsacks auf, da drehte Senta sich um und kam auf ihn zu. Erst als sie dicht vor ihm stand, bemerkte er die Leere in ihrem Blick, mit dem sie durch ihn hindurch starrte.

»Wo kann er nur hin sein?«, jammerte sie und schaute in die Ferne. Auf einmal hellte sich ihre Miene auf. »Da ist er ja, der kleine Gauner. Anton, bleib hier! Du darfst nicht alleine auf die Straße laufen!«

Ehe Per reagieren konnte, stieg Senta über ihn hinweg und lief in die Dunkelheit.

»Senta, nein!« Im nächsten Moment war er auf den Beinen und wollte ihr hinterher, doch der Schlafsack verhedderte sich an seinen Füßen und er schlug der Länge nach hin. Fluchend befreite er sich und setzte ihr nach, doch sie war bereits im hohen Schilf verschwunden. Nur das Rascheln der Rohre und ihre Rufe nach Anton wiesen ihm die Richtung. Er ahnte, welches Trugbild sie in die Falle trieb. Es schien, als hätte irgendeine höhere Macht, ein Spuk, genau erkannt, wo ihre jeweiligen Schwächen lagen. Ihn hatten sie mit seiner Liebe zur Kifferei überlistet, Ömer mit seiner Sehnsucht nach einem großen Bruder und Senta mit ihrem Verantwortungsgefühl Anton gegenüber.

»Senta, bleib hier! Das ist nicht Anton!« Hektisch kämpfte er sich durch das Schilf. Immer wieder blieben seine Füße im Morast stecken. Eiskaltes Wasser stieg ihm bis zu den Knöcheln und machte seine Zehen gefühllos. Mist, wo blieben die anderen bloß? Sein Geschrei müsste sie doch geweckt haben. Endlich sah er eine Bewegung, nur wenige Schritte vor sich. Hastig schlug er die Schilfrohre beiseite und erstarrte. Mit weit ausgebreiteten Armen stieg Senta in einen Tümpel und versank lautlos. Als er Sekunden später die Stelle erreichte, stiegen gerade die letzten Luftblasen an die Oberfläche und zerplatzten. Ohne zu überlegen sprang er hinterher. Seine Muskeln verkrampften sich, als das Wasser über ihm zusammenschlug. Scheiße, war das eisig! Blind langte er nach unten. Nichts. Nacktes Grauen erfasste ihn. Wie viel Zeit hatte er noch? Bereits jetzt ging ihm die Luft aus. Er drehte sich um und stieß gegen eine Wurzel. Mit fahrigen Bewegungen tastete er an ihr entlang und spürte weiter unten etwas Weiches. Haare! Er versuchte, sie zu greifen, doch seine Finger wurden bereits taub. Mit den Füßen suchte er an der Wurzel nach Halt, stieß sich ab und sank tiefer, bis er Sentas Arme fassen konnte. Es gelang ihm, sie hinaufzuziehen, doch kurz bevor er mit ihr die Oberfläche erreichte, gab es einen Ruck und sie blieb stecken. In wilder Panik zerrte er an ihr, doch es blieb ihm keine Wahl - er musste auftauchen und Luft holen. Als er erneut abtauchte, erwischte er sie gerade noch an den Händen. Fahrig tastete er an ihrem Körper entlang. Endlich fand er ihren linken Knöchel in einer Wurzelschlinge. Mit aller Kraft bog er sie auseinander und wand ihren Fuß aus der Falle. Verzweifelt klemmte er sich Sentas schlaffen Körper unter den Arm. Als sie durch die Oberfläche stießen, bebte er vor Kälte und Angst. Bitte, bitte, sei nicht tot, flehte er stumm. Erschöpft zog er Senta ans Ufer und fühlte nach ihrer Atmung. Nichts. Blicklos starrte sie an ihm vorbei in den Nachthimmel. Ihre Brille hatte sie irgendwo verloren. Ohne die Gläser wirkten ihre Augen seltsam schutzlos. Erste Hilfe. Wie war das noch? Sein Kurs für den Führerschein war doch noch nicht so lange her. Mechanisch tastete er nach ihrem Brustbein, schob die Finger ineinander und stemmte sich im Rhythmus seines eigenen Herzschlags auf ihre Brust. Eins, zwei, drei, zählte er still mit. Als er bei dreißig angelangt war, kniete er sich neben ihren Kopf. Vorsichtig bog er ihr Kinn zurück, hielt ihr die Nase zu, presste seinen Mund auf ihren. Nach drei Atemzügen hörte er ein Gurgeln. Gott sei Dank, ein Lebenszeichen! Gespannt sank er auf die Fersen und beobachtete ihr Gesicht. Ihre Lider flatterten, dann hustete sie ihm einen Schwall Wasser und Schleim ins Gesicht. Vor Erleichterung schossen ihm die Tränen in die Augen.

»Was ... wo ...«, stammelte sie vor Kälte zitternd.

»Es ist alles gut«, keuchte er. »Du bist in Sicherheit.« Er zog sie an seine nackte Brust und versuchte, sie warm zu reiben.

»Aber Anton!« Sie sah sich ungläubig um, bis ihr Blick an ihm hängenblieb. Endlich begriff sie. »Hast du mich gerettet?«

Er nickte wortlos.

»Danke.« Ihre Lippen schimmerten blau im Mondlicht.

»Komm, wir müssen dich ins Warme bringen, du holst dir ja sonst den Tod.« Er zog sie auf die Füße und hakte sie unter. Seine Knochen fühlten sich bleischwer an, trotzdem genoss er es, ihr Gewicht an seinem Arm zu spüren. Sie wollten gerade losgehen, da entdeckte er etwas Glänzendes im niedergedrückten Schilfgras. »Oh, schau mal, was da liegt.« Per bückte sich und hob Sentas Brille auf. Die Bügel waren ein bisschen verbogen, aber glücklicherweise hatten die Gläser keinen Schaden erlitten. Vorsichtig schob er ihr die windschiefe Brille auf die Nase. Die Gläser waren so schmutzig, dass Sentas Augen dahinter verschwanden.

»Besser?«

»Oh, super. Ich habe wieder voll den Durchblick.« Kichernd nahm sie die Brille ab und rieb sie mit einem Zipfel ihres Shirts ab, was die Sache nur unwesentlich verbesserte.

Als sie zum Lager zurückkamen, empfing sie ein aufgeregter Tumult. Jemand hatte das Feuer so heftig angefacht, dass die Flammen weit hinauf zu den Bäumen aufstoben. Alyssa hockte dicht an seinem lodernden Schein und wiegte einen aufgelöst weinenden Karl in den Armen.

»*Allah* sei Dank, da seid ihr ja!« Ömer, mit Karls Besenstiel bewaffnet, sprang auf Per und Senta zu. Die Erleichterung auf seinem bleichen Gesicht verwandelte sich in Sorge, als er sie näher betrachtete. »Was ist denn mit euch passiert?«

»Erzählen wir euch später.« Per deutete auf Karl. »Was ist mit ihm?«

Alyssa, die beschwichtigend auf Karl einredete, schaute auf. »Er hatte auch eine Halluzination.« Unentwegt streichelte sie dem Kleinen über die schwarzen Haare. Diesen ernsten und in jeder Lebenslage beherrschten Jungen so neben sich stehend zu sehen, schockierte Per zutiefst. Er hatte sich so an Karls unerschütterliche Ruhe gewöhnt, dass er fast vergessen hatte, wie jung er noch war.

Senta, die noch immer vor Kälte zitterte, setzte sich im Schneidersitz ganz nah ans Feuer. »Was hat er gesehen?«

Per hob seinen Schlafsack auf, warf ihn ihr über die Schulter und hockte sich neben sie. Wie selbstverständlich schob sie ihren Arm um seine Mitte.

Ömer setzte sich zu ihnen und legte den Stab quer über seine Oberschenkel. »Er dachte, ein paar Jungs aus seiner Klasse würden ihn zum Spielen abholen. In seiner Fantasie sind sie auf einen Baum geklettert, der voller Pfirsiche war. Dann waren die Jungs auf einmal weg. Stattdessen stand der Baum plötzlich in einem Slum in Bangkok.«

»In Khlong Toei.« Schniefend hob Karl den Kopf von Alyssas Brust. »Da waren lauter Kinder. Halb verhungert und dreckig. Sie wollten, dass ich ihnen Pfirsiche runter werfe, aber da waren keine Pfirsiche mehr. Sie wollten mir nicht glauben und kamen zu mir heraufgeklettert. Und plötzlich hatten sie alle so schreckliche Zähne. Wie Stacheln. Ich bin immer weiter rauf geklettert, damit sie mich nicht kriegen.«

»So haben wir ihn gefunden«, setzte Alyssa die Geschichte fort. »Auf dem Baum, dort drüben, wo die Puppen hängen.«

»Ich konnte ihn gerade noch herunterholen, bevor er fiel. Das war ganz schön knapp.« Ömer pfiff leise durch die Zähne.

»Und was war mit euch?«, wollte Alyssa wissen. »Ihr wart nicht da, als das mit Karl passiert ist.«

»Ich hatte meinen ganz eigenen Film laufen.« Senta zog den Schlafsack enger um die Schultern, trotzdem bibberte sie am ganzen Leibe. Dann begann sie, zu erzählen.

Es nochmal aus ihrem eigenen Mund zu hören, jagte Per erneut einen Schauer über den Rücken. Er ahnte, wie real ihr Antons Erscheinen vorgekommen sein musste. Ihm selbst war es mit Malte ähnlich ergangen. Es war genauso, wie Karl es vermutet hatte. Die Puppen wollten, dass sie hier im Moor blieben, und nur um Haaresbreite waren sie alle der Katastrophe entkommen. Obwohl, eine war bisher verschont geblieben: Alyssa.

Per beugte sich vor und begann, die Schnürsenkel aus seinen Turnschuhen zu ziehen.

»Was machst du da?«, fragte Senta, doch statt einer Antwort forderte er Ömer auf, es ihm gleichzutun.

»Und wozu?« Zögernd knotete dieser seinen Schuh auf.

Mit ein paar Handgriffen hatte Per seine Schuhriemen miteinander verknotet und Schlingen an beide Enden geknüpft.

»Damit binde ich Alyssas Handgelenk an meins. Du machst dasselbe auf deiner Seite. Sie ist die Einzige, die noch verschont geblieben ist und ich gehe jede Wette ein, dass sie auch noch drankommt.«

Als Per die Schlaufe über ihr Handgelenk schob, protestierte Alyssa. »He, Moment mal!«

»Glaub mir, es ist besser so«, unterbrach Karl sie. »Wir hätten das schon viel früher machen sollen.«

Er setzte sich auf und richtete den Kragen seines Polohemds. Zwar wirkte er noch immer etwas zittrig, aber er schien sich seine alte Souveränität um jeden Preis zurückerobern zu wollen.

»Na, wenn es unbedingt sein muss.« Widerwillig zog Alyssa die Schlaufen an ihren Händen fest.

Es erwies sich als kluge Entscheidung, denn kaum hatten sie sich alle wieder schlafengelegt, zerrte und zog es an Pers Arm. Er und Ömer mussten Alyssa mit aller Kraft zurückhalten und es brauchte ihre ganze Überredungskunst, um sie von der Idee abzubringen, ihrem toten Vater ins Moor zu folgen. Erst als ihr verschleierter Blick sich völlig geklärt hatte, zeichnete sich allmählich der rötliche Schein der Morgendämmerung am Himmel ab und beendete diese endlos scheinende Nacht.

Kapitel 14

Malte

Am nächsten Morgen wurde Malte von Hammerschlägen und einem metallischen Quietschen wach. Anscheinend waren die Zwillinge schon dabei, den Fahrstuhl in Gang zu setzen. Er richtete sich auf und streckte seine müden Glieder. Zum dauerhaften Übernachten waren die alten Sitzbänke der Kleiderkaue definitiv ungeeignet. Zumindest für jemanden von seiner Größe. Anton schlummerte friedlich neben Rebecca, aber die konnten sich auf den Dingern auch problemlos ausstrecken. Die Sonne war bereits aufgegangen und schien in breiten Streifen durch die Oberlichter. Gähnend sah Malte sich um. Lea und Emre hielten miteinander flüsternd Wache an der Tür, Vic und Kaan wuselten herum und bereiteten etwas, das im Anbetracht ihrer Lage ein passables Frühstück darstellen sollte. Von Franzi keine Spur, aber als er in der Schwarzkaue nach Mitri sehen wollte, hockte sie vor dem schlafenden *Insanus* und betrachtete ihn aufmerksam. Er lag noch immer am Boden zwischen der linken Wand und drei Umkleidebänken eingekeilt, die sie sicherheitshalber am Abend zuvor um ihn herumgestellt hatten. Malte überkletterte die vordere Bank und trat zu ihr.

»Er sieht so friedlich aus, wenn er schläft«, sagte sie statt einer Begrüßung. »Ob sie wieder normal werden, wenn alles vorbei ist?«

Er hörte an ihrer Stimme, dass sie geweint hatte. Malte wurde klar, trotz ihres Benehmens gestern war sie doch nur ein kleines Mädchen. Eins, das Angst hatte und gewiss seine Eltern vermisste. Er beugte sich hinunter und legte eine

Hand auf Mitris Stirn. Sie fühlte sich heiß und klebrig vor Schweiß an.

»Ganz bestimmt.« Er hoffte, dass es keine Lüge war.

Franzi richtete sich auf und verschränkte die Arme vor der Brust. »Trotzdem, jetzt ist er gefährlich.« Sie stieß ihm vorsichtig mit der Spitze ihres Einhornsneakers in die Seite. »Wir können ihn nicht hierbehalten.« Damit drehte sie sich um und ging.

Malte konnte ihr nicht widersprechen. Jeden Moment konnte Mitri aufwachen, und niemand konnte sagen, wie er auf seine Gefangenschaft reagieren würde. Falls er überhaupt aufwachte, denn so, wie sich seine Stirn anfühlte, hatte er sicher einen Infekt, wenn nicht Schlimmeres. Außerdem mussten sie in seine Nähe, um ihn mit Nahrung und Wasser zu versorgen und nach seiner Wunde zu sehen. Ein Job, bei dem sicher niemand freiwillig die Hand hob.

Grübelnd ging er weiter dem Hämmern entgegen und hoffte, wenigstens die Zwillinge hätten eine gute Nachricht.

»Wir müssen zu *Balgheimer*«, hörte er Sören sagen. »Uns bleibt keine andere Wahl.«

Er fand die Brüder mit ölverschmierten Händen oben an der Haspel. Erik friemelte nachdenklich an einem seiner Pickel. »Wer ist *Balgheimer*, und warum haben wir keine andere Wahl?«

»Ah, Malte!«, begrüßte Erik ihn und grinste. »Hast du deinen Schönheitsschlaf beendet?«

»Du hast deinen ja anscheinend vorzeitig abgebrochen«, erwiderte Malte und kletterte zu den Jungs hinauf.

Sören schlug seinem Bruder glucksend auf den Oberarm. »Recht hat er, du hässlicher Vogel.«

»An *Balgheimer* sind wir gestern fast vorbeigefahren«, erklärte Erik unbeeindruckt. »Die verkaufen Batterien und Ladegeräte für Großfahrzeuge. LKW, Wohnmobile und so.«

»Und warum müssen wir da hin?« Malte sah sich die Haspel genauer an. Inzwischen hatten die Jungs sie von Rost befreit und eingeschmiert. Dieses WD Dingsbums und das andere Zeugs hatten es wohl echt gebracht.

»Erkläre ich dir gleich. Na los, probier's mal aus.« Sören deutete auf die Kurbel, mit der man die Haspel drehen sollte.

Malte stemmte sich mit aller Kraft dagegen und tatsächlich senkte sich der Förderkorb im Käfig unter ihnen quietschend um ein paar Zentimeter.

»Funktioniert einwandfrei«, fuhr Sören fort. »Aber voll besetzt das Ding hundert Meter nach unten bewegen – dazu müsstest du schon Hulk sein.«

Malte wischte sich die Hände an den Oberschenkeln ab. Sören hatte recht, das Ding länger zu drehen ging ordentlich in die Arme. »Und jetzt?«

»Komm mal mit.« Erik ging voraus zu einem über zwei Meter hohen, grün lackierten Metallschrank, dem Malte in all den Jahren, in denen er hier gespielt hatte, wenig Beachtung geschenkt hatte. Als er um ihn herumging, entdeckte er, dass die Türen aufgebrochen waren. Im Innern befand sich ein Sammelsurium an Schaltern, Lampen, Hebeln, verschiedengroßen Kästen mit Kabeln, einem altertümlichen Telefonhörer, einer Alarmglocke, einem Sirenenhorn und zwei Knöpfen mit Emailleschildern, die mit HALT! Und ABFAHRT! beschriftet waren. Alles sah aus, als käme es direkt aus dem Museum, aber es wirkte halbwegs funktionsfähig.

»Das ist die Bedienungsanlage der Fördermaschine«, erklärte Sören. »Früher wurde sie mit Dampf betrieben, später elektrisch. Wir haben uns überlegt, wenn wir hier ein oder zwei LKW-Batterien anklemmen, dann müsste das Ding wieder laufen.« Er tippte auf einen der schwarzen Kästen mit den Kabeln.

Die Brüder fachsimpelten noch ein bisschen über Drehzahl, Drehmoment, Gleichstrom und Wechselstrom und schienen sich ihrer Sache ziemlich sicher.

Malte strich sich die Haare aus der Stirn. Er hatte nicht den geringsten Schimmer, wovon die Jungs sprachen, aber wenn sie sagten, es funktionierte, dann tat es das auch. Hoffentlich.

»Wir brechen gleich nach dem Frühstück auf«, stimmte er dem Plan der beiden zu und machte sich auf den Weg in die Kleiderkaue.

Das so genannte Frühstück bestand aus ein paar eingemachten Kirschen und Prinzenrolle und füllte das Loch in Maltes Bauch nur unzureichend. Wie sehr er sich nach den Rinderrouladen seiner Mutter sehnte! So richtig schön mit Zwiebeln und Speck und Kartoffeln, die er in brauner Soße zu Pampe zerquetschte. Das wäre ein Frühstück für Helden.

Während er den letzten Doppelkeks mit Wasser hinunterspülte, kam Vicky aus der Schwarzkaue gelaufen. Die roten Locken umrahmten ihr übermüdetes Gesicht wie ein Feuerkranz. »Er wacht auf.« Aufgeregt deutete sie nach hinten. »Kaan und ich wollten ihm etwas Wasser einflößen, er glüht ja wie ein Grillhähnchen. Da macht er die Augen auf und fängt an zu zappeln. Was machen wir jetzt? Am Ende verletzt er sich noch schlimmer.«

»Ich seh mir das mal an. Lea und Emre, ihr bleibt bei der Tür und haltet Wache.« Beunruhigt folgte er Vic in die Schwarzkaue.

Mitri lag noch immer eingekeilt zwischen der Seitenwand und den Umkleidebänken, aber mittlerweile warf er sich unruhig hin und her und stöhnte. So ganz wach wirkte er nicht, denn als Malte seinen Namen rief, reagierte er nicht darauf.

Kaan stand ratlos neben ihm, in der Hand eine halbleere Wasserflasche und eine Pfütze zu seinen Füßen.

»Der ist komplett lalla.« Er machte die Scheibenwischergeste vor seinem Gesicht. »Dabei wollten wir ihm nur helfen.«

»Wir müssen was tun, sonst dehydriert er uns noch.« Malte hob ratlos die Hände. Das sah nicht gut aus, das zu erkennen, dazu musste man kein Arzt sein. »Wenn wir ihn nur ruhigstellen könnten.«

»Du hast nicht zufällig Valium oder so dabei?« Vic trat an seine Seite und lachte trocken auf. »Oder sonst irgendwas zum Chillen?«

Malte wollte schon den Kopf schütteln, da schoss ihm eine Idee durch den Sinn. Gelobt sei das Ganja! Er griff nach hinten und zog das Päckchen mit Pers Gras aus seiner Gesäßtasche. Ihm blutete das Herz bei dem Gedanken, das feine Zeug an Mitri zu verschwenden, aber manchmal musste man für den guten Zweck Opfer bringen.

»Wie wäre es damit?« Er hielt seiner Schwester das Dope unter die Nase.

»Sag mal, hast du sie noch alle?« Sie rang theatralisch nach Luft. »Du willst ihn unter Drogen setzen?«

»Drogen!« Er machte eine wegwerfende Handbewegung. »Das ist alles Ansichtssache. Alk ist auch eine Droge, und wenn du mich fragst, eine viel schlimmere. Nur ist die zufällig legal.«

»Von Gras kann man eine Psychose bekommen.« Jetzt klang Vicky schon genau wie ihre Mutter.

»Und von Alk Leberzirrhose. Wusstest du, dass jedes Jahr zwanzigtausend Menschen in Deutschland an Alkoholismus sterben? Von denen, die ihre wirtschaftliche Existenz ruinieren, mal ganz zu schweigen.«

Vicky sah ihn finster an, verkniff sich aber jeden weiteren Kommentar. Zu jeder anderen Gelegenheit hätten sie das Thema vom Hundertsten ins Tausendste ausdiskutiert, wie sie es sonst immer taten, wenn sie über etwas unterschiedlicher Meinung waren, aber jetzt war nicht der richtige Zeitpunkt.

»Und wie willst du das anstellen?«, fragte sie stattdessen. »Ihm einen Joint drehen und rauchen lassen wird in seinem Zustand ja kaum funktionieren.«

Er grinste. Das war für einen Sportkiffer wie ihn das kleinste Problem. »Du hast nicht zufällig einen Kugelschreiber und Kaugummi dabei?«

Einen Kaugummi hatte sie, den Kugelschreiber steuerte Franziska bei. Leere PET-Flaschen und alte Getränkedosen lagen sowieso überall herum. Mit routinierten Griffen bastelte er aus den Gegenständen eine Bong zusammen, die zwar nicht schön war, aber dem Zweck genügte. Wenig später entzündete er das Gras auf dem Behelfs-Kopf, den er aus einer alten Spritedose geformt hatte. Dann setzte er die Lippen an das Mundstück und zog den Rauch durchs Wasser im Innern der Bowl, wobei er kurz versucht war, die ganze Dröhnung zu hitten. Zuletzt öffnete er das Kickloch und hielt Mitri das qualmende Mundstück vors Gesicht. Im ersten Moment wehrte der Kerl sich gegen die Behandlung, doch dann wurde er ruhiger und erschlaffte unter Emres und Kaans Griff. Seine Gesichtszüge entspannten sich und für einen Augenblick beneidete Malte ihn. Probeweise setzte Vicky ihm eine Flasche Wasser an die Lippen, und als er widerstandslos trank, nickte sie zufrieden.

»Also gut, dann machen wir uns jetzt auf den Weg. Ihr habt hier ja alles im Griff.« Malte stand auf und gab den Zwillingen ein Zeichen zum Aufbruch.

»Wir behalten Mitri im Auge, und wenn er wieder unruhig wird, verpassen wir ihm noch eine Dosis«, versprach Lea, als Malte und die Brüder durch das Eingangstor nach draußen traten.

»Ja, ok. Vic weiß ja jetzt, wie es geht.« Malte hob den Zeigefinger. »Aber wehe, ihr inhaliert den Rauch. Das ist nichts für euch Kids.«

»Geht klar. Meine Ellies würden mich eh umbringen.« Lea grinste, schlug sich aber sogleich die Hände vor den Mund, als ihr die Brisanz ihrer Worte bewusst wurde. Als hätten ihre und alle anderen Eltern aktuell nicht genau das im Sinn, und zwar aus weit nichtigeren Gründen.

»Wir beeilen uns«, versprach Malte und folgte den Jungs im Gänsemarsch zum Auto. Um keinen Verdacht zu erregen, hatten sie es am Vorabend in einiger Entfernung hinter einer halb verfallenen Baracke an der Zufahrt zum Bergwerksgelände abgestellt. Allerdings war die Spur aus plattgetretenem Gras von dort aus zum Eingangstor inzwischen unübersehbar.

Sie erreichten das Industriegebiet ohne nennenswerte Zwischenfälle. Hier und da entdeckten sie ein paar *Insani*, die sie aus der Deckung heraus zwischen Sträuchern und hinter Häuserecken beobachteten, aber das war es auch schon. Falls sie etwas im Schilde führten, so hielten sie sich vorerst zurück.

Hinter einem Glasereibetrieb flatterten an einer Parkplatzauffahrt gelbweiße Fahnen mit der Aufschrift *Balgheimer*. Dorthin lenkte Malte den Wagen und hielt vor der breiten Fassade eines Geschäfts für LKW- und Autoteile an. Laut der Beschilderung waren sie die Nummer eins im Kreis für Nutzfahrzeugbatterien aller Art.

»Da wären wir«, verkündete Malte, als sie aus dem Auto stiegen. »Wenn das klappt, seid ihr echte Genies.«

»Er ist von uns beiden das Genie«, korrigierte Erik und deutete mit dem Daumen auf seinen Bruder. »Dafür bin ich der Hübschere.«

»Die einen sagen so, die anderen sagen so«, widersprach Sören lässig. »Aber jetzt los.«

Diesmal mussten sie sich nicht mit brachialer Gewalt Zutritt verschaffen. Die gläserne Schiebetür öffnete sich, sobald sie vor dem Eingang standen. Die Brüder liefen gleich in den hinteren Teil des Verkaufsraums, wogegen Malte sich im Kassenbereich umsah. Wie erhofft stand auch hier eine Kühltruhe mit einer reichen Auswahl an Speiseeis. Ohne die geringsten Skrupel schnappte er sich eine der Kühlboxen aus dem Laden und füllte sie bis oben mit Eiswaffeln und Stieleis. Er war gerade fertig, als die Jungs mit einer Sackkarre nach vorne kamen, die sie mit zwei brandneuen LKW-Batterien, ein paar gebraucht aussehenden Starthilfegeräten und weiteren Schachteln beladen hatten. Obendrauf hatten sie eine Werkstadtleuchte und ein paar Taschenlampen gepackt.

»Ist da denn schon Strom drauf?« Malte deutete auf die Ausbeute.

»Autobatterien sind immer voll, wenn man sie neu kauft«, erklärte Erik. »Die Starthilfegeräte normalerweise nicht, aber die hier kann man ausleihen und sind darum immer voll. Perfekt für uns.«

»Ich hab auch was ergattert. Seht mal!« Malte hob den Deckel der Kühlbox und präsentierte den Inhalt.

»Die Calippo Cola sind für mich, dass das klar ist.« Erik schnappte sich gleich eine der schlanken braunen Eistüten. Sören bediente sich an einer Schokowaffel und Malte nahm sich ein Stieleis, ehe sie schleckend und mit vereinten Kräften ihre Beute nach draußen brachten.

»Das hat sich echt gelohnt.« Erik schlürfte an seiner Tüte. »Scheint, dass wir endlich mal Glück - verdammte Scheiße!« Im nächsten Augenblick glitt der Rest seiner Colastange schwungvoll aus der Papphülle und klatschte vor seinen Füßen auf den Boden.

***

Senta

Milchig stieg die Sonne am Horizont auf und tauchte den anbrechenden Tag in diffuses Licht. Nur spärlich durchdrang es die Nebelfetzen und schaffte es kaum, die Kälte aus Sentas Innerem zu vertreiben. Zwar hatte sie sich ihrer nassen Sachen entledigt und die letzten Stunden dieser grauenvollen Nacht eng an Per geschmiegt verbracht, dennoch ließen sie die Erinnerungen erschauern. Nur um Haaresbreite war sie dem Tod entkommen und noch immer fühlte es sich so an, als hielte er einen Teil von ihr in seiner modrigen Umklammerung.

»Frühstück ist fertig«, begrüßte Ömer sie und hielt ihr mit einem schiefen Lächeln die halbleere Tüte Toastbrot hin.

Senta kroch aus ihrem Schlafsack, zog ihre inzwischen trockenen Sachen an und klaubte sich eine Scheibe Brot heraus. Bei den kalten Raviolinesten, die Karl ihr reichte, winkte sie dankend ab.

Per war auch schon auf den Beinen. »Wir sollten so rasch wie möglich aufbrechen.« Behutsam rüttelte er Alyssa wach.

»Nichts lieber als das.« Senta stopfte sich die Brotscheibe in den Mund. Sie schmeckte wie Bastelfilz und schien beim Kauen immer größer zu werden.

Gähnend streifte sich Alyssa die Schnürsenkel ab, die nur noch lose an ihren Handgelenken hingen und reichte sie an ihre Besitzer zurück. »Danke, dass ihr auf mich aufgepasst habt. Ihr alle.« Sie blickte dankbar in die Runde. »Wenn ihr nicht ...«

»Lass gut sein.« Senta tätschelte ihre Schulter. »Wir wollen lieber nicht mehr darüber reden, ja?«

»Außerdem haben wir alle gegenseitig aufeinander aufgepasst«, setzte Karl hinzu. »Lasst uns gemeinsam dankbar sein für unsere Freundschaft.«

»*Mashallah*!« Ömer leckte sich die Raviolisoßenreste von den Fingern und stand auf.

Ohne viele Worte packten sie ihre Habseligkeiten zusammen und machten sich auf den Heimweg. Die Puppe, die so viel Kummer über sie alle gebracht hatte, würdigten sie keines Blickes mehr. Sie ließen sie wie ein Stück Abfall bei den Bäumen zurück.

Wie bereits am Tag zuvor gingen Ömer und Karl voran, und hinter Senta reihten sich Alyssa und Per ein. Keiner sprach mehr als unbedingt nötig, zu sehr schien jeder mit seinen eigenen Gedanken beschäftigt zu sein. Nachdem Alyssa als letzte von ihnen von Trugbildern getäuscht worden war, hatte der Spuk endlich ein Ende gefunden. Es war, als hätten die unheimlichen Kräfte, die sich ihrer bemächtigen wollten, aufgegeben. Vermutlich hatten sie erkannt, dass der Zusammenhalt zwischen ihnen Fünfen eine unüberwindbare Kraft darstellte. Ob sie dieser Zusammenhalt auch nach ihrer Rückkehr noch miteinander verband? Senta hoffte es, denn letzte Nacht hatte sie tief in die Herzen ihrer Freunde blicken können, und was sie gesehen hatte, erfüllte sie mit inniger Zuneigung. Karl, der so gerne das enge Korsett seiner strengen Erziehung sprengen würde, Ömer, der sich nach einem großen Bruder sehnte, Alyssa, die sich eine intakte Familie wünschte, und Per auf der Suche nach seinem Lebenskompass. Sie alle waren ihr unter die Haut gekrochen. Und was war mit ihr? Was war ihre geheime Sehnsucht? Letzte Nacht hatte ihr Verantwortungsgefühl für Anton sie beinahe das Leben gekostet. War die Liebe zu ihrem Bruder die treibende Kraft gewesen? Sie spürte in sich hinein und stieß auf einen Widerspruch, den sie nicht benennen konnte.

Stunden später blieb Karl stehen. »Hier müssten wir eigentlich auf die Stelle mit der umgekippten Esche stoßen.«

Mittlerweile hatte die Sonne an Kraft gewonnen und den Morgendunst bis auf ein paar dünne Schleier weggeschmolzen. Mücken tanzten zwischen den Schilfrohren und suchten unentwegt nach blanker Haut. Ständig kribbelte es irgendwo und Senta kam kaum mit dem Verscheuchen der blutgierigen Plagegeister hinterher.

»Sind wir denn noch auf der richtigen Route?« Per schloss zu Karl und Ömer auf.

»Laut GPS ja.« Karl blickte ratlos drein. »Aber wenn ich mich so umsehe, kommt mir hier gar nichts bekannt vor.«

Ömer zuckte mit den Achseln. »Vergiss das Ding. Wir sollten uns auf unser Gefühl verlassen.«

»Du hast recht.« Karl schaltete das Gerät aus und schob es in seine Hosentasche. »Und was sagt dir dein Gefühl?«

Ömer nagte an seinem Daumennagel und überlegte. »Gestern Nachmittag hatten wir die Sonne die meiste Zeit links, und am Abend direkt vor uns. Im Süden hält die Sonne bekanntlich Mittagslauf, also war da Süden. Wir sind also grob von Ost nach West unterwegs gewesen. Also gehen wir jetzt von West nach Ost. Da im Osten die Sonne aufgeht, müssen wir ihr gerade entgegen gehen und sie später am Tag rechts von uns haben.«

»Klingt logisch.« Alyssa nickte. »Ich bin dafür.«

Senta wusste nicht, ob Alyssa tatsächlich überzeugt war, oder ob sie Ömer nur einen Gefallen tun wollte, aber sie fand seinen Vorschlag genauso gut oder schlecht, wie jeden anderen auch.

»Ich ebenfalls.« Sie zerquetschte eine Mücke auf ihrem Nacken. »Per?«

»Einverstanden.« Per deutete vage Richtung Süden. »Also dort entlang.«

»Gute Wahl.« Karl blinzelte in die Sonne und stieß Ömer den Ellbogen in die Seite. »Gut gemacht. Du hast echt in Erdkunde aufgepasst. Gehen wir.«

Sie setzten ihren Weg fort, querfeldein durchs Moor. Jetzt, da sie sich nicht mehr am GPS orientierten, fühlte Senta sich befreit. Solange sie sich stur Richtung Süden bewegten, würden sie über kurz oder lang ans Ziel kommen. Das war ein Naturgesetz. Nach einer Weile beschlich sie das Gefühl, auf vertrauten Pfaden zu wandern. Der moosbewachsene Baumstamm dort drüben, der wie ein schlafender Troll aussah, hatten sie den nicht gestern als Rastplatz genutzt? Sie machte die anderen auf die Stelle aufmerksam, und Alyssa bestätigte ihre Vermutung.

»Stimmt, das ist es! Hier habe ich mich hingesetzt und mir die Schuhe ausgezogen. Genau da.« Alyssa deutete auf einen Bereich des Stamms, an dem das Moos plattgedrückt war.

Ömer gluckste. »Ja. Man kann sogar noch den Abdruck von deinen Arschbacken sehen.«

»Blödmann!« Alyssa gab ihm einen freundschaftlichen Schubs, doch auch sie kicherte. »Leute, das bedeutet, wir sind auf dem richtigen Weg!«

Per stieß erleichtert die Luft aus, und auch Sentas Stimmung hob sich.

»Wenn wir in dem Tempo weitergehen, sind wir bald am Parkplatz.« Sie atmete tief durch. »Leute, ihr glaubt gar nicht, wie sehr ich mich nach einer Dusche und einem ordentlichen Frühstück sehne. Eine Riesenschüssel Cornflakes, das wärs doch.«

»Spiegeleier mit Speck.« Per seufzte. »Schön knusprig.«

»Joghurt, und dazu ein Milchbrötchen mit dick Nutella drauf.« Alyssa verdrehte schwärmerisch die Augen, worauf sich Ömer demonstrativ den Bauch rieb.

Nur Karl sah sich skeptisch um. »Irgendetwas stimmt hier nicht«, murmelte er und sah wenig überzeugt aus.

»Erkennst du die Stelle denn nicht wieder?« Das Grinsen auf Ömers Gesicht zerfloss förmlich.

»Doch, das schon«, gab Karl zu. »Es ist nur ... ach, vergesst es. Alles in Ordnung, ich bin wohl nur ein bisschen nervös.« Er versuchte ein aufmunterndes Lächeln, doch Sentas Hochstimmung hatte einen nachhaltigen Dämpfer abbekommen. Mit einem flauen Gefühl im Magen machte sie sich mit den anderen wieder auf den Weg und schon bald stießen sie auf eine weitere sehr vertraute Wegmarke. Allerdings eine, die gar nicht dort sein durfte.

»Das kann doch nicht sein!« Sentas Kehle wurde eng. »Wir sind doch immer in dieselbe Richtung gewandert.«

»Ich verstehe das nicht!« Ömer raufte sich die Haare und ließ sich ins Gras fallen.

»Wie ich befürchtet hatte«, sagte Karl wie zu sich selbst und schaute zu der Puppe empor, die sie gestern im ersten Augenblick noch für eine Babyleiche gehalten hatten.

»Wir können doch nicht im Kreis gegangen sein!« Pers Stimme überschlug sich fast. »Die ganze Zeit haben wir uns strikt am Stand der Sonne orientiert. Oder haben wir da was falsch berechnet?«

Karls Blick wanderte weiter zu der hellen Scheibe, die matt am dunstigen Himmel hing. »Das ist es nicht. Wir haben alles richtig gemacht. Die Sonne geht auf der nördlichen Erdhalbkugel immer im Osten auf und wandert über Süden nach Westen, das ist ein Naturgesetz. Es muss etwas anderes sein, eine optische Täuschung vielleicht.«

»Das macht sie«, sagte Alyssa tonlos und deutete auf die Kiefern ein paar Meter weiter. Von dort starrte ihre Porzellanpuppe zu ihnen herüber. Irgendwie hatte sie es geschafft, sich aus dem Klebeband zu befreien und Senta konnte schwören, dass sie kicherte. »Sie will uns nicht gehen lassen.«

»Verdammtes Drecksding!« Ömer entriss Karl den Besenstiel und stürmte zu den Kiefern, doch bevor er damit die Puppe zerschlagen konnte, hatte Per ihn eingeholt.

»Das bringt doch nichts!« Er wand Ömer den Stiel aus den Händen. »Spätestens morgen ist sie wieder heile und der ganze Spuk geht von vorne los. Vielleicht sogar noch schlimmer als zuvor. Wir müssen sie tiefer ins Moor bringen. Das hier war einfach noch nicht die richtige Stelle.«

»Und wie erkennen wir die richtige Stelle?« Ömer wischte sich mit dem Ärmel über die Augen und hinterließ schwarze Schlieren auf seinen Wangen. Senta war sicher, dass sie nicht nur vom Schweiß stammten.

»Wir werden es spüren«, antwortete Alyssa schlicht.

Per zog sein Shirt über den Kopf und griff damit nach der Puppe. Offenbar wollte er sie nicht direkt anfassen, und Senta konnte es ihm nachfühlen. Etwas Ekelhaftes ging von ihr aus, wie von einem Kadaver, und sie atmete erleichtert auf, als er das Ding in seinem Rucksack verschwinden ließ.

»Das war's dann wohl mit duschen und Frühstück.« Sie schluckte den Kloß in ihrem Hals herunter und setzte sich wieder in Bewegung.

Der Weg wand sich immer tiefer ins Moor, vorbei an trüben Tümpeln, auf denen Schaumflocken trieben, und Igelkolben, die ihnen im Vorbeigehen Arme und Beine zerkratzten. Am Nachmittag setzte leichter Wind ein, der zwar die Mückenschwärme vertrieb, aber zugleich auch Wolken mit sich brachte, die den Himmel verdunkelten. Sentas Stimmung war auf dem Nullpunkt angelangt, als Ömer vor ihr plötzlich stehenblieb.

»Seht mal, da.« Er wies er mit einem Kopfnicken voraus auf eine weitere Puppe, die mit einem ausgefransten Seil aus geflochtenem Binsengras an einen Baum geknotet war. Es war eine billige Plastikpuppe mit wallend blonden Haaren, die inzwischen allerdings einen schmutzigen Grünstich hatten und bereits büschelweise ausgefallen waren. Senta konnte die kleinen Löcherreihen erkennen, in denen sie einst eingeschweißt waren. Das Gesicht war nach dem Schönheitsideal der Siebzigerjahre mit dickem Lidschatten und prallroten Lippen bemalt und erinnerte Senta vage an eine Prostituierte. Sie steckte in einem geblümten Polyesterkleidchen, aus dem nur noch ein Bein herausragte.

»Da drüben sind noch welche«, flüsterte Alyssa. Sie war an Sentas Seite getreten und hakte sich schutzsuchend bei ihr unter. Senta spürte, wie sie zitterte. Ihr Blick folgte Alyssas Fingerzeig und entdeckte an einem toten Baumstamm, der von einem Blitzschlag gespalten war, drei weitere Puppen: Eine kopflose Barbie mit verdrehten Gliedmaßen, eine Stoffpuppe im stockfleckigen Rotkäppchenkostüm und eine nackte Kunststoffpuppe mit abgeflachten Fußsohlen. Sie hatte einen Schaltknopf anstelle des Bauchnabels und kreisförmig angeordnete Löcher in der Brust. Nur noch ein einzelnes, blaues Glasauge glotzte aus einer grauen Masse aus verwittertem Plastik hervor.

»Was soll das sein? Der Friedhof der Kuschelpuppen?« Ömer sammelte einen Stein auf, holte aus, doch ehe der seine Hand verließ, ertönte ein Klicken. Eine scheppernde Kinderstimme klang zu ihnen herüber.

»Kommt, lasst uns spielen!«

Senta hatte das Gefühl, als würde der Boden unter ihren Füßen schwanken.

»Kommt, lasst uns spielen!«, drängender diesmal.

»Was zum …?« Per machte unwillkürlich einen Schritt zurück.

»Kommt, lasst uns spielen!« Die Stimme wurde immer lauter.

»Bei *Allah*!« Ömer ächzte und ließ den Stein sinken.

Alyssa presste ihre Hand auf den Mund. Sie wimmerte.

»Kommt, lasst uns spielen!«

Die Stimme hatte nun einen scharfen Befehlston erreicht, dem Senta sich kaum noch entziehen konnte. Wie gebannt starrte sie auf die Puppe, die plötzlich den Kopf drehte und einen Plastikarm nach ihnen ausstreckte. Senta glaubte, jeden Moment den Verstand zu verlieren.

»Kommt, lasst uns spielen!«

»Verdammt, das reicht!« Karl riss seinen Stab hoch, wirbelte auf die Puppe zu und drosch sie mit einem einzigen gezielten Hieb vom Baum. Sie schlug auf dem Boden auf, und sofort verklang die Stimme quakend mitten im Satz. Vorsichtig traten sie an das Ding heran, das mit verdrehten Gliedmaßen bäuchlings vor ihnen lag. Eine Klappe am Rücken war aufgesprungen und gab den Blick auf die Mechanik preis.

»Ein Plattenspieler«, keuchte Per. »Das ist nichts weiter, als ein scheiß Plattenspieler!«

Senta beugte sich vor, und tatsächlich! Im Rückenfach der Puppe klemmte eine leuchtend blaue Mini-Schallplatte auf einer Spindel. Eine Sprechpuppe!

»Und ich habe geglaubt, dass ...« Sie lachte unsicher. »Was für ein Quatsch!«

Allmählich fielen auch die anderen in ihr Lachen ein, bis Senta etwas zu entdecken glaubte. Sie beugte sich vor und warf einen genaueren Blick in das Innere der Puppe. Nein. Das konnte nicht sein. Es war, als würde die Welt unter ihren Füßen zur Seite kippen. Hastig klammerte sie sich an Alyssas Arm fest, um nicht zu fallen. Was zur Hölle war hier los?

»Leute«, stammelte sie. »Das Batteriefach! Es ist leer. Das Biest l- l- lebt.« Sie blickte auf zu den anderen. In ihren Gesichtern stand das kalte Grauen. »Weg hier!«

Kapitel 15

Malte

Ein heiseres Brüllen schallte gespenstisch über den Parkplatz. Malte sah sich erschrocken um. Niemand zu sehen. Er stellte die Eisbox ab, nahm den Griff der Schiebetür und riss sie auf.

»Schnell, rein mit dem Zeug!« Er half den Brüdern, die Ladegeräte und die Sackkarre zu verstauen, wobei er sich beklommen umsah. Wieder ein Brüllen, diesmal deutlich näher.

»Da, seht!« Sören deutete zur Glaserei hinüber. Hinter dem Rollgitter, das die Einfahrt versperrte, strich eine Frau herum. Sie trug einen blauen Arbeitskittel, der voller Flecken und an den Taschen ausgerissen war. An ihren Händen trug sie Gummihandschuhe, wie Maltes Mutter sie immer beim Geschirrspülen benutzte. Es sah nicht so aus, als könnte die Frau heraus, aber ihr Geschrei hatte eine Art Signalwirkung auf die *Insani* in der Nähe. Von überall antworteten sie mit Gebrüll und Sekunden später tauchten am Ende der Zufahrt ein paar mit Holzlatten bewaffnete Gestalten auf, die im Begriff waren, die Jungs einzukreisen.

»Ich fass es nicht, da ist Silvi.« Erik wies auf eine von ihnen. »Vor ein paar Tagen hab ich bei ihr noch Gummibärchen gekauft.«

»Jetzt gibt's bei ihr nix Süßes mehr. Eher Saures«, stellte Sören fest.

Malte riss die Beifahrertür auf. »Einsteigen. Na los!«

Das ließen sich die Brüder nicht zweimal sagen.

Ohne die Horde aus den Augen zu lassen, rannte Malte um den Wagen herum, kletterte auf den Fahrersitz und zog die Tür zu. »Und jetzt nichts wie weg hier.«

Er startete den Motor und gab Gas. Aber wohin? Der Panik nahe sah er sich um. Die Zufahrt war von *Insani* blockiert, und die konnte er ja nicht einfach über den Haufen fahren.

»Da lang!« Erik zeigte hektisch nach links.

Dort, hinter dem Parkplatz, bildete eine Kirschlorbeerhecke die Grenze zwischen dem Betriebsgelände und der Straße.

»Durch die Sträucher? Bist du irre?«, rief Malte. »Das klappt nie!«

»Nein, nicht da!« Erik stöhnte genervt. »Da drüben!«

Die *Insani* kamen immer näher. Als ahnten sie, was Erik plante, schwärmten ein paar von ihnen nach links aus. Ihre Mordlust schien sie zu Verbündeten zu machen in der gemeinsamen Hatz auf die Kinder.

Sörens Stimme überschlug sich. »Mach schon!«

Malte riss das Steuer herum und trat aufs Gas. Der Wagen brach aus und schlidderte so dicht an einer *Insana* im pinken T-Shirt vorbei, dass Malte darauf den Aufdruck *Silvi's Lollipop – das Büdchen mit Herz* lesen konnte. Er hielt auf die Hecke zu, da entdeckte er eine schmale Lücke zwischen den Sträuchern.

»Da durch!«, schrie Erik.

»Das passt nie!«, protestierte Malte. Im Rückspiegel sah er Silvi und ihre Spießgesellen näherkommen.

»Doch, klar!«

»Zu eng!«

»Na los!«, feuerte Sören ihn an.

Die Lücke vor ihnen schien wie durch Geisterhand zu schrumpfen, je näher sie kamen.

»Scheiße!« Malte trat das Gaspedal durch und kniff die Augen zusammen.

Der Motor jaulte auf, es knirschte auf dem Autolack wie tausend Fingernägel, der Sprinter holperte, und als Malte die Augen wieder öffnete, lag vor ihnen die menschenleere Straße.

»Ich fass es nicht, es hat gepasst!« Er griff sich lachend an die Stirn, dabei verriss er fast das Steuer.

»Erik, du Irrer!« Sören feixte. »Du hattest recht, es hat gepasst!«

»Das wundert mich jetzt auch.« Erik schnaufte verblüfft, dann stimmte auch er in das Lachen ein.

Malte lenkte den Sprinter an einer Baustofffirma vorbei und ließ das Industriegebiet hinter sich. Inzwischen stand die Sonne hoch am wolkenlosen Himmel und gab einen Vorgeschmack auf den beginnenden Sommer. Eine Mohnwiese breitete sich zu seiner Rechten aus und zu seiner Linken ahnte er den Pering. Eigentlich ein netter Ort zum Leben, dachte er und fragte sich, warum er überhaupt so dringend nach Köln ziehen wollte. Klar, die Kneipenszene rund um die Uni war legendär, gutes Gras gab's an jeder Ecke, aber Gremmershoven hatte auch seinen Reiz. Wenn nicht gerade eine Horde *Insani* durch die Gegend rannte. Sie passierten das Ortseingangsschild, fuhren am Angelheim vorbei und schlugen den Weg Richtung Sportplatz ein. Damit musste Malte zwar fast komplett um das Städtchen herumfahren, aber so vermied er die Hauptstraße und die Gegend um den Supermarkt. Hier und da meinte er, aus dem Augenwinkel huschende Gestalten zu erkennen, aber zum Glück blieben sie auf Abstand. Das Epizentrum der Aggression befand sich derzeit wohl im Industriegebiet. An der Spielstraße vor dem Kindergarten ging er wegen der Bremsbuckel vom Gas, trotzdem rumpelte es ganz ordentlich im Laderaum.

»Pass auf, der Wagen gehört unserem Vater«, beschwerte sich Erik. »Und ich glaube, die Karre ist noch nicht abbezahlt.«

Malte beugte sich vor, um ihn an Sören vorbei von der Seite anzusehen. »Echt, Alter, du hast Probleme. Fahr du doch, wenn du es ...«

»Pass auf!« Reflexartig griff Sören ins Steuer und riss es nach rechts. Gerade noch rechtzeitig schafften sie es, den Wagen an einer Gestalt vorbei zu lenken, die blindlings auf die Straße gerannt war, und hielten neben ihr. Rasch kurbelte Malte das Seitenfenster herunter.

»Bist du okay?« Er nahm die Person in Augenschein, die ihn mit entsetztem Blick anstarrte: Eine junge Frau, fast noch ein Teenager. Ihre dunklen Haare hingen ihr wirr ums blasse Gesicht, das Malte vage bekannt vorkam. Sie trug einen Rucksack und presste ein Bündel an die Brust, das herzzerreißend weinte.

»Seid ihr noch ... ihr?« Sie schluckte schwer und schaute sich gehetzt um. Das Baby in ihren Armen wand sich unruhig. »Scht, mein Kleiner. Alles gut.« Fahrig streichelte sie seinen Rücken und sah Malte flehend an. »Bitte, helft mir.«

Erik sprang aus dem Wagen und hielt die Beifahrertür auf. »Los, rein mit euch. Wir müssen weg.«

Irgendwo schrie jemand. Der Laut hatte nichts Menschliches an sich. Malte spürte, wie sich ihm die Haare auf den Armen aufstellten. Trotzdem blieb die junge Frau wie angewurzelt stehen. Womöglich stand sie unter Schock.

»Komm, es wird alles gut.« Nervös sah er sich um. »Aber wir müssen jetzt schleunigst los.«

Er stieg nun ebenfalls aus und ging mit erhobenen Händen auf sie zu. Ganz in der Nähe zersplitterte Glas. Sie zuckte zusammen und legte schützend eine Hand auf den Kopf des Babys. Panisch schaute sie in die Richtung, aus der das Splittern gekommen war. Über dem Kindergarten stieg Rauch auf und Malte meinte, ein paar *Insani* über das Außengelände huschen zu sehen. Verdammt, waren sie ihnen etwa gefolgt?

»Vertrau uns, wir tun deinem Baby nichts«, drängte Erik fast schon beschwörend. Von der anderen Seite ging er langsam auf sie zu. »Wir haben ein sicheres Versteck.«

Endlich nickte sie. »Ja gut. Ich vertraue euch.« Sie brach in Tränen aus. »Aber ich vertrau mir nicht mehr.« Blitzschnell sprang sie vor und drückte Erik das Bündel in die Hand. »Da, nehmt ihn!« Im nächsten Augenblick streifte sie den Rucksack ab und warf ihn Malte zu. »Nehmt meinen Sohn und bringt ihn in Sicherheit.«

»Wir haben genug Platz für euch beide«, erwiderte Malte, doch sie schnellte herum und sah ihn an. Ihr Blick wechselte so rasch zwischen Trauer und abgrundtiefem Hass hin und her, wie es auf natürlichem Wege gar nicht möglich gewesen wäre. Erschrocken prallte er zurück.

»Was zum Teufel ...?«

»Nehmt ihn und bringt ihn in Sicherheit«, wiederholte sie mit unterdrücktem Zorn. »Und zwar vor mir.« Mit letzter Kraft kämpfte sie gegen die aufsteigende Wut an. »Sagt ihm, seine Mama liebt ihn. Sagt, dass Mama und Papa ihren kleinen Louis lieben.« Sie starrte Malte an und bleckte die Zähne. Ihr innerer Kampf war entschieden.

***

Senta

»Los, nicht nachlassen!« Im Laufen drehte Ömer sich kurz zu ihnen um und bedeutete ihnen, sich zu beeilen. Sein Gesicht war schweißüberströmt.

Senta hatte Mühe, ihm zu folgen. Zwar verfügte sie dank ihres Handballtrainings über eine gute Kondition, aber die Angst schien sich irgendwie auf ihre Beine auszuwirken. Wie wabbelige Fremdkörper fühlten sie sich an, die jede Sekunde den Dienst versagen konnten. Sie wusste nicht, wie lange sie schon rannten, aber sie ahnte, dass sie das Tempo nicht mehr lange würde durchhalten können. Hinter ihr pfiff Alyssa wie ein kaputter Teekessel. Sie musste nun ihrem Zigarettenkonsum Tribut zollen. Auch Per hatte Mühe, mit ihnen Schritt zu halten. Alleine Karl, der vorausrannte, wirkte fit und ausgeruht.

Senta hatte keinen Schimmer, wohin sie flüchteten, aber das spielte auch keine Rolle. Hauptsache, fort von diesem scheußlichen Ort, wo es offensichtlich spukte. Aber wohin sie auch liefen, sie entdeckten immer weitere Puppen - eine schauriger als die andere - und es wurden mehr und mehr. Senta versuchte, sie nicht genauer anzusehen, aber ihr Blick blieb in grausiger Faszination an ihnen kleben. Einige der Dinger waren so verrottet, dass man sie kaum noch als Puppen erkennen konnte. Viele waren von Schimmel überzogen, von Ameisen übersät oder so dicht von Spinnweben umhüllt, dass sie wie Gespenster oder Mumien aussahen. Und dann diese Stimmen! Von überall flüsterte, kicherte und kreischte es, und selbst wenn Senta sich die Hände auf die Ohren presste, konnte sie sie noch immer hören.

Alyssas Schmerzensschrei, gefolgt vom Geräusch eines Sturzes setzte ihrer Flucht ein jähes Ende. Senta blieb stehen und drehte sich zu ihr um. Per, der hinter Alyssa rannte, stoppte und sah sie erschrocken an.

»Was ist passiert?«

»Keine Ahnung«, japste Per. »Sie ist im vollen Lauf der Länge nach hingeschlagen.«

»Mein Fuß.« Alyssa wimmerte. »Er tut so weh.« Weinend zog sie das Bein an und umklammerte ihren Knöchel.

»Bestimmt bis du umgeknickt. Wenn ich dir aufhelfe, kannst du dann weiter?« Per hielt ihr die Hand hin, aber Alyssa schüttelte den Kopf.

»Ich kann nicht mehr.« Wie ein Häufchen Elend schaute sie mit großen Augen zu ihnen auf. »Bitte, lasst mich nicht hier alleine!«

Ömer und Karl, die vorgelaufen waren, kehrten um und hockten sich neben sie. Während Karl sanft ihre Finger von ihrem Knöchel löste und den Fuß in Augenschein nahm, streichelte Ömer ihr die tränenüberströmten Wangen. »Auf keinen Fall lassen wir dich alleine. Wo denkst du hin?«

Per hob Karls Stab auf und sah sich um. »Wir müssen weiter. So schnell wie möglich.«

»Es scheint nichts gebrochen zu sein.« Karl richtete sich auf. »Vielleicht eine Bänderdehnung, aber auch die tut höllisch weh. Sie kann so jedenfalls nicht weiterlaufen.«

»Dann müssen wir sie tragen. Hier, übernimm du ihn.« Per drückte Senta den Stab in die Hand. »Komm, Ömer, pack mal mit an.«

Beherzt umfasste Per Alyssas Taille, legte sich ihren Arm um die Schulter und zog sie hoch. Rasch sprang Ömer auf und unterstützte sie auf der anderen Seite, doch als sie den Fuß vorsichtig belastete, japste sie vor Schmerzen. Die Puppen ringsherum lachten schadenfroh. Am liebsten hätte Senta sie alle in Fetzen gerissen und verfluchte sie innerlich. Alyssa so leiden zu sehen, und dabei zu hören, wie diese Mistdinger sie auch noch verhöhnten, ließ sie vor Verzweiflung beben.

»Hier, nimm.« Ömer schnallte seinen Rucksack ab und reichte ihn Karl, ehe er kurzerhand den Arm unter Alyssas

Knie schob und sie wie eine Braut hochhob, die er über die Schwelle tragen wollte. »Los, weiter.«

Karl streifte sich die Riemen des Rucksacks über die Schultern, und so setzten sie ihren Weg fort. Zwar wesentlich langsamer, aber Senta war froh, überhaupt voran zu kommen. Inzwischen war es ihr egal, wohin es ging, solange sie nur in Bewegung blieben und endlich diesen Monstern entkamen.

Alle paar Minuten wechselten Ömer und Per sich dabei ab, Alyssa zu tragen, aber irgendwann bei Einbruch der Dämmerung waren beide am Ende ihrer Kräfte angelangt. Ömers Gesicht leuchtete puterrot und Senta fürchtete ernsthaft, er würde jeden Augenblick kollabieren. Keuchend sank er in die Knie und auch Per sah aus, als könnte er sich kaum noch auf den Beinen halten. Sie brauchten eine Pause und Alyssa kühlende Umschläge, wenn sie heute überhaupt noch irgendwo hinwollten. Senta nahm ihren Rucksack ab und reichte Per eine halbleere Wasserflasche, die er nach einem tiefen Schluck an Ömer weitergab. »Hier, trink. Sonst kippst du noch um.«

Ömer nippte kurz und reichte sie an Alyssa, die sie in einem einzigen Zug leerte. Senta suchte in ihrem Rucksack nach einer weiteren Flasche und stellte erschüttert fest, wie besorgniserregend schnell ihre Vorräte zur Neige gingen.

»Mist, wir haben kaum noch etwas zu essen übrig«, rief sie. »Sind wir denn wirklich schon so lange unterwegs?«

»Keine Ahnung, mein Zeitgefühl ist völlig durch den Wind.« In einer hilflosen Geste hob Karl die Hände. »Ich hab das Gefühl, wir irren hier schon seit Ewigkeiten herum. Ich weiß nicht einmal genau, ob wir Tag oder Nacht haben.«

»Hier, nimm. Das ist alles, was wir noch haben. Wir können sie ja bei nächster Gelegenheit auffüllen.« Sie hielt

Ömer die letzte Wasserflasche hin. Gierig löschte er seinen Durst und streckte sich erschöpft auf dem feuchten Boden aus. Er würde heute bestimmt nirgendwo mehr hingehen. Erst jetzt wurde Senta bewusst, dass ihnen eine weitere Nacht im Moor bevorstand. Verzweiflung machte sich in ihr breit. Was, wenn schon wieder jemand oder etwas versuchte, sie in eine Falle zu locken? Letzte Nacht war es nur ein vages Gefühl, geboren aus der Todesgefahr, der sie nur knapp entronnen war, und es hatte sich schnell verflüchtigt. Nun aber beschlich sie zum ersten Mal ganz klar der Gedanke, dass sie womöglich hier draußen sterben könnten.

Karl schien ihre Befürchtungen zu teilen. »Wir brauchen irgendeinen Unterschlupf, hier draußen sind wir völlig ungeschützt. Wer weiß, was in der Nacht auf uns lauert.« Er strich die Bügelfalten seiner Hose glatt und nahm seinen Stab fest in die Hände. »Ich werde mich mal umsehen.«

»Warte, ich komme mit.« Keuchend machte Ömer Anstalten aufzustehen, doch Karl winkte ab.

»Danke, aber du kannst dich kaum noch auf den Beinen halten. Und ihr beiden, Per und Senta, bleibt auch hier.« Sein Gesichtsausdruck ließ keinen Widerspruch gelten. »Ihr müsst die Gruppe verteidigen, falls – nun ja, ihr wisst schon. Keine Sorge, spätestens in einer halben Stunde bin ich zurück.«

»Und wenn du dich verirrst?« Die Vorstellung, dass sie voneinander getrennt wurden und Karl womöglich ganz alleine die Nacht in diesem grausigen Puppenmoor verbringen musste, bereitete Senta Übelkeit. Wo hatte sie sie da hineingezogen?

Karl lachte bitter auf. »Wir haben uns doch schon längst verirrt.«

Ehe sie etwas erwidern konnte, stapfte er los und war nach wenigen Metern im Gebüsch verschwunden. Natürlich hatte er recht, sie hatten sich bereits verirrt. Aber zumindest waren sie zusammen. Was, wenn er nicht wie vereinbart zurückkam und die Nacht alleine im Moor verbringen musste? Senta fröstelte es, und das lag nicht nur an der Erschöpfung und der Abkühlung, die mit der einbrechenden Abenddämmerung einsetzte. Karl mochte noch so altklug erscheinen und ganz bestimmt war er von ihnen allen der kühlste Stratege, aber er war erst zehn Jahre alt. Wie sollte ein so kleines Kind wie er alleine in diesem Drecksmoor überleben, falls er nicht mehr zu ihnen zurückfand?

Sie warteten stumm eine Weile und lauschten angespannt auf die Geräusche der Umgebung. Außer dem fernen Wispern der Puppen und dem Rauschen der Blätter war es totenstill. Senta sah auf ihre Armbanduhr, aber die hatte längst den Geist aufgegeben, denn es konnte unmöglich erst zwei Uhr nachmittags sein.

»Meine ist auch im Eimer.« Zum Beweis hielt Alyssa ihr das Handgelenk hin, an dem eine pinke Plastikuhr hing. Deren Digitalanzeige bestand aus einer Reihe von Achten.

»Ich hab gar keine.« Ömer zuckte mit den Schultern. »Normalerweise gucke ich aufs Handy, aber das hab ich irgendwo verloren.«

»Mein Handy kriege ich gar nicht an. Vermutlich ist der Akku hin.« Per tippte auf dem Display seines Smartphones herum und schob es zurück in seine Hosentasche.

»Wir sollten uns etwas überlegen, falls er nicht wieder da ist, bis …« Alyssa ließ den Satz unvollendet.

Ja, bis wann? Wie viel Zeit sollten sie ihm geben? Senta sah sich um in der Hoffnung, an irgendetwas einen Zeitraum von einer halben Stunde festzumachen. Vielleicht einem Schatten, der wie bei einer Sonnenuhr zu einer Markierung wanderte, aber das Licht war dafür zu diffus.

Ihr fiel nur eine Methode ein, die halbwegs funktionieren könnte. »Es ist zwar ziemlich ungenau, aber wir zählen jetzt dreimal bis sechshundert, dann gehe ich ihn suchen.«

»Das lässt du schön bleiben.« Per sah sie streng an. »Es genügt, wenn einer von uns verlorengegangen ist.«

»Du willst ihn einfach so im Stich lassen?«

»Von Wollen kann keine Rede sein.« Per raufte sich verzweifelt die Dreads. »Wir haben keine Wahl.«

»Dann sollten wir irgendwas machen, damit er zurückfindet.« Alyssa schob die Hände in die Hosentaschen und zog ein Feuerzeug heraus. »Hiermit.«

»Ein Lagerfeuer. Genial!« Ömer nickte anerkennend. »Aber dazu muss es dann schon richtig dunkel sein.«

»Ich geh Brennholz holen.« Froh, wenigstens irgendwas tun zu können, stand Senta auf.

»Aber nur in Sichtweite.« Per erhob sich ebenfalls. »Besser, ich komme gleich mit.«

»Nein, du bleibst bei den anderen«, widersprach Senta. »Wir haben das doch abgemacht.«

Per wollte zu einer Antwort ansetzen, da raschelte es hinter ihnen.

»Ich habe etwas entdeckt!« Ein bisschen zerzaust und aufgeregt gestikulierend bahnte sich Karl seinen Weg durchs Gestrüpp aus Rohrkolben und Binsengras. »Da drüben ist irgendwas!« Er deutete hinter sich. »Nur rund hundert Meter in dieser Richtung. Eine Art Bretterverschlag. Was auch immer das ist, wir sollten es uns näher ansehen. Vielleicht können wir dort unterkriechen.« Er stützte die Hände auf die Oberschenkel und atmete tief durch. Allmählich hinterließ das Moor auch bei ihm Spuren.

Ein Unterschlupf, und wenn es nur ein paar Bretter mit einem Dach waren, kam Senta plötzlich wie ein Palast vor.

Mochte er noch so schäbig sein, Hauptsache, er bot einen Platz zum Ausruhen. Und vielleicht fanden sie auch etwas Essbares. In alten Schutzhütten gab es doch manchmal für Notfälle Konserven oder so. Die wären zwar vermutlich längst über das Verfallsdatum hinaus, aber sie hatte mal gelesen, dass die praktisch ewig haltbar waren. Wie auch immer, Hauptsache, sie bekamen mal wieder etwas in den Magen.

»Ich bin dafür«, stimmte sie zu. »Schlimmer als das hier kann es nicht sein.«

»Du hast recht.« Per nickte. »Einen Versuch ist es wert.«

Er stemmte sich mühsam in die Höhe, zog Alyssa hoch und hakte sie unter. Sie bebte am ganzen Körper und schien kaum noch wahrzunehmen, was um sie herum geschah. Senta mochte sich gar nicht vorstellen, wie es in ihr aussah. In dieser Situation Schmerzen zu haben und hilflos auf andere angewiesen zu sein, musste die Hölle sein.

»Also gut, bin dabei.« Schwankend erhob Ömer sich, dabei sackten ihm die Beine weg.

»Komm, Ömer. Zusammen schaffen wir‘s.« Senta ergriff seine Hand. Wahrscheinlich hätte sein Machogehabe noch vor ein paar Tagen kaum zugelassen, dass er sich von ihr helfen ließ, jetzt aber nickte er dankbar.

Mit vereinten Kräften schleppten sie sich zu dem Gebilde, das sich beim Näherkommen als verfallene Fischerhütte auf Pfählen entpuppte. Ein fauliger und zur Mitte hin abgesunkener Steg führte von der morschen Veranda zu einem von dichtem Binsengras zugewachsenen Kanal. Darin steckte ein versunkenes Boot, von dem nur noch der Bug herausschaute. Auf dem Vorbau der Hütte entdeckte Senta ein Holzgestell mit einem zerfetzten Netz, an dem poröse Schwimmer befestigt waren. Von einer Kette am Geländer baumelten rostige

Haken, Messer, Ahlen und weiteres Werkzeug, dessen Verwendung Senta nicht kannte. Leise klirrend schlugen die Geräte im Luftzug des Windes aneinander und spielten ein träges Glockenspiel für die Puppen ringsherum. Bei ihrem Anblick verkrampfte sich Sentas Magen. Sie hingen jetzt nicht nur vereinzelt in den Bäumen und Sträuchern, die größte Ansammlung befand sich an der Hütte selbst: Dicht an dicht hatte jemand sie an den wurmstichigen Bretterwänden, den Pfeilern der Veranda, über dem Türsturz, an den beiden Fensterrahmen und sogar auf dem Dach des angrenzenden Aborts befestigt. Keine einzige Stelle der Hütte war frei davon, egal, wohin sie schaute. Wie krank war das denn?

»Ich glaube, das ist das Gruselpuppen-Hauptquartier«, murmelte Ömer beim Betrachten der zerfledderten und vermoderten Dinger.

Besser hätte man es nicht ausdrücken können. Senta spürte, wie sich auf ihrem ganzen Körper Gänsehaut bildete. Dieser Ort strahlte etwas Übernatürliches aus.

Karl verschränkte die Arme vor der Brust. »Da gehe ich nicht rein.«

Vom Grauen fasziniert ließ Senta ihren Blick über die Massen an Puppen schweifen. Die meisten davon waren bereits bis zur Unkenntlichkeit verrottet und wirkten uralt, aber irgendjemand musste sie einst mit sehr viel Mühe hier platziert haben. Und nicht nur das. Beim genaueren Hinsehen erkannte sie, dass viele der Puppen mit Blumengirlanden, Windrädchen aus Papier und bunten Schleifen dekoriert waren. Natürlich waren die Blumen längst verwelkt, das Papier der Windrädchen wellig und die Schleifen ausgeblichen, dennoch hatte sich jemand darum gekümmert, die Puppen hübsch aussehen zu lassen. Warum nur sollte man so was tun?

Sie drehte sich zu den anderen um. »Nein, ich geh da auch nicht rein.«

Schlagartig verdunkelten schiefergraue Wolken den Abendhimmel. Das Wispern und Kichern der Puppen verstummte. Erschrocken starrte Senta ihre Freunde an. »Was zum ...« Ein ohrenbetäubender Knall zerriss die Stille. Im selben Moment zuckte ein greller Blitz über ihren Köpfen. Senta wurde es eiskalt. Wie ein herannahender Zug im vollen Tempo brauste ein Gewittersturm durch das Schilf auf sie zu. Er brachte einen sintflutartigen Regenguss mit, der Senta und die anderen in Sekundenschnelle bis auf die Haut durchnässte.

»Los! Wir müssen da rein!«, schrie Per über das Tosen des Unwetters hinweg und deutete auf die Fischerhütte.

Erneut zuckte ein Blitz auf und leuchtete die Behausung wie eine Bühnenkulisse aus. Die Puppen an ihrem Giebel vollführten baumelnd einen Reigen im Wind und schienen ihre muntere Freude zu haben.

»Ich will aber nicht!«, kreischte Alyssa.

»Wir haben keine Wahl!« Ömer, dem das Wasser am Schirm seines Basecaps herunterströmte, stand das Entsetzen ins Gesicht gemeißelt.

Senta spürte, wie der Regen und der kalte Wind an ihr zerrten. Wenn sie länger hier draußen blieben, würden sie bald keine Kraft mehr für den Heimweg haben. Wenn ein Blitz sie nicht vorher erschlug. Widerwillig musste sie Per und Ömer Recht geben.

»Na los, Alyssa! Zusammen schaffen wir das!« Sie griff die Hand der Freundin. Selbst als Ömer Alyssa kurzerhand hochhob und im Laufschritt Richtung Fischerhütte trug, hielt sie sie fest umklammert. Rutschend und stolpernd bahnten sie sich ihren Weg die glitschigen Holzstufen hinauf. Die Tür hing schief in den Angeln und schlug bei jeder Windbö gegen die Zarge. Nicht gerade einladend, aber es half nichts. Widerwillig traten sie ein.

Drinnen war es stockdunkel, nur das zuckende Licht der Blitze gab für Sekundenbruchteile Details der Einrichtung preis. Schaudernd sah Senta sich um. Die Hütte bestand nur aus einem einzigen Raum, etwa so groß wie eine Garage. Der Boden war mit verrottendem Laub und kleinen Stöcken übersät. Überall tropfte es durchs Dach. Senta erkannte auf der einen Seite des Raums ein rostiges Bettgestell mit einer verschimmelten Matratze, auf der anderen Seite eine mit Laub bedeckte Werkbank. Außerdem zwei hölzerne Schemel, einen tonnenförmigen Ofen, eine Petroleumlampe über ihren Köpfen und noch mehr Puppen an den Wänden. Dazwischen flatterten irgendwelche Papierfetzen.

»Ich will nach Hause«, wimmerte Alyssa.

»Ich auch«, pflichtete Senta ihr flüsternd bei.

Bei jedem Blitz wirkten die von blinden Glassplittern umrahmten Fenster wie zwei mit Zähnen bewährte Mäuler. Geifernd schienen sie nur auf sie gewartet zu haben.

Vorsichtig setzte Ömer Alyssa auf einem der Schemel ab und verkeilte die Tür mit einem Stück Holz. Senta ließ sich auf dem zweiten Schemel nieder und erwiderte Alyssas Händedruck, die sich förmlich an sie zu klammern schien.

»Home, sweet home«, sagte Karl tonlos. Sein Gesicht war grau wie Haferschleim.

Per nahm die Petroleumlampe von ihrem Haken und schüttelte sie. Leer.

»Vielleicht da drin?« Senta deutete auf die Werkbank.

»Mal sehen.« Er zog ruckelnd die Schubladen auf, spähte vergeblich hinein und durchsuchte die Regalfächer über dem Tisch. Nichts.

»Und drunter?«

Per kniete sich und beugte sich tief unter die Bank. »Bingo!« Er zog einen Blechkanister hervor und rüttelte ihn. Es plätscherte sachte. »Hoffentlich ist es das, was ich denke.«

Als er den Verschluss des Kanisters öffnete, stieg Senta ein scharfer Geruch nach Tankstelle in die Nase.

»Meinst du, es klappt?«

»Finden wir es heraus.« Er füllte den kompletten Inhalt in den Behälter der Lampe und verschloss alles. »Alyssa, darf ich mal dein Feuerzeug haben?«

Sie reichte es ihm, worauf er das Glas der Lampe anhob, den Docht herausschraubte und anzündete. Ein gelber Glanz erhellte sein Gesicht, bei dem Senta erleichtert seufzte.

»*Allah* sei Dank«, flüsterte Ömer.

Per setzte das Glas der Lampe auf und drehte den Docht so weit zurück, dass es weniger rußte und ein warmer Schein den Raum erleuchtete.

»Besser so?« Grinsend schaute er in die Runde.

»Viel besser«, antworteten Alyssa und Karl wie aus einem Mund.

Per hängte die Lampe wieder an ihren Platz. »Dann wollen wir es uns mal ein bisschen gemütlich machen.«

Ömer und er errichteten in der Ecke, die ihnen am wenigsten feucht erschien, ein Nachtlager.

»Ich seh mir mal den Ofen an«, verkündete Karl. »Vielleicht bringe ich das Ding wieder in Gang.«

Zwar hatte Alyssa aufgehört zu zittern, aber noch immer starrte sie wie ein Häufchen Elend vor sich hin.

»Bald wird es besser«, redete Senta beruhigend auf sie ein. »Morgen früh geht's nach Hause, bis dahin sind wir hier gut aufgehoben. Es ist halbwegs trocken und dank Per haben wir wenigstens ein bisschen Licht.«

Die Leuchte produzierte zwar mehr Schatten als alles andere, dennoch war Senta dankbar für ihren trüben Schein. So hatte ihr Unterschlupf bei aller Scheußlichkeit zumindest ein bisschen was Wohnliches. Wenn es nun noch Karl gelang, ein Feuer in dem alten Ofen zu entfachen, konnte man es hier bis morgen ganz gut aushalten. Nach einer Weile gewöhnten sich ihre Augen an die Lichtverhältnisse und sie erkannte mehr Details.

»Ich seh mich mal ein bisschen um. Vielleicht finde ich was Brauchbares.« Behutsam löste sie ihre Hand aus Alyssas Griff und stand auf. Die vergilbten Papierfetzen an den Wänden, die sie zuerst für Überreste einer Tapete oder so gehalten hatte, schienen irgendwie beschriftet oder bedruckt zu sein. Neugierig ging Senta näher heran und trat unversehens auf etwas Weiches, das ein klagendes Quietschen ausstieß. Erschrocken zuckte sie zusammen.

»Ein Clown!« Ömer lachte unsicher und wies auf ihre Füße. »Du bist auf einen blöden Clown getreten!«

»Tatsächlich!« Senta fasste sich an die Stirn und betrachtete das Ding zu ihren Füßen. Es steckte in einem weiß-blau karierten Harlekinkostüm mit Spitzenkragen. Auf dem Kopf trug es einen Hut mit fünf Zipfeln, an dessen Enden kleine Glöckchen baumelten. Seine Arme und Beine schienen viel zu lang für den restlichen Körper und erinnerten Senta an Tentakel. Zusammen mit den zur Maske des Irrsinns erstarrten Zügen seines Porzellangesichts wirkte es nicht die Spur lustig. Im Gegenteil: Zwischen den gebleckten Zähnen hatte sich Schmutz festgesetzt und verlieh ihm ein diabolisches Grinsen.

Karl sah von seiner Arbeit auf. »Was für ein lustiges Kerlchen.«

»So lustig wie *Pennywise.*« Senta versetzte dem Ding einen Tritt. Bimmelnd verschwand es im Schatten der hintersten Ecke. »Und ich dachte schon, ich wäre auf eine Ratte oder so getreten.«

Noch immer zittrig sah sie sich weiter um. Dabei hatte sie das Gefühl, von Blicken aus gläsernen Augen verfolgt zu werden. An der Wand angekommen bestätigte sich ihr Verdacht von vorhin: Die Papierfetzen waren tatsächlich beschriftet. Jemand hatte in mehreren Schichten Zeitungsartikel an die Wände gepinnt. Wie sie an den Erscheinungsdaten erkannte, waren manche von ihnen über fünfzig Jahre alt. Sie blätterte zu den unteren Schichten und entdeckte weitere Zeitungsausschnitte, die noch wesentlich älter waren. Dazwischen hingen Fotos von Kindern in altmodischer Kleidung: Jungs in Knickerbockern und Matrosenanzügen, Mädchen mit weißen Rüschenkleidchen und Schleifen in den ondulierten Locken. Einige der Kinder wiesen in ihrer Aufmachung eine frappierende Ähnlichkeit mit der Puppe in ihrem Gepäck auf. Sentas Magen zog sich zusammen, als sie die Schlagzeilen überflog, die in altmodischer Frakturschrift von vermissten Schulkindern berichteten. Sie löste einen der Zettel von der Wand und hielt ihn in den Schein der Petroleumlampe.

»Leute, hört euch das an!«, rief sie, nachdem sie die ersten Zeilen entziffert hatte. »*Noch immer keine Spur der verschollenen Kinder. Roetgen, einundzwanzigster Juli neunzehnhundertvierzehn. Auch einen Monat nach dem erschütternden Verschwinden der fünfzehn Kinder im Roetgener Moor hat die hiesige Polizei noch immer keine Spur der Vermissten. Inzwischen muss vom Tod der Kinder ausgegangen werden, weshalb weitere Suchmaßnahmen nun nicht mehr erfolgen sollen. Zum Angedenken der Verstorbenen findet kommenden Sonntag, den sechsundzwanzigsten Juli, um fünfzehn Uhr ein Trauergottesdienst in der Sankt Hubertuskirche zu Roetgen statt.«*

»Zeig mal her.« Karl schloss die Ofenklappe, stand auf und nahm Senta den Schnipsel ab. Rasch überflog er die Zeilen und ging nachdenklich zur Wand, wo er sich noch weitere Artikel ansah.

»Die handeln alle von den vermissten Kindern. Der hier zum Beispiel. Er scheint direkt nach dem Vorfall erschienen zu sein. *Tragisches Unglück bei Sommerfrische. Vorgestern, am einundzwanzigsten Juni neunzehnhundertvierzehn, ereignete sich im Roetgener Moor nahe der belgischen Grenze eine Tragödie, als eine Volksschulklasse aus Aachen mitsamt ihrer Lehrerin von einem Unwetter überrascht wurde. Der Regen und der Sturm drängten sie so arg, dass sie sich verirrten und in einer Fischerhütte Schutz suchten. Als am Abend eines der Kinder an Keuchhusten erkrankte, ließ die Lehrerin in der Not ihre Schützlinge alleine in der Hütte zurück und begab sich auf die Suche nach Hilfe. Erst am nächsten Morgen kehrte sie in Begleitung von Herrn Doktor Wintereisen und einigen Helfern aus Roetgen zur Fischerhütte zurück. Die Kinder jedoch waren spurlos verschwunden. Sofort wurde eine weiträumige Suche eingeleitet, die bis zum heutigen Tag erfolglos blieb.«* Karl pinnte den Zeitungsauschnitt zurück an die Wand und strich sich gedankenverloren übers Kinn. Wie allen anderen schienen ihm die Worte zu fehlen.

»Was wohl aus ihnen geworden ist?«, fragte Alyssa nach einer Weile in das Schweigen hinein.

»Sie sind gestorben, was sonst?«, antwortete Ömer. »Du hat es ja vorhin gehört, auch einen Monat danach hatte man sie noch nicht gefunden. Bestimmt wollten sie der Lehrerin folgen und sind entweder ertrunken, oder verhungert. Steht da was, wie alt die Kinder waren?«

Karl wandte sich wieder den Zeitungsartikeln und Fotos zu. »Das nicht, aber wenn ich mir die Bilder ansehe, dürften sie im Grundschulalter gewesen sein. Damals wurden in Dorfschulen üblicherweise mehrere Jahrgänge zusammen unterrichtet.« Er blätterte weiter durch die Artikel und Notizen. »Das muss ich mir ansehen. Ömer, machst du bitte am Ofen weiter?«

»Na klar, kein Problem. Es geht doch nichts über eine entspannende Gutenachtgeschichte.« Ömer suchte Laub und Äste zusammen und schichtete sie in den Ofen.

»Hier, nimm das.« Per warf ihm das Feuerzeug zu, und kurz darauf breitete sich eine rauchige Wärme in der Hütte aus. »Bin ich gut, oder bin ich gut?« Ömer schaute stolz in die Runde und hob die Handflächen über die knisternde Flamme.

»Gut gemacht, King Ömer.« Senta schob ihren Schemel näher an das Feuer. Dass es sie trotzdem fröstelte, behielt sie für sich, denn es lag nicht nur daran, dass der Ofen mehr Rauch als alles andere produzierte. Die Vorstellung, dass hier, genau an diesem Ort, eine Gruppe von kleinen Kindern zusammengepfercht und vor Angst schlotternd ganz alleine ausgeharrt hatte, bereitete ihr Gänsehaut. Auch Alyssa nagte unbehaglich an ihrer Unterlippe.

»Wenn sie nie gefunden wurden«, sprach sie das aus, was ihr offensichtlich zu schaffen machte, »dann sind ihre Leichen ...«

»... noch immer hier im Moor«, vollendete Per ihren Satz. Er war dabei, ihre Schlafsäcke in einer halbwegs trockenen Ecke mit Laub zu unterfüttern, da stutzte er und drehte sich zu ihnen um. Auch die anderen hielten inne. Wie versteinert starrten sie einander an. Sentas Mund wurde trocken, alle hatten begriffen. Erneut flackerte ein Blitz auf und ließ ihre Gesichter wie bleiche Masken aussehen.

»*Allah*!« Ömer ließ den Ast fallen, den er gerade über dem Knie zerbrechen wollte.

»Kein Wunder, dass es hier so unheimlich ist.« Langsam drehte Per sich zu ihnen um. »Das ganze Moor ist der reinste Friedhof.«

»Mach es nicht noch schlimmer, *Abi*!« Ömers Stimme überschlug sich. »Mir reicht es schon, von diesen blöden Puppen angeglotzt zu werden.« Er hob den Ast auf, zerbrach ihn und warf ihn neben den Ofen.

»Wir sollten schlafen gehen.« Senta richtete mit ein paar hastigen Handgriffen ihren Schlafplatz her. »Je früher wir morgen aufbrechen, desto besser.«

»Du hast recht, ich will hier weg«, pflichtete Alyssa ihr bei.

Sie krochen in ihre Schlafsäcke und machten es sich mehr schlecht als recht gemütlich. Egal, das hier war ja nicht das Hilton Palace. Mit etwas Abstand rollte sich Ömer zum Schlafen ein.

Per zog den Reißverschluss seines Schlafsacks bis zum Kinn hoch. »Karl, was ist mit dir?«

»Ich komme gleich«, murmelte er abwesend, nahm weitere Zeitungsartikel, Fotos und Notizen von der Wand und breitete sie auf der fleckigen Matratze aus. »Wartet nicht auf mich.« Stirnrunzelnd musterte er sein Werk und schob einzelne Zettel mal hierhin, mal dorthin.

»Was hat es eigentlich mit diesen Puppen auf sich?« Senta stützte sich auf den Ellbogen, um ihn besser sehen zu können. »Hat man sie für die Kinder als Trost hier zurückgelassen?« Sie versuchte, den Gedanken an die toten Kinder beiseite zu schieben, aber es gelang ihr nicht. Vielleicht würde sie besser schlafen können, wenn sie zumindest wusste, dass sie ihren Frieden gefunden hatten.

Karl nahm einen Zettel zur Hand. »Das glaube ich kaum.« Er klang nachdenklich. »Ich habe hier nicht nur Zeitungsartikel, sondern auch Briefe. Anscheinend stammen sie von den Eltern der toten Kinder. Die meisten davon hat allerdings die Lehrerin geschrieben. Hört zu.«

Er schob die Papiere zu einem Stapel zusammen und setzte sich aufs Bett. Im Schein der Petroleumlampe las er die Briefe vor, und je dunkler es draußen wurde, umso stärker fühlte Senta sich von den Puppen ringsherum beobachtet. Karl hatte recht, sie sollten keine armen, verlorenen Kinderseelen trösten. Ihr Zweck war ein völlig anderer, das erkannte sie jetzt mit Schaudern.

Kapitel 16

Malte

Das Heck des Sprinters schlug scheppernd auf den Bodenwellen auf, als Malte am Kindergarten vorbeiraste.

Erik presste das jammernde Bündel an seine Brust. »Ich hab keine Ahnung, was ich machen soll«, rief er über das Quietschen der Reifen und Maltes Fluchen hinweg. »Der hat sicher Hunger!« Er gab ein würgendes Geräusch von sich. »Und gekackt hat er auch, glaub ich.«

Malte schaltete hektisch zurück in den zweiten Gang und lenkte den Sprinter um die nächste Linkskurve. Er wusste längst nicht mehr, welches der kürzeste Weg zum Bergwerk war, aber das spielte auch keine Rolle. Inzwischen ging es nur noch darum, den *Insani*, die vereinzelt und in Horden durch die Straßen rannten, auszuweichen und so wenige von ihnen wie möglich aufzuscheuchen.

Erik schaukelte den Kleinen unbeholfen, worauf dessen Weinen allmählich in leises Wimmern überging.

»Vielleicht ist ja was Brauchbares in der Tasche.« Sören hob den Rucksack auf den Schoß und öffnete ihn. »Bingo! Windeln, Fläschchen, was zum Anziehen und das hier.« Er zog ein gelbes und ein blaues Heftchen hervor und blätterte darin herum. »Das ist der Mutterpass von dem Mädchen, ich meine, von der Frau. Sie heißt Amanda Bolten und wohnt in Moers. Das ist ja schon fast bei Duisburg. Was macht die denn hier?«

Irgendetwas klingelte bei Malte. »Bolten. Den Namen hab ich schon mal gehört.«

»Der Kleine heißt Louis.« Sören blätterte das gelbe Heft durch. »Und hey, herzlichen Glückwunsch, Louis! Du bist heute auf den Tag genau drei Monate alt.«

Malte lenkte den Sprinter kreuz und quer durch die Gegend, und allmählich wusste er wieder, wo sie waren. Er fuhr an der Schrebergartenkolonie vorbei, bog in den Schotterweg ab, der zum Bergwerksgelände führte, und hielt neben der Pförtnerbaracke. Als er den Zündschlüssel zog, hatte er das Gefühl, tagelang unterwegs gewesen zu sein, dabei war es gerade mal Mittag. Gemeinsam mit Sören belud er die Sackkarre und brachte ihre Ausbeute zur Kleiderkaue, während Erik mit dem Baby die Nachhut bildete.

Die anderen staunten nicht schlecht und bejubelten vor allem die Box mit dem Eis, aber als Erik mit seiner kleinen Überraschung hereinkam, schoss er den Vogel ab. Emre und Kaan fielen regelrecht die Kinnladen auf die Schuhe, Franzi machte Augen wie Unterteller und Rebecca jauchzte, als hätte man ihr eine extrem realistische Babypuppe geschenkt. Selbst Anton watschelte, seinen Findus hinter sich her schleifend, heran und begutachtete den kleinen Neuankömmling. Mit der typischen Großzügigkeit eines Kleinkindes hielt er ihm sein Vanilleeis hin.

Franzi konnte ihn gerade noch davon abhalten. »Nein, Anton, das verträgt das Baby noch nicht.«

»What the Fuck?«, mehr brachte Vicky nicht hervor.

»Ach Gott, das arme Würmchen!« Lea nahm Erik den Kleinen ab. Dem war die Erleichterung deutlich anzusehen. »Wo habt ihr es gefunden?«

»Es ist ein Er und hört auf den Namen Louis.«

»Dass er schon drauf hört, wage ich zu bezweifeln.« Lea lächelte skeptisch. »Der ist doch höchstens ein paar Wochen alt.«

Erik ließ sich auf eine der Bänke fallen und angelte sich ein Colaeis aus der Box. »Zwölf, um genau zu sein.«

»Ihr wisst ja ziemlich viel über den Knirps.« Vicky beugte sich über das Baby und machte sanfte Schnalzlaute. Augenblicklich verstummte das Wimmern.

»Steht alles hier drin.« Sören winkte mit den beiden Heftchen und erzählte, was sich zugetragen hatte und wie sie so plötzlich Ersatzväter geworden waren.

»Was hatte sie hier zu suchen, wenn sie aus Moers ist?«, fragte Lea in die Runde. »Das ist gut fünfzig Kilometer weit weg.«

»Familienbesuch?«, schlug Emre vor.

»Nicht gut.« Vicky verschränkte die Arme vor der Brust. »Wenn sie von außerhalb gekommen ist, ist es nur eine Frage der Zeit, bis noch mehr auftauchen. Der Vater von dem Kleinen zum Beispiel. Oder andere, die sich wundern, dass ihre Leute sich nicht melden.«

»Wollen wir hoffen, dass der Spuk bis dahin vorbei ist.« Lea wiegte den Kleinen in den Armen, dennoch schien er langsam unruhig zu werden. Ratlos schaute sie auf. »Was hat er nur?«

Kaan schob sich den Rest seiner Eiswaffel in den Mund und sah sich Louis genauer an. »Hunger«, stellte er kauend fest, schnupperte und nickte wissend. »Und eine volle Windel.«

Lea sah erschrocken auf. »Und was jetzt? Kennt sich einer von euch damit aus?«

Emre und Vicky wichen ihren Blicken aus und selbst Rebecca, die vorhin noch beim Betrachten des Babys schier dahingeschmolzen war, musterte eingehend ihre Schnürsenkel.

»Sorry, aber wir müssen dringend nach dem Förderkorb sehen.« Sören stieß seinem Bruder in die Seite. »Ist doch so, Erik. Oder?« Er sah Erik intensiv an, da kapierte er.

»Ja, richtig!« Er hob mit gespieltem Bedauern die Schultern. »Ganz dringende … äh … technische Angelegenheit. Am Förderkorb. Echt schade. Viel Glück euch.« Damit machten sich die Zwillinge aus dem Staub.

Es war Kaan, der die Hände ausstreckte. »Gib her, ich mach das. Wo ist seine Wickeltasche?«

Als sie ihn nur ungläubig anstarrten, zuckte er mit den Achseln. »Ich hab drei kleine Brüder, da gehört Windeln wechseln zu den Basics.«

Malte sah mit wachsender Bewunderung zu, wie Kaan routiniert und ohne mit der Wimper zu zucken die volle Windel wechselte.

Die anderen staunten nicht weniger und brachen in Applaus aus, als Kaan am Ende einen frisch gewickelten, aber noch immer hungrig dreinblickenden Louis in die Höhe hielt. Die Szene erinnerte Malte vage an die Eingangssequenz von *König der Löwen*.

»Weiter mit Teil zwei der Challenge«, verkündete Kaan feierlich, deutete auf die Wickeltasche und schnippte mit den Fingern. »Wenn ich bitten darf?«

In der Wickeltasche fand sich eine Thermosflasche mit warmem Wasser und Milchpulver, woraus er ein Fläschchen zubereitete. Der Kleine ließ sich widerstandslos an der Flasche andocken und saugte unter leisen Grunzlauten los, als wären er und Kaan ein jahrelang eingespieltes Team. Abschließend gab Louis an Kaans Schulter ein herzhaftes Bäuerchen von sich, ehe er eingebettet in einem Lager aus Jacken einschlummerte.

»Wir brauchen Windeln Größe zwei, abgekochtes warmes Wasser und noch mehr Milchpulver. Am besten dieses.« Kaan hielt ein aufgerissenes Tütchen mit dem Aufdruck *Pre-Milchnahrung* hoch.

»Das heißt, wir müssen nochmal los?« Malte ließ sich erschöpft auf einer Bank nieder. Die Idee von gestern, hier einfach mit einem Joint schön gechillt auf Pers Rückkehr und das Ende dieses Alptraums zu warten, kam ihm inzwischen wie ein schlechter Witz vor. Das hier artete mittlerweile richtig in Arbeit aus, und kaum hatte er eine Baustelle erledigt, taten sich zehn neue auf. Und wer hatte ihn eigentlich zum Bauleiter erklärt? Okay, das mit dem Baby hatte Kaan hinbekommen, aber wer zur Hölle war er, hier Forderungen zu stellen?

»Am besten gleich, solange es draußen noch ruhig ist«, antwortete Kaan.

»Ruhig?« Malte erhob sich und baute sich vor Kaan auf. »Ruhig?«, wiederholte er schneidend, wobei er sich zwingen musste, nicht auszuflippen. »Hast du eine Ahnung, was da draußen los ist? Die reinste Freakshow! Die taumeln nicht mehr nur blöde durch die Gegend, die sind voll aggro! Die wollen Blut sehen. Unser Blut! Und wann die wieder losschlagen, weiß keiner. Also red‘ nicht so einen Mist von wegen, solange es draußen noch ruhig ist.«

Er starrte Kaan an und für einen Moment wünschte er sich, seine Faust in dessen Gesicht zu schmettern. Kaan starrte völlig unbeeindruckt zurück.

»Kaan hat recht. Das Baby braucht Milch und Windeln. Am besten sofort«, unterbrach Vicky ihren stummen Kampf. »Aber du hast auch recht.« Sie tätschelte vorsichtig Maltes Arm, als spräche sie mit einem Todkranken. »Jetzt ist es draußen zu gefährlich. Ich schlage vor, du kümmerst dich mit den Zwillingen um den Fahrstuhl, Kaan und ich erledigen später das mit den Babysachen.«

Malte spürte, wie sich die angestaute Wut allmählich verflüchtigte. Was war nur in ihn gefahren? Kaan hatte sein

Bestes gegeben und sich vorbildlich um das Baby gekümmert. Außerdem hatte er völlig recht damit, Louis brauchte Milch und Windeln, sollte er etwa auf Konservenobst umsteigen und wie alle anderen in die Grube hinter dem alten Bahndamm pinkeln? Trotzdem war da plötzlich dieser dringende Wunsch in ihm aufgeflammt, ihm das Gesicht zu Brei zu schlagen. Er erschrak vor sich selbst bei dem Gedanken. Aber am meisten erschrak er davor, ganz hinten in seinem Unterbewusstsein ein leises Bedauern zu spüren, es nicht getan zu haben.

»Wir warten noch ein bisschen und schleichen uns dann zur Drogerie neben der Kirche, da wird ohnehin weniger los sein als beim Supermarkt«, fuhr Vicky fort. »Im Handumdrehen sind wir zurück.«

Malte nickte. Er konnte weder sie, noch Kaan ansehen.

»Da könnt ihr auch eure Smartphones mitnehmen«, rief Sören, der soeben vom Aufzug zurückkehrte. »Bis dahin sind sie aufgeladen.« Offenbar hatte er nur das Ende ihres Gesprächs mitbekommen und von der Anspannung nichts bemerkt. »Die Starthilfegeräte funktionieren und wir haben noch ein paar Ladekabel mitgebracht, die passen müssten. So können wir zumindest Kontakt halten.«

»Wenigstens eine gute Nachricht.« Malte wandte sich ab und klopfte Sören auf die Schulter. »Und wir sehen zu, dass wir den verdammten Fahrstuhl endlich ans Laufen kriegen.«

Die Zwillinge fummelten hochkonzentriert an der Bedienungsanlage für den Transportkorb herum, aber irgendwas wollte nicht richtig funktionieren. Überall hingen Kabel aus dem Kasten und ringsherum hatten sie Werkzeug aus dem Wagen ihres Vaters ausgebreitet. Malte wollte gar nicht wissen, wonach sie suchten, geschweige denn, wie sie das Chaos wieder zusammensetzen würden. Daher fragte er nur hin und wieder der Form halber, ob er helfen könne oder ob sie etwas brauchten. Nachdem Erik ihn schon leicht genervt bat, sich doch bitte eine andere Arbeit zu suchen, anstatt ihm im Licht zu stehen, verstand er den Wink und beließ es dabei. Bis auf ihn hatte jeder seine Aufgabe gefunden. Franzi und Rebecca versorgten das Baby und hielten Anton mit Singspielen und einem aus alten Kronkorken improvisierten Mensch-ärgere-dich-nicht zumindest halbwegs bei Laune. Seit einiger Zeit quengelte er immer öfter nach Senta und seinen Eltern und ließ sich immer schlechter ablenken. Lea und Emre wechselten sich mit Wachehalten ab und behielten Mitri im Auge. Von Zeit zu Zeit flößten sie ihm Wasser und eingeweichte Kekse ein und sorgten dafür, dass er stets leicht stoned blieb. Vicky und Kaan machten sich für ihren Ausflug zur Drogerie bereit. Zum ersten Mal seit langer Zeit fühlte Malte sich nutzlos und fragte seine Schwester, ob er nicht doch mitgehen sollte.

»Nee, lass mal.« Sie steckte ihr vollgeladenes Smartphone ein. »Mach mal Pause, du hast schon genug für uns getan.« Sie vermied seinen Augenkontakt und er ahnte, dass das nur die halbe Wahrheit war. Wahrscheinlich legte sie keinen besonderen Wert darauf, ihn nach seinem Wutausbruch gegen Kaan dabeizuhaben. Auf einen großen Bruder, der wieder ausflippte und sie dadurch alle in Gefahr brachte, konnte sie bestimmt getrost verzichten.

»Na gut, aber bitte keine Harakiri-Aktionen«, ermahnte er sie. »Wenn es zu riskant wird, kommt ihr zurück und wir überlegen uns was anderes. Klar?«

»Glasklar, *Abi.*« Kaan hielt ihm zum Abschied die Ghettofaust hin. Er schien ihm seinen kleinen Ausraster von heute

Mittag nicht nachzutragen, im Gegensatz zu ihm selbst. Waren es nur die Nerven gewesen, oder steckte etwas anderes dahinter? Er sah zu, wie die beiden dem Trampelpfad durchs Gras folgten und wandte sich zu Lea um.

»Ich mach mal einen kleinen Kontrollgang. Wenn was ist, ich hab mein Handy dabei.«

Prüfend sah sie ihn an. »Alles in Ordnung mit dir?«

»Was soll das denn schon wieder heißen?« Hielten ihn jetzt alle für durchgeknallt?

Lea zog erstaunt die Brauen hoch. »Nichts, ich mach mir nur Sorgen.«

Malte schluckte. Sie hatte nur eine harmlose Frage gestellt. Kein Grund, sie so anzuranzen. »Sorry, ist sonst nicht meine Art. Ich bin nur ein bisschen neben der Bereifung.« Er versuchte ein entschuldigendes Lächeln.

»Wie wir alle.« Sie zuckte mit den Schultern. »Mach dir keinen Kopf.« Damit schob sie das Tor auf und ließ ihn hinaus.

Anstatt dem Trampelpfad zum Wäldchen und weiter zu den Schrebergärten zu folgen, schlug er den Weg nach links um das Kauengebäude Richtung Werkstatt ein. Mach dir keinen Kopf. Das sagte sich so leicht. Wer ihn kannte, würde ihn nie als aufbrausend oder gar aggressiv bezeichnen. In jeder Lebenslage war er gechillt, und Per hatte ihn mal scherzhaft als Prinz Valium bezeichnet. Woher also diese plötzliche Gereiztheit? Er wusste nicht, ob es den anderen bewusst war, aber er war mit Abstand der Älteste von ihnen. In zwei Wochen würde er achtzehn und galt damit offiziell als erwachsen. Die Mutter des kleinen Louis, Amanda, war ungefähr sein Jahrgang, und die hatte es auch erwischt. Oder galten für Eltern andere Regeln in dieser total bizarren Sache? Er umrundete das Werkstattgebäude, dessen Scheiben nahezu alle zerschlagen waren, und überquerte den Platz vor dem Zechenhaus mit dem dahinterliegenden Förderturm. Und wenn er sich auch langsam in einen *Insanus* verwandelte? Sollte er die anderen warnen, oder behielt er seine Befürchtung besser vorerst für sich? Wenn nur Per hier wäre, um sich mit ihm zu beraten. Er blieb erschrocken stehen. Sie waren in etwa gleich alt. Was, wenn mit Per dasselbe passierte? Dann waren nicht nur Senta, Ömer und die anderen in Gefahr. Wenn der Gruppe im Moor etwas zustieß, saßen sie hier in der Falle. Sein Blick wanderte über den Platz vor ihm, der vom skelettartigen Schatten des Förderturms zerteilt war. Er betrachtete den mit Graffiti beschmierten Backsteinbau an der Stirnseite, die zerfallene Lagerhalle links, von der nur noch ein paar Mauerreste und Stahlstreben übrig waren, die Kaue und die Baracken weiter rechts und dahinter die Zeche, die man unter Efeu und Holundersträuchern nur noch erahnen konnte. Würde das von nun an ihr Zuhause sein? Irgendwo schepperte es metallisch und riss ihn aus seinen Gedanken. Misstrauisch blickte er sich um. Nichts zu sehen, außer ein paar verrotteter Maschinen, einer alten Lore und einem von Löwenzahn überwucherten Schutthaufen. Sicher hatte ein Luftzug irgendwo eine alte Tür schlagen lassen. Er hob den Kopf. Aber es war windstill. Wieder schepperte es, und zwar eindeutig aus Richtung der Lagerhalle. Er wollte schon zu seinem Smartphone greifen und Lea oder Emre zur Unterstützung herbeiholen, dann entschied er sich anders. Die beiden hatten genug zu tun. Was auch immer den Krach verursachte, er würde dem alleine nachgehen. Geduckt huschte er hinüber zur Lagerhalle, wo er über einen Haufen zerschlagener Dachschindeln klettern musste, um hineinzugelangen. Die Stützpfeiler, die vor hundert Jahren noch das Dach getragen hatten, zeigten nun wie mahnende Finger in den wolkenlosen Himmel. Zwischen ihnen hatte sich ein Meer aus Brennnesseln und Brombeersträuchern ausgebreitet, die seine Waden zerkratzten, als er hindurchging. Auf den Sprossen der glaslosen Fensterrahmen dösten ein paar Tauben und es roch scharf nach Vogelmist. Erneut drang ein Scheppern durch die Halle. Malte sah sich um und bemerkte weiter hinten eine Bewegung. Was genau der Ursprung war, konnte er nicht erkennen, denn der rückwärtige Teil lag im Schatten eines Holunderstrauchs, der über die Reste der Backsteinwand hinausragte. Er tastete sich weiter vor und traf auf einen schmalen Pfad aus flachgedrückten Brennnesseln, der zu der Stelle führte, an der er die Bewegung ausgemacht hatte. Ganz offensichtlich war erst kürzlich etwas – oder jemand – hier vorbeigekommen. Vielleicht Lea, Vic oder einer von den Jungs? Unwahrscheinlich, sie hatten ausgemacht, bei ihren Rundgängen sicherheitshalber nur von außen zu schauen und die Gebäude nicht zu betreten. Man wusste ja nie, wohin man in dem Schutt und Gestrüpp trat. Wieder schlug es, und diesmal war Malte sicher: Es kam von einer Eisentür hinter dem Holunder. Vorsichtig folgte er dem Trampelpfad, wobei er sich von den Tauben auf den Fenstersprossen beobachtet fühlte. Kletten verfingen sich an seinen Schnürsenkeln und erschwerten jeden Schritt. Wer auch immer hier vor ihm entlanggegangen war, diese Person hatte den Weg nicht gerade sorgfältig gewählt. Endlich kam er bei der Tür an, die schief in ihren Angeln hing und sich im Rahmen verklemmt hatte. Unten zog sich eine bogenförmige Schleifspur nach innen.

»Hallo?«, rief Malte halblaut. »Ist da wer?«

Zögerlich griff er nach der Türkante, als plötzlich hinter ihm die Tauben wild flatternd aufstoben. Malte schnellte herum, da schlug ihm krachend die Tür entgegen. Er machte einen Satz nach hinten und landete auf dem Hintern. Als er aufsah, schaute er auf eine schwarze feuchte Nase und in ein Paar große braune Augen, die ihn durch den schmalen Spalt traurig ansahen.

»Wer bist du denn?« Leise lachend betrachtete er den cremeweißen Labradormix, dem die braunen Augen gehörten. Er richtete sich auf und stemmte sich gegen die Tür. »Und wie bist du da reingekommen?«

Der Hund tapste ein paar Schritte zurück, legte den Kopf schief und wartete geduldig auf seine Befreiung. Wie auch immer er dort hineingelangt war, herauszukommen stellte für ihn ein größeres Problem dar. Malte drückte mit aller Kraft und endlich öffnete sich der Spalt mit einem Ruck weit genug, dass Hund hindurchpasste. Winselnd sprang er an Malte hoch und leckte ihm die Hände.

»Schon gut, hab ich doch gern gemacht!« Er kraulte die Ohren des Tiers, dabei entdeckte er ein Namensschild am Halsband. »Ah, du heißt Bella! Dann komm mal mit, Hübsche, du hast doch sicher Hunger.«

Wie zuvor beim Anblick des Babys jauchzte Rebecca vor Verzückung, als Malte mit Bella zur Kleiderkaue zurückkehrte. Gierig stürzte sich die Hündin auf die angebotenen Würstchen, die in Sekundenschnelle verschwunden waren. Winselnd schnüffelte sie über den Boden in der Hoffnung, doch den ein oder anderen Zipfel übersehen zu haben.

»Wir sollten Vicky und Kaan Bescheid sagen, dass sie gleich noch etwas Hundefutter mitbringen«, schlug Franziska vor. »Würstchen sind viel zu salzig für Hunde, und außerdem brauchen wir das Essen für uns.«

»Hast du Angst, sie frisst dir was weg?« Malte versuchte, mit einem Grinsen die Schärfe in seinem Ton zu mildern.

»Schon vergessen? Ich esse kein Fleisch«, antwortete Franzi kühl. »Ich mache mir nur Gedanken um die Gruppe. Und Bella gehört ja jetzt auch dazu.«

»Sorry, du hast recht.« Er hob beschwichtigend die Hände. Mist, schon wieder war er ohne Grund fies geworden. »Ich erledige das gleich.« Er zog sein Smartphone aus der Tasche und schickte eine entsprechende Nachricht an Vicky, ehe er nach Mitri sah. Der dämmerte noch immer fiebrig und halb benommen auf seinem Lager. Seine Gegenwehr hatte er inzwischen aufgegeben, aber er verströmte einen Gestank aus Schweiß, Urin und Krankheit, der Malte nicht nur Übelkeit, sondern Sorgen bereitete. Bella, die beschlossen hatte, Malte als Teilzeit-Herrchen zu betrachten, knurrte bei Mitris Anblick.

»Der wird schon wieder«, versuchte er, die Hündin und auch sich selbst zu beruhigen, und ging weiter zur Fördermaschine, wo die Zwillinge ihre Arbeit soeben beendet hatten. Verschwitzt und ölverschmiert standen sie neben dem Kasten, der mittlerweile mit zwei LKW-Batterien verbunden war.

»Und?«, fragte Malte zur Begrüßung und sah sich die Konstruktion genauer an, ohne zu wissen, was er da überhaupt sah.

»Wir mussten die Leitungen verlängern, aber mach das mal, ohne gescheite Lüsterklemmen. Wir haben die dann gecrimpt«, erklärte Erik.

Gecrimpt. Was sollte das schon wieder heißen? »Funktioniert es?«, unterbrach Malte ihn, bevor er wieder in sein Fachchinesisch fallen konnte, von dem Malte eh nichts raffte.

»Das wollten wir gerade testen.« Sören legte die Hand auf einen Kippschalter, der mit LEISTUNG beschriftet war. Er drückte ihn nach unten, worauf ein paar Lampen auf der Schalttafel aufleuchteten und ein Summen aus dem Innern des Kastens klang.

»Puh, das hat schon mal geklappt.« Sören wischte sich mit dem Handrücken den Schweiß von der Stirn und kletterte hinunter zum Förderkorb. »Kann losgehen!«

»Und jetzt gilt es.« Erik legte den Daumen auf den Knopf für ABFAHRT, kniff die Augen zusammen und drückte. Unter ihnen erklang ein rostiges Knirschen, gefolgt von einem Jubelschrei Sörens.

Erik grinste. »Ich liebe es, wenn ein Plan funktioniert. Jetzt brauchen wir nur noch einen Freiwilligen für die Probefahrt. Irgendwer, der nachsehen kann, ob wir unten überhaupt genug Platz haben.« Er sah Malte so durchdringend an, dass klar war, wen er dabei im Sinn hatte.

»Wollt ihr nicht erst eine Leerfahrt machen um zu testen, ob das Ding überhaupt hält?«

»Nee, Alter. Dafür haben wir nicht genug Saft in den Batterien.« Erik machte die einladende Geste eines Hotelportiers. »Wenn ich den Herrn bitten darf?«

»Okay, ich mach ja schon«, stimmte Malte gedehnt zu. »Aber wenn ihr mich im Schacht hängen lasst, dreh ich euch die Hälse um.«

Von unten erklang Sörens Lachen. »Soll uns das etwa motivieren, dich wieder rauf zu holen, falls was schief geht?«

Malte verschränkte die Arme vor der Brust. »Ich finde die Idee nur nicht gerade prickelnd. Also los, bringen wir es hinter uns.«

Er ging zur Kleiderkaue, packte eine Taschenlampe, ein paar Cracker und eine Flasche Wasser für den Fall ein, dass die Fahrt länger dauern sollte. Die Hündin wollte er bei Lea lassen.

»Lass mich das lieber machen«, versuchte sie, ihn von seinem Plan abzubringen. »Erstens bin ich leichter als du, und zweitens bist du für die Gruppe wichtiger, falls was passiert.«

Malte sah verblüfft von seiner Arbeit auf. »Keiner von uns ist wichtiger, als der andere. Wir sind ein Team. Schon vergessen?« Der Gedanke, dass sie bereit war, sich an seiner Stelle in Gefahr zu begeben, verwirrte ihn viel zu sehr, als dass er ihn laut zur Sprache brachte.

»Ach, ich weiß nicht.« Sie zupfte nervös an Bellas Nackenfell. Täuschte er sich, oder wurde sie rot? »Aber ich finde, du bist derjenige, der den Laden hier am Laufen hält. Ich bin, naja«, sie schien nach dem richtigen Begriff zu suchen. »Entbehrlicher.« Sie lächelte schief.

»Quatsch.« Er stand auf und warf seinen Rucksack über die Schulter. Was sollte dieses Geschwafel denn jetzt? Fishing for Compliments? »Falls dort unten ein Problem auftritt, ist es ja wohl besser, wenn da jemand runterfährt, der Muskeln und genug Nerven hat.«

»Und die hast du ja, im Gegensatz zu mir.« Sie sah ihn gekränkt an. »Ich wünsche dir viel Glück.«

Zusammen mit Bella bezog sie wieder ihren Wachposten am Tor und ließ ihn mit einer Mischung aus Ärger und Schuldgefühl stehen. Das hatte ihm gerade noch gefehlt. Als ob ihm nicht schon mulmig genug wäre, kam jetzt auch noch Lea daher und zog ihn runter.

»Na los, beeilen wir uns«, herrschte er Sören an, stapfte zum Aufzug und betrat den Käfig. Der Junge schob rasselnd das Gitter vor und nickte ihm ernst zu, ehe Erik von oben das Signal zur Abfahrt gab. Ruckelnd setzte sich der Korb in Bewegung, Sören glitt nach oben aus seinem Sichtfeld, dann empfing ihn kühle Dunkelheit.

Er spähte hinauf und beobachtete, wie das von Gitterstäben zerteilte helle Rechteck über seinem Kopf kleiner und kleiner wurde. Verdammt, hoffentlich sah er es bald wieder größer werden. Bisher hatte er noch nie ein Problem mit der Finsternis gehabt, aber hier fühlte es sich an, als würde sie ihn wie schwarzes Öl umhüllen. Blind tastete er in seinem Rucksack herum, holte die Taschenlampe heraus und richtete ihren Strahl auf die grobe Wand, die wie ein endloses Band vor ihm nach oben wanderte. Wie lange mochte es dauern, bis er ankam? Er leuchtete durch das Lochgitter zu seinen Füßen und schluckte. Das Licht verlor sich irgendwo in einem schwarzen Abgrund. Sofort umklammerte er die Taschenlampe fester. Tonlos sang er *Young, wild and free* von *Snoop Dog*, kniff jedes Mal die Augen zusammen, wenn der Korb ruckelte, spürte, wie ihm trotz der Kühle der Schweiß in die Augen lief und atmete erleichtert auf, als bei der dritten Wiederholung des Songs der Aufzug knirschend anhielt.

»Alles okay?«, kam es kaum noch hörbar von oben. Sören vermutlich.

Malte musste sich mehrmals räuspern, ehe er antworten konnte. »Alles klar!«, schrie er heiser nach oben und schob das Gitter auf.

Die Luft, die ihm aus der Sohle entgegenschlug, ließ ihn frösteln. Wie kalt mochte es sein? Vielleicht zwölf Grad? Nach der sommerlichen Wärme gut hundertfünfzig Meter weiter oben kam er sich vor wie in einer Gruft. Hätte er mal an eine Jacke gedacht. Er stieg aus dem Transportkorb und spürte, wie kaltes Wasser seine Sneakers durchdrang. Na toll. Er leuchtete nach unten und sah kristallklares Wasser, das fast knöcheltief im Gang stand. Es kam von den groben Wänden, die feucht im spärlichen Licht der Taschenlampe glänzten. Ein paar Meter weiter sah er einen verrotteten Förderwagen, mit dem vor etlichen Zeiten die Bergleute von der Seilfahrt zu ihren Arbeitsplätzen transportiert worden waren. Längst vergessen stand er auf rostigen Gleisen, die tiefer in die Sohle führten und im Dunkel verschwanden. Darüber zogen sich armdicke Leitungen entlang der Decke ins kontourlose Nichts. An einigen Stellen hatten sie sich aus den Verankerungen gelöst und hingen fast bis zum Boden durch. Was sich womöglich dort hinten verbarg, wollte er sich lieber nicht vorstellen. Nach allem, was sie mit der Puppe erlebt und wie sich die Erwachsenen verändert hatten, kam ihm der Gedanke an Geister oder Monster gar nicht mehr so abwegig vor. Hoffentlich waren sie nicht gezwungen, sich tatsächlich hier unten in diesem Höllenschlund zu verstecken. Dabei dachte er nicht einmal nur an die Kleinen. Schaudernd wandte er sich ab, bestieg den Förderkorb und legte die Hände wie einen Trichter um den Mund.

»Kannst mich hochziehen!«

Mit zusammengebissenen Zähnen wartete er auf Sörens Antwort.

»Moment!«, kam es kaum hörbar von oben.

Komm schon. Mach endlich. Er spürte, wie er die Hände zu Fäusten ballte. Was dauerte denn da so lange? Die Dunkelheit schien durch seine Augen und Ohren, ja sogar durch seinen Mund in ihn hineinzukriechen.

»Vorsicht!« Wieder Sören.

Doch anstatt dass es endlich losging, hörte Malte ein Klackern, als ob etwas Hartes von oben herunterfiel. Gerade noch rechtzeitig duckte er sich, da plumpste neben ihm etwas zu Boden. Ein harter, schwerer Gegenstand, eingewickelt in ein Stück Papier. Von einer üblen Vorahnung gepackt hob er das Päckchen auf und wickelte einen Kieselstein aus, den sie zum Beschweren eines Briefs benutzt hatten. Er spürte, wie seine Beine nachgaben. Mit krakeliger Schrift stand auf dem zerknitterten Papier:

»Sorry, Alter. Bei deiner Ankunft ist das Seil von der Spindel gesprungen. Keine Sorge, wir kriegen das hin, aber es wird ein bisschen dauern, bis wir dich hochholen können. Tut uns echt leid. Halte durch! E+S.«

Längst hatte Malte jedes Zeitgefühl verloren. Was nur *ein bisschen* dauern sollte, schien sich die ganze Nacht hinzuziehen. Hin und wieder hörte er von oben ein blechernes Klappern, gefolgt von einem geisterhaften Sirren, wenn das Förderseil in Schwingung geriet. Beides nicht gerade beruhigend und er wünschte sich nichts sehnlicher, als endlich wieder das Tageslicht zu sehen. Er fror erbärmlich und konnte sich kaum noch vorstellen, dass dort oben Frühsommer war. Hätten sie ihm mal lieber eine Jacke runter geworfen, aber auf die Idee kamen sie nicht. Seine Blase drückte, aber er wagte nicht, den Korb zu verlassen und im Gang pinkeln zu gehen. Von Zeit zu Zeit warfen sie ihm neue Zettel herunter mit Informationen darüber, wie weit sie vorankamen, oder einfach nur, um ihm Mut zu machen. Rebecca hatte ihm ein Bild gemalt, auf dem er zusammen mit Bella und all den anderen zu sehen war. Eine große Künstlerin war sie nicht gerade, denn seine Arme schienen direkt aus seinem Bauch zu wachsen und waren unterschiedlich lang. Bella war so groß wie ein Pferd, aber als er die Unterschrift las, die *Malte beschütsd uns ale* lautete, fing er hemmungslos an zu weinen. Scheißegal, hier unten bekam das eh niemand mit. Schniefend rieb er sich die Augen, lehnte sich gegen das Gitter und fragte sich, ob das nicht vielleicht die

Quittung für seine Gemeinheiten war, die er heute – oder war es gestern? – den anderen an den Kopf geworfen hatte. Ob Lea schon zurück war? Hoffentlich. Nicht nur, weil das Baby seine Milch und Windeln brauchte. Sie hatten sich im Streit getrennt, das durfte nicht ihre letzte Begegnung gewesen sein. Zu Kaan und Franziska war er auch nicht gerade freundlich gewesen, aber das mit Lea setzte ihm echt am meisten zu. Warum eigentlich? Okay, sie war eine Freundin seiner kleinen Schwester, er kannte sie schon ewig, aber richtig wahrgenommen hatte er sie nie. Bis jetzt. Er holte die Cracker aus dem Rucksack und wog sie unschlüssig in der Hand. Obwohl er schon ewig nichts mehr gegessen hatte, verspürte er nicht den geringsten Hunger. Komm schon, du musst bei Kräften bleiben, redete er sich selbst gut zu und warf sich eine Handvoll in den Mund. Sie schmeckten wie Sägemehl und verklebten sich zu einem pappigen Klumpen, der sich kaum schlucken ließ. Mit einem Zug Wasser spülte er den Papp herunter, lehnte den Kopf gegen das Gitter und schloss die Augen. Wenn die da oben nur endlich aus dem Knick kamen.

***

Per

Als Karl zu Ende gelesen hatte und die Zettel sinken ließ, war es bereits finsterste Nacht. Draußen war das Tosen des Sturms abgeebbt. Hin und wieder erhellten weiterhin Blitze das Innere ihrer Behausung, aber das immer später folgende Donnergrollen deutete darauf hin, dass das Gewitter sich entfernte. Der Regen war vom Prasseln in ein gleichmäßiges Tröpfeln übergegangen, doch das alles trug nichts zu

Pers Beruhigung bei. Das, was Karl soeben vorgelesen hatte, ließ ihn mehr erschauern, als es das Unwetter je vermocht hätte. Neben ihm begann Senta zu zittern. Er legte den Arm um sie, doch er fürchtete, er würde ihr nicht allzu viel Wärme spenden können.

»Heilige Scheiße.« Mehr fiel ihm dazu nicht ein. Was gab es da auch groß zu sagen? Nach allem, was sie nun wussten, hatte sich hier eine Katastrophe abgespielt, die weit über den tragischen Tod einer Handvoll Schulkinder hinausgegangen war. Den Zeitungsartikeln zufolge hatten sich damals auch die Eltern und die untröstliche Lehrerin an der wochenlangen Suche beteiligt, bis sie schließlich das Unabänderliche hatten akzeptieren müssen: Die Kinder waren im Moor ums Leben gekommen. Es war eine polizeiliche Untersuchung der Umstände erfolgt, die die Lehrerin von jeglicher Schuld freigesprochen hatte. Auch die Eltern hatten ihr bis auf wenige Ausnahmen keine Vorwürfe gemacht. Was passiert war, war nichts weiter als ein fürchterliches Unglück gewesen, Gott hatte es so gewollt. Der jungen Frau jedoch hatten diese Bekundungen nichts genützt. Sie hatte sich fortan mit Gewissensbissen gequält, die sie erst in eine Depression gestürzt, und dann ins Irrenhaus gebracht hatten. Als wäre das nicht schon genug gewesen, hatte sie sich obendrein auch noch von den zornigen Geistern der Kinder verfolgt gefühlt. Immer wieder, so ihre Beteuerungen damals, hatten sie sie heimgesucht und mit Beschuldigungen gequält. Selbst als man die arme Frau mit Elektroschocks zu heilen versucht und in eine Gummizelle gesperrt hatte, war sie in ihren Wahnvorstellungen dem Rachedurst der Geisterkinder ausgeliefert gewesen.

Eines Tages war ihr die Flucht aus der Anstalt gelungen und sie hatte sich dort verkrochen, wo alles Leid seinen

Ursprung hatte, und zwar genau in dieser Fischerhütte. Sie hatte die Kinder in unzähligen Briefen um Verzeihung gebeten und alle Zeitungsartikel aufgehoben, die von dem Unglück berichtet hatten. Das war ihre Form der Buße gewesen, über die sie mit der Zeit völlig wahnsinnig geworden war. Im Laufe der Jahre hatte sie zwanghaft Puppen für die toten Kinder gesammelt und sie hier gehortet, um die zornigen Geister der Kinder zu besänftigen. Irgendwann hatte man in der Gegend nur noch von der verrückten Puppenfrau gesprochen, die verwirrt und einsam auf der Suche nach den Kindern durchs Moor gestreift war. Die Geschichte um die Tragödie geriet zur Legende und nachdem die Lehrerin, alt und wahnsinnig geworden, gestorben war, hatten die Menschen ihr Werk fortgesetzt und immer neue Puppen und Briefe ins Moor gebracht. Zunächst aus Anteilnahme und um ihr Andenken zu erhalten, später wohl nur noch aus Tradition heraus, denn mit der Zeit blieben die Briefe aus. Das Drama musste ebenso in Vergessenheit geraten sein, wie die Hütte selbst.

»Meine Eltern haben ihnen, ohne es zu wissen, ihr Spielzeug weggenommen«, fasste Senta ihre Gedanken zusammen.

»Nicht ganz«, widersprach Per. »So, wie ich es verstanden habe, sollten die Puppen ihnen nicht nur als Spielzeug dienen. Sie sollten sie besänftigen, damit die Geisterkinder ihre arme Lehrerin in Ruhe lassen.«

»Wie auch immer.« Senta machte eine müde Handbewegung. »Jedenfalls erklärt das, warum plötzlich alle Erwachsenen so seltsam geworden sind. Es war die Rache der toten Kinder, die ihre Puppe wiederhaben wollten.«

»Und das haben sie ja jetzt. Hoffentlich finden sie ihren Frieden und lassen uns in Ruhe.« Per wälzte sich in eine bequemere Position. »Morgen früh hänge ich das Ding hier auf, und dann machen wir, dass wir wegkommen.«

Per glaubte nicht, auch nur ein Auge schließen zu können, aber erstaunlicherweise schlief er in dieser Nacht wie ein Stein. Weder Träume, noch Alpträume oder Visionen suchten ihn heim, und als er am nächsten Morgen mit den ersten Sonnenstrahlen erwachte, fühlte er sich munter und erholt. Zwar taten ihm die Knochen weh, aber sein Kopf war leicht und voller Zuversicht. Gähnend trat er hinaus auf die Veranda und blinzelte in den neuen Tag. Die Puppen ringsherum, die ihm gestern noch bedrohlich erschienen waren, wirkten jetzt nur noch traurig. Letzten Endes waren sie doch nichts weiter als altes Spielzeug längst verstorbener Kinder. Bemitleidenswert, mehr nicht. Hatte er gestern wirklich geglaubt, sie würden ihnen hinterher kichern und sie mit ihren Glasaugen verfolgen? Er lachte kurz auf. Was für ein Bullshit. Da hatten sie sich ja ganz schön in etwas hineingesteigert, fast wie bei einer Massenhysterie.

Hinter ihm knarrte die Tür und Senta kam heraus. Auch sie wirkte viel fitter, die tiefen Ringe unter ihren Augen waren verschwunden und auf ihren Wangen zeigte sich eine gesunde Farbe.

»Der Himmel sieht aus wie frisch gewaschen«, bemerkte sie und stützte sich auf das Geländer. »Eigentlich ist es fast schon hübsch hier, wenn man ein bisschen aufräumen und die Hütte renovieren würde. Geheimnisvoll und irgendwie romantisch.«

Nachdenklich ließ Per den Blick über die Landschaft schweifen. Libellen sausten über das Wasser, das im Licht der aufsteigenden Sonne glitzerte. Eine milde Brise kräuselte die Oberfläche und wiegte sanft das Schilf. Das Sommerlaub der

Bäume raschelte leise und überall summte und zwitscherte es vor Lebensfreude, als hätte es das gestrige Gewitter nie gegeben. Seltsam, wie sich innerhalb einer einzigen Nacht die Ausstrahlung dieses Ortes verändert hatte. Oder lag es an ihnen selbst? Hatte sich das Unheimliche nur von ihrer überbordenden Fantasie genährt? Jetzt, da sie das Geheimnis der Puppen kannten, hatten sie ihren Schrecken verloren. Per holte seinen Rucksack, zog die verschnürte Puppe heraus und betrachtete ihr Porzellangesicht. Nein, ihre Augen glotzten völlig leblos an ihm vorbei. Da war nicht ein Funke von Niedertracht mehr in ihrem Blick, und auch ihr Körper lag steif und regungslos in seinen Händen. Wortlos befestigte er sie am Geländer und nickte zufrieden. Jetzt fühlte es sich richtig an. Ihr Job war erledigt, und nun konnten sie nach Hause gehen.

Hinter ihnen öffnete sich erneut die Tür und Ömer gesellte sich zu ihnen.

»Frühstück schon fertig?« Gähnend streckte er sich. Er wirkte munter und ausgeschlafen, kein Vergleich mit gestern.

»Warte, ich laufe schnell zum Bäcker und hol Brötchen«, scherzte Alyssa, die hinter ihm auftauchte. Als Ömer sie zur Unterstützung unterhaken wollte, winkte sie mit einem Lächeln ab.

»Danke, nicht nötig. Es geht schon. Schau!« Sie streckte den Fuß aus und ließ ihn kreisen. »Tut gar nicht mehr weh.«

»Das nenne ich Wunderheilung«, stellte Senta staunend fest.

»Sehr gut, dann können wir ja aufbrechen. Aber erst nach dem Frühstück.« Per sah sich um. »Wo ist Karl?«

»Da, wo selbst der Kaiser zu Fuß hingeht«, kam es gepresst aus den Büschen, worauf Ömer vor Lachen fast über die Brüstung kippte.

Sie vertilgten die Reste ihres Proviants und packten ihre Sachen zusammen. Ihrem Aufbruch stand also nichts mehr im Wege, nur Karl schien sich von den vielen Zeitungsartikeln nicht losreißen zu können. Immer wieder sortierte er im Zwielicht der staubigen Hütte die Papierfetzen, betrachtete die Fotos und prägte sich die Namen der Kinder ein, während sie ihre Rucksäcke schulterten und vor die Veranda traten.

»Was macht er denn noch so lange?« Senta konnte sich kaum vorstellen, wie man überhaupt länger als nötig an diesem traurigen Ort bleiben konnte.

Ömer verdrehte die Augen und stapfte die morschen Stufen wieder hinauf. »*Abi*, willst du hier einziehen?« Ungeduldig schob er den Kopf durch den Türspalt. »Kannst du meinetwegen machen, aber dann ohne uns. Wir gehen jetzt los, komm mit oder lass es.«

»Ja gut, ich komme«, drang es gedämpft aus dem Innern der Hütte. Im nächsten Moment kam Karl heraus, zog die Tür der Fischerhütte zu und wandte sich seufzend ab. »Das alles sollte jemand sichern und einem Heimatmuseum überlassen. Ein Jammer, dass wir nichts davon mitnehmen können, das sind lokalhistorische Dokumente.«

Alyssa schnaufte verächtlich. »Das fehlte noch! Alles bleibt schön hier an seinem Platz. Ich möchte mir gar nicht vorstellen, was sonst passiert, wenn alleine schon eine einzelne Puppe solch einen Ärger verursacht hat.«

Es sah aus, als wollte Karl etwas erwidern, doch dann nickte er widerwillig. »Möglicherweise hast du recht.«

»Möglicherweise?« Alyssa tippte sich an die Stirn. »Hast du denn gar nichts kapiert, Anurak?«

»Nenn mich nicht Anurak!«

»Aber wenn du doch so heißt?«

»Ich mag das aber nicht.«

»Ich schon. Anurak!«

»Du bist albern.«

Lachend knuffte sie ihn in die Seite und so zogen sie miteinander scherzend los.

Obwohl sie gestern kopflos davongestürzt waren, schlugen sie auf Anhieb die richtige Richtung ein. Der Sonne immer entgegen, kamen sie schon bald zu der Stelle, an der sie auf die Sprechpuppe gestoßen waren. Per versuchte, nicht hinzusehen, aber als sein Blick doch zu dem Ungetüm wanderte, sah er nichts weiter als eine verrottete Plastikpuppe, auf deren Gesicht sich friedlich ein Grashüpfer sonnte. Sie passierten die Stelle ohne Zwischenfälle, und als sie um die Mittagszeit eine Rast einlegten, waren sie alle bester Laune.

Ömer versuchte, Karl davon zu überzeugen, sich ein eigenes *Tag* auszudenken. Alyssa unterstützte ihn eifrig und lachte, als Ömer ihm einen Crashkurs im Gangsta-Benehmen gab.

»Wenn du dich vor einem anderen Typen aufbaust, muss der gleich Respekt haben. Respekt, das ist das Allerwichtigste. Guck mal, so!« Ömer richtete sich auf und zog Alyssa als Versuchsobjekt auf die Füße. Dann stellte er sich breitbeinig vor ihr hin, schob das Becken vor und begann, mit den Armen vor ihren Augen herum zu fuchteln. »Ey, Alter, was geht?«, sprach er sie an und wiegte den Oberkörper hin und her.

Alyssa spielte das Spiel mit und setzte eine übertrieben grimmige Miene auf. Trotzdem konnte Per nicht übersehen, dass zwischen den beiden noch etwas anderes ablief. Etwas, das eher an einen Balztanz erinnerte.

»Du musst deine Eier vorschieben, damit der andere gleich sieht, was für ein Mann du bist. Bleib in Bewegung, zeig, dass du schwer zu packen bist. Und gucke immer auf ihn herab, nie zu ihm auf.«

Karl seufzte. »Ömer, deine Bemühungen in allen Ehren, aber ich bin exakt einen Meter und einundvierzig Zentimeter groß. Statistisch gesehen sind nur rund zehn Prozent der in Deutschland lebenden Kinder meines Alters kleiner als ich. Auf wen, bitteschön, soll ich herabgucken können?«

»Hast du mal versucht, ob es in deiner Schuhgröße High Heels gibt?«, fragte Alyssa treuherzig, worauf Ömer in einen Lachanfall verfiel.

Karl guckte schockiert, aber dann breitete sich ein Grinsen auf seinem Gesicht aus und er stimmte in das Gelächter ein.

»*Abi,* sollte dir einer blöd kommen, der zu den restlichen neunzig Prozent gehört und du hast zufällig keinen Stock dabei, dann rufe einfach deinen Kumpel Ömer. Alles klar?« Ömer legte ihm lachend seinen Arm um die Schulter. Karl strahlte glücklich und begann nun seinerseits, Ömer ein paar Tricks mit dem Stock zu zeigen.

»Die verstehen sich gut, nicht wahr?«, raunte Senta neben Per.

»Ömer und Karl? Ja, ich glaube, die haben sich gesucht und gefunden.«

»Die auch. Aber ich meine eher Ömer und Alyssa.« Wie selbstverständlich schob Senta ihren Arm unter Pers hindurch und ebenso selbstverständlich fanden sich ihre Hände. Automatisch begann Per, ihren Handrücken mit dem Daumen zu streicheln und er stellte sich vor, sich langsam von dort aus hochzuarbeiten.

»Ich freu mich für Ella«, sagte er. »Sie kann ein bisschen Zuneigung gut gebrauchen. Besonders, wenn sie wieder zurück ist.«

Senta schmiegte sich noch etwas enger an ihn, worauf ihm ziemlich warm wurde, was allerdings nichts mit dem Sonnenschein zu tun hatte. »Wir alle werden füreinander da sein, wenn wir zurück sind. Oder nicht?«

Er hob ihre Hand an die Lippen und küsste sie auf die Stelle zwischen Daumen und Zeigefinger. »Auf jeden Fall.«

Sie beobachteten Karl dabei, wie er Ömer in die Kunst des Krabi Krabong einführte und lachten sich gemeinsam mit Alyssa schlapp, als Ömer sich bei einer komplizierten Drehung beinahe selbst k. o. schlug. Sogar als sie bereits wieder auf dem Weg waren, kicherte immer wieder einer von ihnen und steckte die anderen damit an.

Per konnte sich nicht erinnern, wann er das letzte Mal so entspannt war, und er vermutete, dass es den andern ebenso erging. Es fühlte sich gut an und verstärkte nicht nur das Gefühl von Freundschaft zwischen ihnen, sondern spendete ihnen neue Kraft. Unglaublich, dass sie sich erst gestern halb wahnsinnig vor Angst und quasi auf dem Zahnfleisch in die Hütte geschleppt hatten. Wenn er bis jetzt vielleicht noch gezweifelt hatte, ob sie nun endlich wieder nach Hause konnten, so waren ihre neugewonnene Energie und die gute Stimmung die besten Gegenbeweise. Zuversichtlich setzte er einen Fuß vor den anderen und freute sich auf eine Dusche und eine ordentliche Portion vom berühmten Chili con Carne seines Vaters, das er sich von ihm zur Feier des Tages wünschen würde. Wie es den anderen wohl ergangen war? Bestimmt hatte Malte schon die Hälfte vom Weed geraucht und kaum was mitbekommen. Inzwischen dürfte er sich längst in einer gemütlichen Ecke verkrümelt haben, bis alles wieder normal lief und das Chaos beseitigt war. Der Glückliche.

Am frühen Nachmittag fiel ihm auf, dass sie immer seltener auf Puppen stießen. Sie hingen jetzt nur noch vereinzelt, und manchmal konnten sie minutenlang gehen, ohne an einer einzigen vorbei zu kommen. Er überlegte bereits, ob er für die Rückfahrt noch würde tanken müssen, als Karl auf eine Stelle vor ihnen deutete.

»Schaut mal, dort drüben hängen die Puppen, auf die wir als erstes gestoßen sind!« Karl drehte sich lächelnd zu ihnen um. »Leute, wir haben es gleich geschafft!«

Per schloss zu Karl und Ömer auf und schaute auf die Eberesche, an deren Zweigen noch immer die vergammelte Babypuppe und die Plastikpuppe aus den Fünfzigern baumelten. »Stimmt, und dort drüben haben wir übernachtet.« Per wies weiter nach links auf die kleine Kuppe mit den Birken, unter denen sie die längste Nacht ihres Lebens verbracht hatten.

»Home, sweet home.« Ömer spuckte auf den Boden. »Kommt, von hier aus waren es ungefähr noch fünf Stunden. Wir sollten uns beeilen, bevor es dunkel wird.«

Sie setzten sich wieder in Bewegung und näherten sich der Eberesche. Obwohl Per sich noch immer vor dem Anblick der Puppen ekelte, konnte er seine Augen nicht abwenden. Er wollte ganz sicher sein, dass ihm auch nicht die kleinste Bewegung der glasäugigen Scheußlichkeiten entging, aber seine Sorgen erwiesen sich als unbegründet. Die Puppen hingen steif und leblos, wie es sich für tote Gegenstände gehörte. Erst als sie die Eberesche passiert hatten, atmete er auf.

»Leute, das war doch gar nicht so ...«, setzte er an, doch weiter kam er nicht.

Kapitel 17

Malte

Malte erwachte, als der Förderkorb ratternd vibrierte. Reflexartig umklammerte er die Taschenlampe und versuchte, sie anzuknipsen, doch es tat sich nichts. Verdammt, er hatte sie angelassen und war eingepennt. Hektisch tastete er nach seinem Handy. Na klasse, das lag oben, weil es hier unten eh kein Netz gab. Der Panik nahe legte er den Kopf in den Nacken und schaute hinauf. Nichts. Das kleine helle Rechteck war verschwunden, da war nichts als Schwärze. Was ging hier ab? Ein Erdrutsch? Schützend hielt er die Hände über den Kopf, kniff die Augen zusammen und versuchte, ruhig zu atmen. Nein, dann müssten ja Steine auf ihn herabfallen. War er bereits tot? Dann war Totsein eine verdammt kalte Angelegenheit. Er fror bis ins Mark, spürte, wie seine Zähne unkontrollierbar klapperten und musste dringend pissen. Nope, er war definitiv nicht tot. Blind streckte er die Hand aus und ertastete die Gitter des Förderkorbs. Okay, er saß also noch immer fest. Oder? Zögernd schob er die Hand weiter vor, bis seine Fingerspitzen die Schachtwand berührten. Fast hätte er laut gelacht. Die Wand rutschte unter seinen Fingerkuppen nach unten. Endlich! Diese beiden Pickelgesichter hatten es geschafft. Er spähte hinauf, da erkannte er ganz diffus ein graues Rechteck inmitten der Schwärze. Man musste genau hinsehen, um es überhaupt zu erkennen, aber da war es. Er blinzelte und rieb sich die Augen. Ja, es war noch immer da, und es wurde sogar größer. Und jetzt war da auch noch ein dünner Lichtschein, der hin und her schwenkte, ihn aber nicht erreichte.

»Malte?«, vernahm er undeutlich über das Rattern des Korbes hinweg eine Stimme rufen. »Malte?«

»Ja, ich bin hier!«, schrie er aus Leibeskräften zurück, worauf er glaubte, mehrstimmige Jubelschreie zu hören. Er krallte sich am Gitter fest, starrte hinauf und ließ das graue Rechteck und den Lichtschein nicht mehr aus den Augen. Tränen liefen ihm in die Ohren, aber das machte ihm nichts aus. Selbst als ihn der Lichtstrahl endlich erfasste und in seinem Gesicht hängenblieb, wandte er sich nicht ab. Erst, als der Käfig anhielt, sich das Gatter öffnete und eine Vielzahl von Händen ihn aus seinem Gefängnis zog, fiel die Anspannung von ihm ab. Erleichtert sank er in die Arme seiner Freunde, die durcheinander auf ihn einredeten.

»Wir haben gerufen und gerufen, du hast nicht geantwortet«, hörte er Erik sagen.

»Zum Glück warst du drin«, kam es von Sören. »Wir wussten nicht, ob du ausgestiegen warst.«

»*Allah* sei Dank!«, rief Kaan.

»Das blöde Seil.« Vic klang echt wütend. »Es hat ewig gedauert, es wieder zu lösen.«

»Zum Glück hat es geklappt.« Franzi lachte.

»Alle haben mit angepackt«, ergänzte Emre. »Das nenne ich Teamwork.«

Malte hob den Kopf und sah sich um. Es musste knapp nach Tagesanbruch sein, die Sonne war noch nicht ganz aufgegangen und die Förderanlage lag im Dämmerlicht des beginnenden Tages. Aber es war hell genug, die Erleichterung in den ölverschmierten Gesichtern und den müden Augen der anderen zu erkennen. Er wurde umarmt und geknufft, als wäre er direkt aus der Unterwelt zurückgekehrt, und ein bisschen fühlte es sich auch so an. Bella drängelte sich an den anderen vorbei und sprang an ihm hoch. Nur mit Mühe und unter allgemeinem Gelächter konnte er sie davon abbringen, sein Gesicht abzuschlecken. Die warme Luft legte sich wie ein tröstender Mantel um ihn und vertrieb die frostige Kälte aus seinen Gliedern. Mit der Kälte fiel auch die Angst von ihm ab, die er durchgemacht hatte. Sie hatten ihn wieder raufgeholt. Mit vereinten Kräften. Dankbar sah er von einem zum anderen, da bemerkte er, dass jemand fehlte.

»Wo ist Lea?«

Vicky stutzte. »Keine Ahnung, eben war sie noch da.«

»Komm, du musst was essen.« Sören legte ihm die Hand in den Rücken und schob ihn Richtung Kleiderkaue.

Lea saß neben Anton auf einer der Bänke und hielt das Baby im Arm. Sie war so vertieft darin, ihm die Flasche zu geben, dass sie erst aufsah, als Malte sich neben sie setzte.

»Schön, dass du wieder da bist«, begrüßte sie ihn und wandte sich wieder dem Baby zu. Es schmatzte zufrieden und hatte die Äuglein fest verschlossen.

»Ja, ich freu mich auch.« Er streckte die Finger aus, um dem Kleinen über die Wange zu streicheln. Da bemerkte er, wie dreckig seine Hand war, und zog sie zurück. Stattdessen kraulte er Bellas Ohren, die ihren Kopf auf seinem Knie abgelegt hatte. »Und ihr? Habt ihr alles besorgen können?«

»Ja. Sogar ein paar Fruchtgläschen für ihn.« Sie deutete mit dem Kinn auf Anton, der leise brabbelnd seinen Findus knetete. »Er quengelt dauernd nach Senta, aber mit diesem zuckrigen Obstmatsch haben wir ihn wenigstens für eine Weile trösten können. Langsam müssen wir uns seinetwegen etwas einfallen lassen.«

»Gute Arbeit.«

»Außerdem haben wir alle unsere Handys gecheckt. Während die Akkus leer waren, sind nämlich zig Nachrichten eingegangen von Leuten, die sich Sorgen machen, weil sie niemanden von uns erreichen. Zum Beispiel meine Tante aus Köln, sie konnte meine Eltern nicht kontaktieren und hat es bei mir versucht. Sie wollte schon vorbeikommen, so beunruhigt war sie. Ich hab ihr was von einem Netzausfall erzählt, da war sie zufrieden.«

Malte schnaufte. »Netzausfall? Das hat sie dir abgekauft?«

»Warum nicht?« Lea hob die Schultern. »Ich habe einen anderen Anbieter als meine Eltern, und so genau kennt sie sich auch nicht damit aus. Du solltest auch mal nachsehen, ob sich deine Leute bei dir gemeldet haben, und sie beruhigen. Nicht, dass hier noch jemand herkommt, nur weil er nach dem Rechten sehen will. Eurer Oma und einem gewissen Onkel Ernst hat Vicky schon Bescheid gesagt.«

»Ja, mach ich.« Er nahm sein Handy, doch außer den bereits von Vicky erledigten Nachrichten hatte er keine bekommen. Wie auch, seine ganzen Kumpels lebten hier. Er schaute auf und sah zu, wie die anderen geschäftig herumkramten und das Frühstück vorbereiteten. In seinem Kopf rotierten die Gedanken. Er wollte sich entschuldigen für seine Grobheit, ihr erklären, dass er genauso verwirrt darüber war wie sie und ihr von seiner Angst erzählen, sich langsam auch in einen *Insanus* zu verwandeln, aber er konnte die richtigen Worte dafür einfach nicht finden. Frustriert griff er Bellas Ohr, die daraufhin den Kopf hob und sich ihm entzog. Mit einem Satz sprang sie zu Anton auf die Liege und schmiegte sich an ihn. Na toll, sogar der Köter lehnte ihn ab.

»Sonst noch was?« Noch immer mied Lea seinen Blick, aber die Kälte in ihrer Stimme genügte. Botschaft angekommen.

»Nein. Ich geh pinkeln und hau mich hin. Bis später.«

Er stand auf und ging hinaus. Der Tag hatte zwar gerade erst begonnen, aber es war bereits jetzt drückend schwül. Schleierwolken zogen über den Himmel, der gestern noch makellos blau war. Hoffentlich war heute der letzte Tag ihres Exils, langsam ging ihm das alles mächtig auf die Eier. Er erleichterte sich in der Grube am Bahndamm, die inzwischen erbärmlich stank und der hiesigen Fliegenpopulation ein Festmahl bot. Angewidert wandte er sich ab, stapfte zurück und holte seine Sachen, um sich einen Schlafplatz weiter hinten beim Lager der Zwillinge herzurichten. Der Appetit auf Frühstück war ihm gründlich vergangen.

Irgendwann weckte ihn ein Geräusch. Es war der Wind, der leise um die Ruine rauschte, und das Gurgeln abfließenden Regenwassers in einem Fallrohr. Er richtete sich auf und sah sich um. Hier und da tropfte es durchs Dach, und als er durch die zerbrochenen Fenster nach draußen spähte, sah er einen bleigrauen Wolkenhimmel, aus dem ein Schauer niederging. Laut der Uhr seines Handys war es kurz nach vier, aber in der vorgezogenen Dämmerung fühlte es sich viel später an. Es war noch immer warm, aber feucht wie in einem Dampfbad.

Er mochte solche Sommerregen, sie hatten für ihn etwas Reinigendes. Das monotone Murmeln des Wassers und das sanfte Rauschen des Windes beruhigten ihn, und anscheinend ging es den anderen nicht anders. Die Zwillinge fläzten sich auf ihren Lagern und spielten mit ihren Handys, die jetzt wieder Strom hatten. Kaan döste mit dem Baby im Arm halb liegend an der Wand gegenüber, und Emre und Vicky lehnten leise miteinander redend am Tor. Vic hatte die Dachlatte, ohne die sie keinen Schritt machte, achtlos an der Wand abgestellt. Die beiden Schwestern saßen auf ihrem

Schlafplatz und lutschten an ihren Eistüten, die dank der nun mit Strom versorgten Kühlbox noch immer genießbar waren. Anton hockte mit einem Sandwicheis zwischen ihnen, seinen Plüsch-Findus fest im Arm. Wenn das so weiterging, würde sein Magen bald kandiert sein. Lea war als einzige auf den Beinen. Sie kam soeben aus den Duschen, und Malte vermutete, dass sie in der Schwarzkaue nach Mitri gesehen hatte.

Er stand auf und ging zu ihr. »Wie geht es ihm?«

»Schläft. Die ganze Zeit schon. Von der Bong haben wir ihm zuletzt gestern Abend gegeben, aber ich schätze, das Fieber hält ihn schon benebelt genug.« Sie hob ratlos die Schultern. »Er braucht dringend ärztliche Hilfe, wenn du mich fragst.« Falls sie noch sauer auf ihn war, zeigte sie es nicht. Also gut, ein Versuch war es wert, vielleicht ließ sie sich auf ein Gespräch ein.

»Hoffentlich kommen die anderen bald aus dem Moor zurück. Lange halten wir das nicht mehr aus.« Er sah sie zaghaft an. »Außerdem muss ich dir was Wichtiges sagen. Ich glaube, etwas stimmt nicht mit mir.«

Sie hob alarmiert die Augenbrauen. »Was ist los?«

»Komm.« Er nahm sie beiseite, sammelte allen Mut zusammen und fing an zu erzählen.

Sie hörte ihm mit wachsender Nervosität zu. Als er seine Sorge aussprach, er könne sich auch in einen *Insanus* verwandeln, schüttelte sie energisch den Kopf.

»Nein, du doch nicht«, rief sie und schlug die Hände vor den Mund. Mit gesenkter Stimme fuhr sie fort. »Du bist einer von den Guten. Mehr sogar, du bist hier unser Anführer. Klar bist du gereizt, kein Wunder bei allem, was du hier zu tun hast.« Sie hob die Hand und zählte an den Fingern ab. »Das Zeug holen, um den Fahrstuhl zu reparieren, die

Batterien besorgen, erste Hilfe für einen verletzten *Insanus* leisten, dann drückt dir eine Wildfremde ihr Baby in den Arm, die Nacht unten in der Sohle, da muss man ja aggro werden.«

»Nein, du verstehst das nicht«, unterbrach er sie. »Das hat schon früher angefangen, bevor ich unten in der Grube war. Das weißt du doch wohl am besten«, setzte er mit einem verlegenen Lächeln hinzu.

»Du warst nervös vor der Seilfahrt. Zu Recht, wie sich herausgestellt hat.«

»Ich bin sonst nie so.« Warum kapierte sie das nicht? Am liebsten hätte er sie genommen und geschüttelt. »Weißt du, wie alt ich bin? In zwei Wochen werde ich achtzehn. Also fast erwachsen.«

»Das heißt doch nichts.«

Er atmete tief durch. »Kannst du dir vorstellen, wie ich mich fühle? Jetzt, in diesem Moment? Ich muss mich beherrschen, um nicht auszuflippen, weil du es anscheinend nicht verstehst.« Er raufte sich die Haare und spürte, wie ihm die Augen brannten. »Es fühlt sich alles ganz falsch in mir an. Als würde jemand meine Gefühle fernsteuern. Nach Lust und Laune einen Schalter in mir umlegen. Und ich kann nichts dagegen machen. Vielleicht ist es noch nicht so schlimm wie bei den Erwachsenen, weil ich noch so jung bin. Aber schlimm genug, um mitzukriegen, was mit mir passiert, und dass ich es nicht aufhalten kann.«

Als sie ihm die Hand auf den Arm legte, zuckte er zurück, aber sie ließ sich nicht abschütteln. »Also gut. Nehmen wir mal an, es ist so, wie du befürchtest und es liegt nicht nur an deinen Nerven. Was kann ich für dich tun?«

Damit hatte er jetzt mal gar nicht gerechnet. Fragte sie ernsthaft, was sie für ihn tun konnte? Hatte sie noch immer nichts gerafft? »Gar nichts. Außer, dich und die anderen vor mir in Sicherheit zu bringen.«

»Wenn es so weit ist, werde ich das tun. Versprochen.« Sie stellte sich auf die Zehenspitzen und gab ihm einen Kuss auf die Wange. »Aber bis dahin bin ich für dich da.«

***

Alyssa

Wir sind alle tot. Das war der einzige klare Gedanke, den Alyssa fassen konnte. Neben ihr hatte sich Senta auf den Boden geworfen und kreischte sich die Seele aus dem Leib. Karl und Ömer mussten ihrem Gebrüll nach irgendwo vor ihr sein. Wo Per war, wusste sie nicht. Vermutlich zwischen den Binsen links von ihnen. Seine Schreie gingen in dem fürchterlichen Lärm unter, der von überall her auf sie eindrang. So musste es sich anfühlen, wenn man sich im Auge eines Tornados befand, nur dass hier keine entwurzelten Bäume und Trümmer von Häusern um sie herumwirbelten. Es waren vor Wut tobende Schattengestalten, die unter einem Höllenlärm nach ihnen grapschten, sie an den Haaren zogen und sie mit schmerzhaften Kniffen malträtierten.

»Aufhören!«, flehte Senta.

»Lasst uns in Ruhe!« Weinend hob Alyssa die Hände über den Kopf. »Wir haben euch doch nichts getan!«

»Nichts getan?«, fuhr sie eine schrille Kinderstimme an. »Ihr habt uns bestohlen!«

Alyssa lugte unter ihrem Ellbogen hindurch. Was sie sah, saugte ihr augenblicklich alle Kraft aus dem Körper. Mehr als ein Dutzend Kinder lösten sich eins nach dem anderen aus dem Schattenwirbel. Zuletzt ein Mädchen, das nun vortrat und sie hasserfüllt anstarrte. Ihre Umrisse waberten wie Nebel, ihr Körper leuchtete fahl und durchsichtig. Sie mochte vielleicht zehn oder elf Jahre alt gewesen sein und zu Lebzeiten in ihrem Rüschenkleidchen und den blonden Schneckenzöpfen recht niedlich ausgesehen haben. Jetzt aber hatte sich ihr Gesicht in eine dämonische Fratze verwandelt, deren Augen weiß glühten.

»Ihr habt uns unser Spielzeug fortgenommen!«, gellte sie und fuhr in einer einzigen Bewegung so dicht an Alyssa heran, dass die fahlen Augen des Geistes ihr komplettes Blickfeld einnahmen. Alyssa fühlte sich, als würde sie in ein weißes Universum gesogen werden, in dem es nichts gab, weder Mitgefühl, noch Gnade, nichts außer Wut und Einsamkeit.

»W... wir haben es doch zurückgebracht«, hörte sie Senta neben sich rufen.

Das Gesicht fuhr herum und nahm nun Senta in sein eisiges Visier. »Aber wir wollen es nicht mehr«, zischte das Geistermädchen. »Wir haben ein besseres Spielzeug gefunden. Und das geben wir nicht wieder her.«

»Was ... habt ihr gefunden?«, stammelte Alyssa.

Die anderen Geisterkinder schossen vor und bildeten einen engen Kreis um sie.

»Euch!«

Alyssa presste die Hände auf die Ohren, doch sie konnte die Stimmen der Geisterkinder nicht abstellen.

»Euch! Euch! Euch!«, echote es aus zig toten Kehlen.

Am liebsten wäre Alyssa aufgesprungen und davongerannt, aber sie fühlte sich wie am Boden festgenagelt. Ihr Körper bebte so heftig, dass sie befürchtete, einen Anfall zu kriegen.

»A-Aber wir sind keine Sp-Spielsachen«, protestierte sie. »Wir s-sind Menschen!«

»Menschen!« Das Geistermädchen lachte höhnisch. »Ja, das seid ihr. Und wir haben uns ganz vorzüglich mit euch Menschen amüsiert. Damals mit unserer Lehrerin zum Beispiel.«

Das Kichern, das von überall zu kommen schien, ließ Alyssa aufstöhnen.

»Was hatten wir für einen Spaß mit ihr, so viele Jahre«, gluckste eine Jungenstimme. »Schade, dass sie irgendwann nicht mehr mitspielen wollte.«

»Ihr habt sie in den Wahnsinn getrieben, und dann in den Tod!«, schrie Alyssa.

»Jedes Spielzeug geht irgendwann kaputt«, antwortete die Jungenstimme nicht ohne Bedauern.

»Und jetzt seid ihr unser Spielzeug«, fuhr die Mädchenstimme fröhlich fort. »Wir haben Verstecken mit euch gespielt. Und Fangen. Und Scharade. Und ihr habt immer verloren. Das war so lustig!«

Wieder lachte das Mädchen, und die anderen toten Kinder stimmten mit einer Fröhlichkeit ein, die Alyssa das Blut in den Adern stocken ließ.

»Viel lustiger, als nur mit Puppen zu spielen. Wir lassen euch nicht gehen. Ihr müsst bei uns bleiben und für immer mit uns spielen!«

»Für immer! Für immer! Für immer!«, jubelten die Kinder. »Spielt für immer mit uns!«

Von irgendwo her hatten sie ein langes Springseil hervorgezogen. Es schimmerte weiß wie gesponnener Rauch. Zwei kleine Jungen in Knickerbockern und mit Schiebermützen auf den Köpfen nahmen es zwischen sich und begannen, es zu schwingen.

»Hilfe, Hilfe, ich ertrinke! Liebe Anne, komm zu Hilfe«, begannen die Jungen mit hellen Stimmchen zu singen. Das

Geistermädchen trat heran und wippte im Takt des Seils auf den Ballen.

»Kommst du nicht, dann hol ich dich, mit dem Stock versohl ich dich«, setzten die Jungen ihren makaberen Singsang fort, worauf das Mädchen, Anne, Schwung nahm und mit einem Satz in das Seil sprang. Ihre Schneckenzöpfe wippten bei jedem Hüpfer und der Saum ihres Spitzenkleidchens bauschte sich.

»Eins, zwei, drei«, zählten die Jungen, und bei drei sprang Anne wieder hinaus. Inzwischen hatten die anderen Geisterkinder einen Kreis um das Hüpfspiel gebildet und sangen das Lied von neuem.

»Hilfe, Hilfe, ich ertrinke! Liebe Alyssa komm zu Hilfe!«

Alyssa stöhnte entsetzt auf. Bitte nicht! Da fühlte sie, wie Sentas Hand nach ihrer tastete. Hastig ergriff sie sie und hielt sie fest.

»Liebe Alyssa, komm zu Hilfe!«, wiederholten die Kinder, diesmal fordernder.

Senta verstärkte ihren Griff, sah Alyssa an und schüttelte stumm den Kopf. Kalter Schweiß bildete einen klebrigen Film zwischen ihren Händen.

»Sie wird nicht mit euch spielen!«, widersprach Senta laut, ohne Alyssa aus den Augen zu lassen.

»Ihr werdet *alle* mit uns spielen!«, erwiderte Anne.

Wenn sie doch endlich damit aufhörten. Alyssa schluchzte.

»Niemals!« Ohne sie loszulassen, setzte Senta sich neben ihr auf. »Keiner von uns! Ihr könnt uns auf ewig hier festhalten, aber wir spielen nicht mit euch.«

Es war, als hätte sie damit einen Nerv getroffen. Entsetztes Zischen ging durch die Reihen der Kinder. Alyssa hob den Kopf und bemerkte, wie sie einander verunsichert ansahen.

»Ach nein?«, fragte Anne lauernd. Zum ersten Mal wirkte sie nicht mehr so selbstbewusst. Sie legte den Kopf schief und musterte Senta, als hätte sie es mit einem Rätsel zu tun, das sie noch nicht begreifen konnte.

Senta hielt ohne mit der Wimper zu zucken ihren eisigen Blicken stand. »Nein.«

»Und was ist mit euch? Spielt ihr auch nicht mit uns?« Anne sauste hinüber zu Ömer und Karl.

»Verzieht euch!«, rief Ömer, richtete sich halb auf und schlug nach dem Geistermädchen. Seine Hand fuhr einfach durch sie hindurch und verwirbelte dabei für einen Augenblick ihre Konturen. Sie antwortete mit einem schrillen Lachen, das an Fingernägel auf einer Schultafel erinnerte.

»Man wird uns vermissen und nach uns suchen«, setzte Karl hinzu. »Im Handumdrehen ist hier alles voller Leute, und die werden uns retten.«

Anne funkelte ihn spöttisch an. »Ach, und wer soll nach euch suchen? Eure Eltern?« Sie stieß ein verächtliches Schnauben aus. »Unsere Eltern haben auch nach uns gesucht, zumindest anfangs. Dann haben sie der Lehrerin verziehen und ihr armseliges Leben ohne uns weitergeführt. Wir waren ihnen egal!«

Empörtes Tuscheln ging durch die Reihen der Kinder, als könnten sie auch noch nach all den Jahren nicht fassen, was geschehen war.

»Niemand wird dich finden, kleiner Karl Anurak! Niemand wird dich vermissen, denn du bist nur der Sohn einer Hure aus Bangkok, die dich wie Abfall auf einer Bahnhofstoilette weggeworfen hat.«

Ihre Worte schlugen wie Peitschenhiebe auf Karl ein, der ein Wimmern nicht unterdrücken konnte. Am liebsten hätte

Alyssa ihn in den Arm genommen, aber sie wagte nicht, sich zu bewegen.

»Aber hier, bei uns, bist du willkommen. Du kannst für immer mit uns spielen«, fuhr Anne nun schmeichelnd fort und setzte ein Lächeln auf, das sie für süß halten mochte. Auf Alyssa wirkte es so lockend wie der Kleber einer Fliegenfalle.

»Lass ihn in Ruhe, du Miststück!« Wie aus dem Nichts hechtete Per zwischen den Binsen hervor. In den Händen hielt er den Besenstiel, den er wie eine Sense kreisen ließ und Anne in Höhe der Brust zerteilte. Sie fauchte wie eine tollwütige Katze, und noch ehe sich ihre beiden Körperhälften wieder zusammengefügt hatten, hob sie die Arme und stieß ihm ihre ausgestreckten Handflächen entgegen. Sein Körper beschrieb einen hohen Bogen, bis er gegen eine Birke krachte und regungslos an ihrem Stamm liegenblieb. Senta wollte aufspringen, aber Alyssa hielt ihre Hand fest umklammert. Jetzt bloß keine unbedachte Bewegung, die die Geister als Provokation auffassen konnten. Annes Konturen zerfaserten und sie schien sie nur mit großer Mühe bewahren zu können.

Mit stockendem Atem starrte Alyssa Pers reglose Gestalt an. Bitte, lass ihn nicht tot sein. Nach einer gefühlten Ewigkeit bewegte er sich. Dankbar stieß Alyssa die Luft aus. »Aufhören!« Sentas Schrei ließ die Geister schlagartig innehalten. Selbst das Rauschen der Bäume verstummte und alles um sie herum erstarrte.

»Hast du mir etwas zu sagen?«, fragte Anne beinahe flüsternd. Wie dünner Nebel waberte sie umher.

Behutsam löste Senta sich aus Alyssas Griff und stand auf. Aufrecht trat sie Anne entgegen und sah ihr geradewegs ins Gesicht.

»Ich will, dass du meine Freunde gehenlässt. Tu ihnen bitte nicht mehr weh.« Sie schluckte und sah sich nach Per um, der sich die schmerzenden Rippen hielt. Dann schaute sie zu Ömer, der beschützend den Arm um Karl gelegt hatte. Zuletzt sah sie Alyssa an.

»Bitte kümmer dich um Anton«, flüsterte Senta tonlos. Da begriff Alyssa. Entsetzt schüttelte sie den Kopf.

»Nein, Senta! Tu das nicht!«

Traurig lächelte Senta sie an, dann wandte sie sich wieder dem Geistermädchen zu. »Lass sie gehen, dann komme ich mit euch.«

»Nein!« Per versuchte, auf die Füße zu kommen, aber mit einer drohenden Handbewegung ließ Anne ihn innehalten.

Ömer und Karl riefen irgendwas, aber es ging im Jubel der Geisterkinder unter. Sie nahmen Senta bei den Händen und tanzten mit ihr im Kreis herum. Annes Drohgebärde missachtend rappelte Per sich auf und humpelte ihr hinterher, brach aber nach zwei Schritten vor Schmerzen stöhnend zusammen.

»Senta, bleib hier!« Alyssas Magen krampfte sich zu einem heißen Klumpen zusammen. Das konnte doch alles nicht wahr sein. Sie mussten doch etwas tun! Entsetzt streckte sie die Hand nach ihr aus, aber die Geisterkinder zogen Senta bereits mit sich fort.

»Bitte nicht!« Schluchzend blinzelte Alyssa gegen die Tränen an, hinter denen Sentas Umrisse verschwammen. »Lass mich nicht alleine.«

Sie hatten schon fast die Bäume erreicht, da drehte Senta sich noch ein letztes Mal um und lächelte ihr zu, ehe sie mit den Geisterkindern im Moor verschwand.

Ein vertrauter, längst vergessen geglaubter Stich schoss durch Alyssas Eingeweide und durchbohrte ihr Herz. Gequält krümmte sie sich zusammen. Als hätte eine Zeitmaschine sie in die Vergangenheit katapultiert, verschwamm die Welt um sie herum und alles fühlte sich an wie damals. Genau wie an jenem Abend, der ihr Leben so brutal zerstört hatte.

Es war schon spät gewesen, und eigentlich hatte Alyssa längst schlafen sollen, als Amanda in ihr Zimmer gekommen war. Zuerst hatte sie gedacht, sie wollte sie ausschimpfen, weil sie noch heimlich gelesen hatte. Stattdessen hatte sie sich nur ganz ruhig zu ihr aufs Bett gesetzt, ihre Hände zwischen ihre genommen und ihr gesagt, dass Papa vor wenigen Minuten gestorben war. All das war mit einem Schlag wieder da.

Wie lange sie so dalag, seit Senta fort war, konnte Alyssa nicht sagen, alles lag in einem dumpfen Nebel. Die Zeit spielte keine Rolle mehr. Irgendwann rappelte sie sich auf und hockte sich zu den anderen, und so saßen sie beisammen, zitternd, und jeder mit seinen eigenen Gedanken beschäftigt. Keiner von ihnen wagte es, aufzubrechen, denn damit hätten sie die letzte Verbindung zu Senta gekappt und ihr Schicksal besiegelt. Solange sie in ihrer Nähe waren, so ihre irrwitzige Vorstellung, so lange war Senta nicht wirklich verloren. Es war Per, der als erster seine Sprache wiederfand.

»Sie werden sie töten.« Seine Stimme klang brüchig, als wäre er in den letzten Stunden zum Greis geworden.

Alyssa hob den Kopf und sah ihn an. Seine Augen quollen wie entzündet aus seinem bleichen Gesicht hervor. »Bitte. Sag das nicht.«

»Aber es stimmt doch!«, rief er aufgebracht.

»Das kannst du nicht wissen. Vielleicht wollen sie nur ...«

»Ella! Kapier das doch!« In einer verzweifelten Geste hob er die Hände. »Sie ...« Er rang nach Worten.

»Sie wollen, dass Senta für immer mit ihnen spielt«, erklärte Karl um einen sachlichen Ton bemüht. »Und dazu muss sie selbst zum Geist werden. Sie werden sie ganz sicher töten.«

Am liebsten hätte Alyssa Karl ein paar saftige Ohrfeigen verpasst. Sie wollte die Worte in seinen Mund zurück schlagen, nur um sie nicht wahr sein zu lassen. Dabei sprach er lediglich das aus, was sie alle nur zu genau wussten.

»Ob sie sie schon …«, Alyssa bracht es nicht fertig, den Satz zu Ende zu sprechen.

»Ich glaube, sie werden es heute Nacht tun.« Per zog ihren Kopf an seine Schulter. Sie konnte das Beben in seinem Innern spüren, das sie selbst nur allzu gut kannte. Man konnte nichts dagegen machen, es schüttelte nach und nach sämtliche Kraft aus einem heraus. »Genau wie neulich. Sie werden ihr irgendetwas vorgaukeln, damit sie sich selbst ins Moor stürzt.«

»Woher willst du das wissen?« Ömer sah skeptisch auf.

Alyssa hatte bereits befürchtet, er würde gar nicht mehr reden, denn seit Sentas Verschwinden war er verstummt und hatte nur teilnahmslos vor sich hingestarrt.

»Weil es für sie so am einfachsten ist«, erklärte Per. »Vorhin haben sie uns kaum angefasst. Zu mehr als ein bisschen Haare zupfen und Kneifen sind sie nicht imstande. Als diese Anne mich gestoßen hat, hat sie sich danach fast in ihre Bestandteile aufgelöst. Wie wollen sie sie dann töten?«

»Per hat recht«, stimmte Karl zu. »Ihre Stärke liegt in der Täuschung. Sie müssen nur warten, bis sie eingeschlafen ist. Dann gaukeln sie ihr irgendetwas vor, das sie dazu bringt, sich ins Wasser zu stürzen, von einem Baum zu springen oder sich selbst einen Knüppel über den Schädel zu schlagen. Das erscheint mir logisch.«

»Logisch«, wiederholte Alyssa schnaufend und vergrub das Gesicht in den Händen. Dann lebte Senta also noch. Ja. Noch. Wie mochte es ihr gehen? Sicher hatte sie fürchterliche Angst. Sie versuchte, ihre Gedanken in eine andere, hoffnungsvollere Richtung zu lenken, aber sie konnte nichts dagegen tun. Wie eine Dauerschleife lief der Moment vor ihrem inneren Auge ab, in dem Senta mit den Geisterkindern fortgegangen war. Je öfter das passierte, desto verzweifelter wurde sie.

»Okay. Also ich geh dann mal.« Ömer sagte es so beiläufig, als wollte er nur mal rüber zum Büdchen gehen und sich eine Cola kaufen.

Verdattert beobachtete Alyssa, wie er aufstand und den Schirm seines Basecaps nach vorne drehte. Mit grimmiger Miene zog er es tief ins Gesicht.

»Was hast du vor?«

Er zog seinen Edding aus der Hosentasche und versicherte sich auf seinem Handrücken davon, dass er noch funktionierte. »Na was wohl? Ich hole sie zurück. Diese verkackten Gespenster sollen sich gefälligst einen anderen für ihre Spielchen suchen.«

»Warte, ich komme mit!« Per war schon auf den Beinen, aber Karl hielt ihn zurück.

»Leute, auf diese Weise erreichen wir gar nichts. Wir brauchen zunächst einen Plan.«

Per drehte sich zu ihm um. »Karl«, begann er um Beherrschung ringend. »Ich weiß deine Vorsicht wirklich zu schätzen, aber wir haben jetzt keine Zeit mehr für einen Plan. Es sei denn, du hättest zufällig einen in der Schublade.«

»In der Schublade vielleicht nicht.« Karl verzog bedauernd den Mund, um sich dann an die Stirn zu tippen. »Aber hier oben.«

Kapitel 18

Malte

Inzwischen tröpfelte es nur noch hier und da und die Abendsonne schien golden durch die Fensterlöcher. Draußen stieg warmer Dunst vom feuchten Gras auf und hüllte die Ruine in dünne Watte. Sie hatten ein paar Bänke zu einem großen Rechteck zusammengeschoben und hörten bei weichen Kräckern und kalter Dosensuppe zu, was Malte von seinem Ausflug unter Tage zu berichten hatte.

»Das heißt also, unten ist genug Platz für alle«, schlussfolgerte Sören, nachdem Malte geendet hatte.

»Ja, in der Sohle schon, aber da steht das Wasser so tief.« Malte zeigte mit den Fingern einen gut fünfzehn Zentimeter breiten Abstand an. »Und jetzt, da es geregnet hat, dürfte es noch ein gutes Stück mehr werden.«

»Scheiße, dann war der ganze Aufwand also für'n Arsch.« Erik stand auf und ging missmutig auf und ab.

»Wo sollen wir stattdessen hin?« Franzi sah sich um als hoffte sie, irgendwo eine Zaubertür zu entdecken, die sie bisher übersehen hatten.

»In das alte Maschinenlager vielleicht?«, schlug Vicky vor. Das Baby in ihren Armen nuckelte zufrieden an ihrem Zeigefinger.

Emre schüttelte den Kopf. »Da fehlt die komplette Rückwand, das bringst nichts. Wir wären völlig ungeschützt, weil wir da nichts verrammeln könnten.«

»Das Pförtnerhaus ist zu klein, außerdem werden wir da viel zu schnell entdeckt.« Kaan seufzte schwer. »Ansonsten fällt mir nichts ein.«

Malte kratzte die letzten Reste des Gemüseeintopfs aus der Dose und leckte die Finger ab. Inzwischen war sein Hunger zurückgekehrt, aber langsam fürchtete er, Herpes von dem Fraß zu kriegen.

»Ich könnte euch alle mit dem Korb runterlassen und auf halber Strecke anhalten«, schlug er vor und spülte den ranzigen Geschmack mit einem Schluck Wasser runter.

»Dann sitzen wir für wer-weiß-wie-lange wie Ratten im Käfig auf engstem Raum zusammen fest.« Emre winkte ab. »Vergiss es, da bringt mich keiner runter.«

Erik blieb stehen und sah in die Runde. »Malte, Sören und ich würden ja oben bleiben, dann wärt ihr nur zu siebt.«

»Ich sagte, vergiss es, da mach ich nicht mit«, beharrte Emre. »Wir brauchen ein anderes Versteck.«

»Wir sind zehn Leute, Mitri nicht eingerechnet. Elf, wenn man das Baby mitzählt«, meldete sich Sören zu Wort. »Eine so große Gruppe zu verstecken ist nicht gerade einfach. Besser, wir trennen uns.«

»Kommt nicht in Frage«, widersprach Lea. »Wenn die *Insani* uns entdecken, haben wir nur gemeinsam eine Chance, mit ihnen fertig zu werden. Erst recht, wenn wir Anton und das Baby dabeihaben.«

»Wo wir gerade von ihm reden.« Rebecca stand auf und sah sich um. »Wo ist Anton überhaupt?«

»Er schläft drüben auf der Bank.« Kaan deutete vage zum Lager der Schwestern.

Rebecca ging hinüber und sah unter den Jacken nach. »Nein, tut er nicht.«

»Also vorhin war er noch da.« Kaan runzelte die Stirn und schaute in die Runde. »Ihr habt ihn doch auch da liegen sehen, oder? Gerade eben noch.«

»Aber jetzt ist er weg«, rief Rebecca aufgebracht.

»Anton?« Lea wurde kreidebleich. »Verdammt! Anton?« Sofort war sie auf den Beinen. Wie ein aufgescheuchtes Huhn rannte sie suchend herum.

»Macht keinen Scheiß.« Malte stellte seine Dose beiseite und stand auf. »Wollt ihr mir erzählen, der kleine Furz ist abgehauen, und keiner von euch hat was gemerkt? Na los, worauf wartet ihr?«

Endlich kam Bewegung in die Gruppe und sie begannen, kopflos nach Anton zu suchen. Von der Hektik aufgescheucht sprang Bella kläffend herum. Vermutlich hielt sie das für ein neues Spiel.

»Vielleicht ist er rüber zu den Duschen.« Franzi machte sich gleich auf den Weg.

Emre folgte ihr. »Ich seh bei Mitri nach.«

»Anton? Wo steckst du?« Mit dem mittlerweile plärrenden Baby auf dem Arm sah Vicky sich zwischen den Bänken der Weißkaue um.

»Kümmer du dich um Louis, wir übernehmen das«, rief Erik ihr zu und rannte mit seinem Bruder nach draußen.

Von einer üblen Vorahnung gepackt lief Malte zur Fördermaschine. Wenn der Kleine durch das Seitengitter des Förderkorbs gerutscht war ... Weiter erlaubte er seine Gedanken nicht zu gehen.

»Bei den Duschen ist er nicht«, schallte Franzis Ruf durch die Kaue.

»Auch nicht in der Schwarzkaue bei Mitri«, ergänzte Emre.

Von allen Ecken gellten Rufe nach Anton, untermalt von Bellas Gebell. Malte wurde es heiß und kalt. Wenn sie so weiterlärmten, lockten sie bald alle *Insani* der Stadt hierher.

»Bei *Allah*, seid leise«, kam es halblaut von Kaan, der denselben Gedanken gehabt haben musste. »Scht, Bella, ruhig.«

Mit weichen Knien näherte Malte sich dem Förderkäfig. Das Türgitter war halb geöffnet, und unter dem Bodenrost lauerte der teerschwarze Schlund des Schachtes. Als er mit dem Korb gefahren war, war ihm der Abstand zwischen Seitengitter und Schachtwand recht eng vorgekommen. Vielleicht eine Handbreit. Genügte das für einen neugierigen Dreijährigen, um hindurch zu rutschen? Er wischte seine schweißnassen Handflächen an den Hosenbeinen ab, schob das Türgitter ganz auf und betrat den Förderkorb.

»Anton?«, rief er heiser in die Tiefe.

Was für ein Irrsinn. Erwartete er ernsthaft, der Knirps würde noch antworten können, wenn er wirklich dort unten war? Nach gut hundertfünfzig Metern freien Falls? Aber gab es das nicht öfter, dass kleine Kinder in Schächte stürzten und überlebten? Vielleicht, wenn das Wasser ihn abgebremst hatte. Malte sank auf die Knie und lauschte angespannt in die Tiefe. Schweiß lief ihm an der Nasenspitze entlang und tropfte hinab in die Schwärze unter ihm. Da, war das ein Wimmern? Oder täuschte ihn sein eigener Herzschlag, der in seinen Ohren hämmerte? Schaudernd beugte er sich weiter vor.

»Anton?« Er hielt die Luft an und konzentrierte sich. Nein. Alles, was er hörte, war das Plätschern des Grundwassers in der Tiefe. Oder doch nicht?

»Malte! Hier bist du!« Sörens Ruf ließ ihn zusammenfahren.

»Schau mal, was wir gefunden haben.« Er hielt den tropfnassen Plüsch-Findus hoch, ohne den Anton nirgendwo hinging. »Er lag draußen auf halbem Weg zum Wäldchen in Richtung der Schrebergärten.«

Malte schloss die Augen vor Erleichterung. Draußen. Weit weg vom Schacht. Er brauchte eine Sekunde, um sich zu sammeln.

»Okay, dann nichts wie raus, wir müssen ihn finden, ehe es dunkel wird.« Schon war er wieder auf den Beinen.

»Oder die *Insani* ihn finden«, setzte Sören völlig unnötigerweise hinzu und folgte ihm in die Kaue.

»Denkst du, das weiß ich nicht?« Im Laufen fuhr Malte herum und starrte ihn an.

»Bleib mal cool. Kein Grund, durchzudrehen.« Sören bedachte ihn mit einem Grinsen. Höhnisch, als ob er Malte für seine schwachen Nerven verspottete. Hatte er ihn im Förderkorb beobachtet? Den Schweiß, der ihm übers Gesicht gelaufen war, für Tränen gehalten?

»Pass mal auf, dass du cool bleibst.« Abrupt blieb Malte stehen und ließ Sören mit voller Absicht auflaufen. Vielleicht half er auch ein bisschen nach, jedenfalls prallte der Junge wie eine Flipperkugel von ihm ab und landete auf dem Hintern. Der erschrockene Blick, mit dem er zu ihm aufsah, erfüllte Malte mit grimmiger Befriedigung. Dass Sören noch immer dieses alberne Plüschtier im Arm hielt und Tränen seine Augen füllten, setzten Maltes Triumphgefühl die Krone auf. Da hockte der kleine Besserwisser auf dem Arsch und heulte wie ein Baby. Mit zwei raschen Schritten stand Malte über ihm.

»Na, bist du jetzt noch immer cool?«, zischte er ihm drohend zu.

»Malte! Nicht!«

Leas panische Stimme ließ ihn herumfahren. Ihr entsetzter Gesichtsausdruck wirkte wie eine kalte Dusche auf ihn. Schaudernd schüttelte er den Kopf und glotzte verständnislos auf seine geballten Fäuste, mit denen er Sören bedrohte - Sören, der ihnen mit seiner Cleverness so oft die Haut gerettet hatte, dass er es kaum noch zählen konnte. Was war nur mit ihm los?

Lea legte ihm die Hand auf die Schulter. »Malte, es ist alles gut.«

Hastig schüttelte er sie ab. Nicht, weil er sich über sie ärgerte, sondern weil er sich schämte. In ihm tickte eine Zeitbombe, und sie hielt noch immer zu ihm.

»Nein, ist es nicht«, presste er hervor, dann hielt er Sören die Hand hin, um ihm aufzuhelfen. Er rechnete damit, dass er sie ausschlug, ihn beschimpfte und verlangte, ihm vom Leib zu bleiben, und er hätte es ihm nicht verdenken können. Stattdessen sah Sören ihn nur an, mehr überrascht als verärgert, und ließ sich nach kurzem Zögern von Malte auf die Beine ziehen.

»Alter, ich meinte das nicht ...«, begann er, doch Malte schnitt ihm das Wort ab.

»Zeig mir, wo du das gefunden hast«, forderte er und zeigte auf das Plüschtier. Wenn Sören sich jetzt auch noch bei ihm entschuldigte, konnte er für nichts mehr garantieren.

»Klar.« Sören nickte. »Komm mit.«

Zusammen mit Lea liefen sie nach draußen und folgten einem frischen Trampelpfad, der durch das in der Abendsonne feucht glänzende Gras führte. Mücken tanzten im Dunst und für einen Moment wunderte Malte sich, dass es der Natur anscheinend völlig egal war, was hier gerade passierte. Mitten auf dem Pfad stand Erik, der sich suchend umschaute.

»Seht ihr, das Gras ringsherum ist noch ganz nass«, erklärte er bei ihrer Ankunft. »Aber hier ist eine Spur, die dunkler ist, als hätte etwas oder jemand die Regentropfen im Vorbeigehen abgestreift.«

»Könnte Anton gewesen sein«, vermutete Lea.

»Oder Bella.« Kaan hob die Schultern. »Oder ein Fuchs, ein Kaninchen oder sonst was.«

»Hier rumzustehen bringt gar nichts.« Malte zupfte ungeduldig an seinem Kinnbart. »Wir müssen uns aufteilen. Vicky, du bleibst mit dem Baby hier. Zusammen mit Kaan, Franzi und Rebecca.«

»Aber ich möchte helfen!«, protestierte Vicky.

»Du hilfst, indem du mit Kaan die Kleinen beschützt.« Er zog seine Schwester beiseite. »Bitte, Vic. Keine Diskussionen jetzt. Ich brauche jemanden, auf den ich mich verlassen kann.«

Vicky sah nicht gerade begeistert aus, stimmte dennoch zu. »Okay. Wir machen das. Oder, Kaan?«

»Geht klar.« Kaan reckte das Kinn. »Sollte einer kommen und was wollen, mach ich den platt. Ich schwör.«

»Gut.« Malte atmete auf. »Seht nach, ob eure Handys aufgeladen sind. Ihr alle. Sören, Erik, ihr folgt der frischen Spur. Emre und Lea, ihr lauft weiter auf unserem alten Trampelpfad Richtung Wäldchen und weiter zu den Gärten.«

»Einverstanden.« Lea nickte. »Und du?«

»Ich umrunde mit Bella die Ruine. Falls ich ihn nicht finde, stoße ich zu euch. Los jetzt.«

Sie checkten ihre Handyakkus und tauschten ihre Nummern aus, die sie in einer WhatsApp-Gruppe zusammenführten. Zuletzt wünschten sie einander viel Glück und machten sich auf den Weg.

Kaum waren die anderen außer Sicht, fühlte Malte sich wie befreit. Allmählich gingen sie ihm ganz gewaltig auf die Nerven, alleine schon durch ihre bloße Anwesenheit. Und ihre Blicke! Dauernd glotzten sie ihn schräg von der Seite an, als wäre er gestört oder ein Psychopath. Dachten sie, er würde das nicht mitkriegen? Er schlich um das Kauengebäude herum Richtung Lagerräume. Bestimmt hatte Lea ihnen erzählt, was mit ihm los war. Natürlich, warum auch nicht? Schließlich ging es sie alle etwas an, wenn er jeden Moment von *Dr. Banner* zu *Hulk* werden konnte. Trotzdem. Er hatte es ihr im Vertrauen erzählt, musste sie es gleich allen auf die Nase binden? Er spähte hinüber zu der Stelle, wo er Bella gefunden hatte. Nichts. Das Gestrüpp hing noch voller Regentropfen, wäre Anton hier durchgekommen, hätte man es sehen müssen. Er schlug sachte gegen seinen Oberschenkel, damit Bella ihm folgte, und bewegte sich weiter Richtung Maschinenraum. In den Pfützen vor dem Eisentor spiegelten sich Wolken, die sich an den Rändern bereits orange färbten. Bald würde es Abend werden. Während Bella schnüffelnd den steinigen Boden absuchte, schlich Malte zum Tor und versuchte, es aufzuschieben. Es war so fest verklemmt, dass er es nur unter größter Anstrengung bewegen konnte. Keine Chance für einen Dreijährigen. Warum zum Teufel war er überhaupt abgehauen? Konnte er nicht einmal, nur ein einziges Mal auf das hören, was ein Erwachsener - Moment. Malte spürte, wie sich die Härchen auf seinen Armen aufstellten. Was hatte er da gerade gedacht? Benommen schüttelte er den Kopf. So war er doch gar nicht. Er verpasste sich selbst eine Ohrfeige und noch eine zweite, dann war er wieder bei sich. Was war hier los? Sicher wollte Anton nichts weiter, als zu Senta. Er hatte die ganze Zeit schon nach ihr gequengelt. Sie mussten ihn finden, und zwar, bevor ihn die *Insani* fanden. Bevor ich ihn finde, flüsterte eine boshafte Stimme in seinem Kopf. Er presste die Handballen gegen seine Schläfen. Nein, das wird nicht geschehen. Er war Malte, kein *Insanus*, und er würde dagegen kämpfen, solange es sein musste.

»Komm, Bella, hier ist er nicht.« Er gab dem Hund ein Zeichen ihm zu folgen, doch das Tier blieb wie angewurzelt stehen. »Na los, komm!« Er streckte seine Hand nach ihrem Halsband aus, da begann Bella zu knurren.

***

Senta

Senta hatte große Mühe, mit den Geisterkindern Schritt zu halten. Sie hielten ihre Hände sanft umklammert und es fühlte sich an, als würde sich die Kälte der Toten langsam auf sie übertragen und ihre Arme hinaufkriechen. Sie waren schon bis zu den Ellbogen taub geworden und sie hatte die fürchterliche Vorstellung, dass sie sterben würde, wenn sie ihr Herz erreicht hätte. Kreuz und quer führten die Geisterkinder sie durch das Moor. Senta hatte den Eindruck, dass sie jeden Quadratzentimeter auswendig kannten, denn sie bewegten sich ohne zu zögern und sicheren Schritts vorwärts. Obwohl sie selbst mühelos über Tümpel, Gräben und Baumwurzeln schwebten, wählten sie versteckte Wege und Pfade, die Senta ohne zu versinken betreten konnte. Seltsamerweise tröstete es sie, dass die Geister anscheinend aus irgendeinem Grund Rücksicht auf sie nahmen und auch ihr Tempo dem ihren anpassten. Sie wollten sie lebend. Zumindest vorerst, das gewährte ihr einen Aufschub vor dem Unausweichlichen. Was käme, sobald sie am Ziel angekommen waren, darüber wollte sie lieber nicht nachdenken.

Ob die anderen schon auf dem Heimweg waren? Einerseits hoffte sie es, denn dann hätten die Geisterkinder Wort gehalten und alles wäre wieder gut. Dann wären ihre Freunde und die Menschen in Gremmershoven gerettet und ihr Tod wäre nicht vergebens gewesen. Andererseits wünschte sie sich nichts sehnlicher, als dass sie noch immer in der Nähe waren und ihr in ihren letzten Stunden beistanden. Auch wenn sie mit ihrem Opfer so viele Menschen würde retten können, so konnte ihr niemand die Angst abnehmen, die mit jedem Schritt größer wurde und ihren Verstand mit gierigen Bissen auffraß. Sie zwang sich, an das große Ganze zu denken. Die Erwachsenen wären wieder normal und das Leben könnte weitergehen. Anton stand eine fröhliche Kindheit bevor, er würde von liebevollen Eltern behütet aufwachsen und ihre Freunde durften nach Hause. Alleine darauf kam es an. Wie schwer wog da schon ein einzelnes Leben, *ihr* Leben? Nein, der Preis war okay. Trotzdem gab es eine Handvoll Leute, die wahrscheinlich nicht einfach so weitermachen konnten wie bisher. Lea und Vicky, mit denen sie seit dem Kindergarten befreundet war. Sie würden bestimmt einige Zeit trauern, aber eines Tages würde jemand anderes ihr Trikot mit der Nummer neunzehn überstreifen und ihren Platz in der Handballmannschaft einnehmen. Und ihre Eltern? Würden sie den Verlust verkraften? Bestimmt. Sie waren stark, das hatten sie damals bewiesen, als sie ihre Ehekrise überwunden hatten und Anton daraus hervorgegangen war. Anton. Ob er sich später noch an sie erinnern würde? Sie hoffte es, aber er war doch noch so klein, bestimmt verblassten seine Erinnerungen an sie mit den Jahren. Vielleicht war es auch besser so. Vielleicht würde Alyssa die Lücke füllen, die sie bei ihm hinterließ und ihm von seiner großen Schwester erzählen, die ihn so sehr geliebt hatte, und so wenig Gelegenheit hatte, dies zu zeigen. Und Per? Sie schluckte hart am Kloß in ihrem Hals, aber er wollte nicht weggehen. Ihre erste große Liebe. Sie hätte ihn vor dem endgültigen Abschied so gerne geküsst, unter anderen Umständen und in Ruhe und mit dem stummen Versprechen auf mehr. Nie würden sie gemeinsam ins

Kino gehen, händchenhaltend durch die Stadt schlendern und die kleinen Geheimnisse herausfinden, die sie füreinander bereithielten. Es wäre mit ihm so gekommen, ganz bestimmt.

Der Nachmittag schritt voran und allmählich wurde Senta müde. Sie wollte gerade um eine Pause bitten, da entdeckte sie die Umrisse der alten Fischerhütte zwischen den Schilfrohren. Seltsam, offenbar kannten die Geister eine Abkürzung, denn der Rückweg war ihr viel kürzer erschienen als der Hinweg. Oder spielte ihr Zeitgefühl verrückt? Und noch etwas war seltsam: Die Fischerhütte sah ganz anders aus als noch vor wenigen Stunden. Nirgendwo hingen mehr Puppen herum, die ganze Umgebung schien sauber und aufgeräumt. Das Boot am Steg dümpelte im neuen Anstrich auf den Wellen und auch die Hütte selbst erstrahlte im sauberen Glanz. Die Fenster waren intakt und blank poliert. In ihnen spiegelten sich das klare Wasser des Kanals und die Gerätschaften, die gut geölt und schimmernd an der Brüstung baumelten. Auf der Veranda trocknete ein sorgfältig gewartetes Fischernetz, als hätte man es eben erst benutzt. Staunend trat Senta näher heran und setzte ihren Fuß auf die unterste Stufe. Das morsche Holz hatte soliden Brettern Platz gemacht, nirgendwo knarrte und moderte es, und als sie die Tür aufstieß, fiel ihr Blick in einen sonnendurchfluteten Raum. Auf dem blank gewischten Fußboden lag ein bunter Flickenteppich und unter dem Fenster stand ein Schreibtisch mit einer Gaslampe, einem Stapel Papier und einem Tintenfässchen mit einer Schreibfeder. Gegenüber befand sich ein kleiner Schrank, und daneben hing ein Regal mit lauter Kinderbüchern. Zuletzt fiel ihr Blick auf ein frisch bezogenes Bett, auf dessen Kissen eine Puppe – ihre Puppe – thronte. Auch sie hatte sich drastisch verändert. Ihre

Glasaugen schauten Senta freundlich entgegen und ihr Mund lächelte sanft. Sie hatte die Arme in derselben vertrauensvollen Geste erhoben, mit der auch Anton immer darum bettelte, festgehalten und liebkost zu werden. Senta streckte die Hand aus und streichelte ihr über die weichen Locken.

»Gefällt sie dir?«, fragte eine Stimme hinter ihr.

Senta drehte sich um und erblickte Anne, aber sie war nicht länger durchsichtig und wabernd, sondern hatte eine feste Gestalt angenommen. Auf ihren rosigen Wangen glänzte das pure Leben und in den grauen Augen blitzte die Neugier, die allen Zehnjährigen zu eigen war. Als sie näherkam, roch Senta ihren zarten Duft nach Rosenwasser und Seife.

»Komm.« Anne nahm Senta bei der Hand und zog sie neben sich auf die Bettkante. Sie war kein bisschen überrascht zu fühlen, wie das Leben darin pulsierte. »Das ist nun dein Zuhause.« Mit einer allumfassenden Geste hob Anne den Arm. »Du wirst nie mehr traurig sein, oder dir Sorgen machen, oder Angst haben. Von nun an sind wir deine Familie und wir werden für dich da sein. Für immer.« Sie lächelte Senta an, und auf einmal wusste sie nicht mehr, wovor sie eigentlich Angst gehabt hatte. Hier war alles so friedlich und hübsch und Anne so liebenswert, wie konnte sie etwas anderes wollen, als für immer hier bei ihr zu bleiben?

»Ich habe Durst«, sagte sie und kam sich im selben Moment albern vor.

Anne schmunzelte nachsichtig. »Natürlich, es war ein langer Tag für dich.« Sie erhob sich und füllte ein Glas aus einem Krug, der auf dem Schreibtisch stand. Den hatte Senta zuvor noch gar nicht bemerkt. Sie reichte ihr das Glas, auf dessen Außenseite feine Wassertröpfchen herunterperlten.

Es war bis zum Rand gefüllt mit einer rötlich schimmernden Flüssigkeit, in der Eiswürfel schwammen.

»Das ist kalter Himbeertee. Den magst du doch, nicht wahr?«

Dankbar nahm Senta das Getränk entgegen und hob es an die Lippen. Der Tee schmeckte köstlich erfrischend, nicht zu süß und mit einem Hauch Minze. Der Geschmack erinnerte sie an etwas Vertrautes von damals, aber das Gefühl verflüchtigte sich mit jedem Schluck.

»Hast du auch Hunger?« Wie aus dem Nichts hatte Anne einen Teller mit Nutellabroten hervorgeholt und hielt ihn ihr hin. Begeistert langte Senta zu und schob sich eine Scheibe davon in den Mund. Nutella. Irgendwer hatte auch immer Nutella gegessen. Wer war das bloß? Na, egal. Achselzuckend nahm sie eine weitere Scheibe und leckte sich die Nougatcreme von den Fingerspitzen. Anne lachte und Senta lachte mit vollem Mund zurück.

Während sie den letzten Bissen mit einem Schluck Eistee hinunterspülte, bemerkte sie Geräusche hinter der Tür. Sie klangen wie unterdrücktes Tuscheln, vermischt mit leisem Kichern.

»Das sind die anderen«, erklärte Anne auf ihren fragenden Blick hin. »Sie können es kaum erwarten, dich kennenzulernen und mit dir zu spielen. Wollen wir sie hereinlassen?«

»Gerne!« Senta legte die Hände auf die Oberschenkel, um sie an ihren Hosenbeinen abzuwischen, da bemerkte sie, dass sie stattdessen ein blütenweißes Rüschenkleid trug. Nein, das wollte sie nicht beflecken und sah sich ratlos um, aber auch für dieses Problem hatte Anne eine Lösung. Sie stand auf und tauchte ein Leinentuch in eine Waschschüssel, die auf einem Gestell neben dem Bett stand. Zärtlich wischte sie ihr damit die Handflächen sauber.

»Du bist so lieb«, flüsterte Senta und strich dem Mädchen über die Wange. Anne belohnte sie mit einem strahlenden Lächeln, dann ging sie zur Tür und ließ die anderen Kinder herein. Insgesamt waren es fünfzehn, und Anne schien das älteste von ihnen zu sein. Es waren acht Mädchen und sieben Jungen, die nun um sie herumwimmelten und um ihre Aufmerksamkeit buhlten.

»Schau mal, was ich kann!« Ein sommersprossiger Junge, vielleicht sieben oder acht, versuchte, mit seiner Zungenspitze seine Nase zu erreichen.

»Du bist doof, Johannes!« Ein Mädchen mit braunen Zöpfen und einer Zahnlücke stieß ihn zur Seite und schmiegte sich an Sentas Schulter.

»Selber doof!« Johannes drehte dem Mädchen eine lange Nase.

»Kannst du das auch?« Ein anderer Junge schlug ein ziemlich krummes Rad mitten im Zimmer und landete auf seinem Po. Die anderen zeigten mit dem Finger auf ihn und lachten ihn aus. »Ich bin Siegfried«, rief er völlig unbeeindruckt und grinste unter seinem roten Haarschopf.

»Clara, geh weg. Ich will jetzt auch mal neben Senta sitzen.« Ein schwarzhaariges Mädchen im Matrosenkleid zerrte die Kleine mit den braunen Zöpfen fort. Ihr Name lautete Hildegard, wie sie Senta schüchtern anvertraute.

Nach und nach erfuhr sie fast alle Namen der Kinder, bis auf den eines kleinen Jungen, der sich scheu an Annes Rockzipfel festhielt. Er war höchstens fünf oder sechs.

»Bist du jetzt unsere Mama?«, fragte er errötend.

Senta ging vor ihm in die Hocke und musterte sein kleines, von hellen Locken umrahmtes Gesicht. Er hatte erstaunlich lange Wimpern und hinter seinen halb geöffneten rosa Lippen blitzten die schneeweißen Milchzähnchen.

»Möchtest du das denn gerne?«

Er antwortete mit einem eifrigen Nicken.

»Und wie heißt du, kleiner Mann?«

»Anton.« Mit großen Augen erwiderte er vertrauensvoll Sentas Blick.

»Anton?« Irgendetwas klang ganz leise in Senta an, aber sie wusste nicht, was. »Das ist ein sehr hübscher Name.« Sie stand auf und reichte ihm die Hand. »Wollen wir draußen ein bisschen zusammen spielen, mein kleiner Anton?«

Kapitel 19

Malte

»Hey, altes Mädchen, was hast du?« Malte ging vor dem Hund in die Hocke. »Ich bin es doch.«

Bella hob die Lefzen, gab ein grollendes Knurren von sich und preschte vor. Malte warf schützend die Arme über den Kopf, doch der befürchtete Angriff blieb aus. Stattdessen sauste Bella an ihm vorbei und verschwand kläffend in den Büschen rechts der Halle.

»Was zum Teufel?« Malte rappelte sich auf und folgte der Hündin. Äste schlugen ihm ins Gesicht, Brombeerranken zerkratzen ihm die Arme und er hatte Mühe, sich vorzukämpfen. Bei ihren Rundgängen hatten sie diese Stelle nicht näher untersucht, zu dicht stand das Gestrüpp und ihnen wäre nie in den Sinn gekommen, dass hier jemand freiwillig durchkäme. Er duckte sich unter einem Holunderstrauch hindurch, und endlich wurde es leichter. Schritt für Schritt arbeitete er sich vor und stieß auf die hüfthohen Überbleibsel einer Backsteinmauer. Welchem Zweck der Gebäuderest einst gedient hatte, konnte er nur vermuten. Ein Erzlager vielleicht, oder sogar ein vergessener Bunker. Offenbar hatte Bella einen Zugang entdeckt, denn sie schnüffelte aufgeregt auf der anderen Seite an einer Stelle zwischen ein paar Schutthügeln herum. Malte zog sich an der Mauer hoch und kletterte hinüber.

»Bella, was hast du?« Er ging näher heran, um sich die Stelle genauer anzusehen. Die Hündin fand sie offenbar extrem spannend, denn sie kratzte jaulend mit der Pfote daran herum.

»Zeig mal.« Er nahm das Tier am Halsband und zog es beiseite, da erblickte er einen Schuh. Keinen Kinderschuh, sondern einen kaum getragenen lila-gelben Damensneaker. Als er ihn ebenso ungläubig wie vorsichtig hochnahm, glaubte er, noch die Körperwärme der Trägerin zu fühlen. Etwas an dem Schuh kam ihm bekannt vor. Trug eins der Mädchen dieses Modell? Für Rebecca und Franzi war er zu groß und Vics Schuhe würde er erkennen. Immerhin fiel er mindestens fünfmal am Tag über sie, wenn sie sie zu Hause achtlos im Flur stehenließ. Leas vielleicht? Stuss. Und überhaupt, wie zum Henker sollte der hierher gelangt sein? Er wog den Sneaker in den Händen, da fiel es ihm siedend heiß ein. Wieder knackte es im Unterholz. Diesmal ahnte Malte, mit wem er es zu tun hatte, und was diese Person von ihnen wollte.

»Scht, Bella.« Er legte der Hündin beruhigend die Hand aufs Maul und kauerte sich hinter einen Schutthügel. Langsam zog er sein Telefon aus der Tasche und tippte mit bebenden Fingern eine Nachricht in die Gruppe: *Vic, vwrsteck dich mit Babx. Ananda ist in Nähe. Sucht ihn bestmt.*

Angespannt horchte er, bis sich daas Rascheln entfernte und atmete erleichtert auf. Hin- und hergerissen warf er einen Blick über die Schulter. Sein erster Impuls war, zurückzugehen und Vic dabei zu helfen, das Baby vor dessen Mutter zu beschützen. Aber seine kleine Schwester, die vor ein paar Tagen noch kein größeres Problem als eine Niederlage beim Handball hatte, war inzwischen eine Kriegerin geworden. Nein, Louis war bei ihr in den besten Händen, Anton hingegen war ganz alleine und brauchte ihn dringender. Er richtete sich auf, gab Bella ein Zeichen und umrundete den Geröllhaufen, um seine Suche nach dem Jungen fortzusetzen.

Kaum hatte er das Gebüsch auf der anderen Seite durchbrochen, vibrierte sein Telefon. Es war Vic, die mit einem Daumen-hoch-Emoji geantwortet hatte. Noch während er das Handy in der Hand hielt, erschien eine weitere Meldung, diesmal von Erik. *Spur führt zu Gärten. Kommen zu euch @ L, Em. Wo seind ihr?*

Wenige Sekunden später schickte Emre ein Foto, auf dem eine Gartenlaube im Fachwerkhausstil zu sehen war, die zwischen leuchtend pinken Rosenbüschen stand. Dazu noch eine live Standortbestimmung. Malte öffnete die Map und erkannte, dass sich Lea und Emre nicht weit von ihm in westlicher Richtung befanden. Er tippte *Bin gleich bi euvh* zur Antwort und machte sich auf den Weg.

Als er kurz darauf am Treffpunkt ankam, warteten Lea, Emre und die Zwillinge bereits auf ihn. Sie saßen unter einem Vordach der Gartenlaube beisammen und beratschlagten, wo sie als Nächstes suchen sollten. Von Anton hatten sie keine weiteren Spuren entdeckt, aber sie waren sicher, dass er in der Nähe sein musste.

»Kennt er sich in der Gegend aus?«, wollte Malte von Lea wissen und setzte sich auf einen Gartenstuhl. Offenbar gehörte die Parzelle einem Blumenfan mit Hang zum Kitsch, denn zwischen gepflegten Rabatten mit Dahlien, Gladiolen und Lavendel lugten bunte Windrädchen, Schmetterlingsfiguren und Elfen in Spitzenkleidchen hervor. Auf dem Rasen schulterte ein grinsender Wichtel eine kelchförmige Vogeltränke.

»Keine Ahnung, woher soll ich das wissen?«, gab Lea zurück.

»Du bist doch Sentas Freundin, oder nicht? Da wirst du doch wissen, ob sie schon mal mit Anton hier war.« Sie gab sich nicht einmal Mühe, richtig nachzudenken. Am liebsten hätte Malte sie geschüttelt und erschrak, als ihm dies bewusst wurde. »Sorry, ich bin nur noch etwas angefressen wegen dieser Amanda«, versuchte er, seinen Beinahe-Wutausbruch zu entschuldigen.

Lea sah ihn vielsagend an und lächelte verkniffen. »Schon okay. Wo genau bist du denn auf sie gestoßen?«

Dankbar, dass sie den Themenwechsel akzeptierte, erzählte er vom Fund des Schuhs. »Sie ist dann irgendwo zwischen den Büschen verschwunden und ich war auch nicht scharf darauf, ihr zu folgen«, beendete er seinen Bericht.

»Das war richtig so. Vicky und Kaan wissen Bescheid und werden gut aufpassen«, stimmte Sören ihm zu. Ob aus Überzeugung, oder um ihn nicht wieder zu reizen, konnte Malte nicht sagen. »Aber sobald wir Anton gefunden haben, sollten wir uns nach einem neuen Versteck umsehen. Das Bergwerk ist nicht mehr sicher.«

»Wo könnte er nur sein, verdammt nochmal?« Malte ließ seinen Blick durch den Garten schweifen, über die flatternden Wimpel, die bunten Windrädchen und die schaurig kitschigen Märchengestalten. Der perfekte Platz für kleine Kinder, sollte man meinen. Aber etwas Entscheidendes fehlte.

»Ihr sagt, seine Spur führte in diese Richtung?«

Erik nickte. »Ja, bis an den Zugang zur Gartenkolonie. Der Weg ist ab da gepflastert, darum konnten wir ihn nicht weiterverfolgen.«

»Hm.« Malte friemelte nickend an seinem Bart. »Überlegt mal. Wenn ihr drei Jahre alt wärt und euch langweilen würdet. Wo würdet ihr hingehen?«

»Anton liebt es zu rutschen und zu schaukeln«, nahm Lea seinen Gedankengang auf. »Und wenn man am Zugang links abbiegt anstatt geradeaus weiterzugehen ...«

»… Kommt man hinter dem Rapsfeld zum Spielplatz«, schlussfolgerte Sören. »Also los, worauf warten wir noch?«

Sie machten sich auf den Weg Richtung Ausgang der Gartenkolonie. Malte spähte immer wieder um sich in der Erwartung, Amanda irgendwo zu sehen, aber weder von ihr, noch von anderen *Insani* eine Spur. Fast hoffte er, sie irgendwo zu entdecken, denn das würde bedeuten, dass sie sich von der Ruine entfernt hatte. Spürte eine Mutter, wo sie suchen musste? Vielleicht hatte der Fluch einen niederen Instinkt bei ihr geweckt, der sie riechen, ahnen oder sonst wie wahrnehmen ließ, wo ihr Kind sich befand. Oder vielleicht hatte sie einen lichten Moment und suchte in vollem Bewusstsein und in panischer Angst nach dem Kleinen. Die Vorstellung, dass sich der Impuls rasender Wut bei ihr ähnlich wie bei ihm nach dem Zufallsprinzip ein und ausschaltete, war einfach zu grausam. Wie verzweifelt musste sie in diesem Fall sein?

»Vorsicht!« Erik, der mit Sören voranging, bedeutete ihnen, in Deckung zu gehen. Sie kauerten sich hinter einen Jägerzaun und beobachteten durch die Zweige einer Hortensienhecke hindurch ein paar *Insani*, die durch die Kolonie streiften. Offenbar gehörten sie zusammen, denn sie verständigten sich über die Parzellen hinweg mit Handzeichen und schienen die Gegend systematisch zu durchkämmen. Sie waren mindestens zu fünft und sahen auf den ersten Blick wie muntere Kleingärtner aus, die sich in Latzhosen und Karohemden zum gemeinsamen Heckenschneiden verabredet hatten. Nur dass sie die Gartenscheren und Sicheln wie Waffen vor sich her trugen.

»Da lang.« Emre gab den anderen ein Zeichen, ihm zur Laube hinter dem Zaun zu folgen.

Noch hatten die *Insani* sie nicht bemerkt, aber sollten sie auf die Idee kommen, die Richtung zu ändern oder die

Angriffslinie auszubreiten, waren sie geliefert. Sie duckten sich in den Schatten des Schuppens hinter ein Regenfass und beobachteten die Formation. Ein hagerer Mann um die sechzig mit grauen Bartstoppeln und eine Frau in Khakishorts und Tanktop scherten aus und überkletterten den Zaun. Während der Mann zwischen den Beerensträuchern auf der anderen Seite des Gartens verschwand, steuerte die Frau genau in ihre Richtung. Malte bemerkte, wie sich Lea neben ihm noch kleiner zusammenkauerte. Auf Emres bläulich flaumiger Oberlippe traten Schweißperlen aus. Erik ballte die Fäuste und machte sich sprungbereit. Sören, der von allen die schlechteste Deckung hatte, sah sich hektisch nach einem Fluchtweg um. Inzwischen war die Frau so nah herangekommen, dass Malte den Sonnenbrand auf ihren Schultern sehen und ihre Körperausdünstungen riechen konnte. Sobald sie den Blick senken würde, wären sie erledigt. Maltes Herz pochte so laut, dass er glaubte, die Frau müsste es hören. Seine Hände tasteten suchend über den Boden, bis sie ein halbvolles Netz Blumenzwiebeln fanden. Besser als nichts. Er drehte die Zwiebeln zu einem Bündel und verknotete das Netz. Der lächerlichste Totschläger aller Zeiten, aber er würde nicht kampflos aufgeben, falls es zum Äußersten kam. Er wappnete sich für einen Angriff, da raschelte es hinter der Frau in einem Fliederbusch. Sie schnellte herum und stürmte auf den Strauch zu, aus dem laut kläffend ein Hund herausschoss. Bella! Fluchend verfolgte sie das Tier bis zum Zaun, den Bella leichtfüßig übersprang. Zwischen den Gärten flitzte sie munter bellend davon. Die Frau schien das Interesse an der Suche beim Schuppen verloren zu haben. Missmutig trottete sie davon, und auch der Graubärtige schien es sich anders überlegt zu haben. Er kam zwischen den Stachelbeeren hervor und folgte ihr, ohne sich nochmals umzusehen.

»Holy Shit, das war knapp.« Ächzend stand Erik auf.

Zögerlich wagten sich auch die anderen aus ihrem Versteck.

Emre wischte sich mit dem Handrücken übers Gesicht. »Gute Bella. Ob sie sie kriegen?«

»Ach was.« Sören winkte ab. »Erstens ist sie viel zu schnell, und zweitens glaube ich nicht, dass sie es auf Tiere abgesehen haben.«

»Ach, und wie kommst du darauf?«, wollte Malte wissen.

»Ganz einfach.« Sören zuckte mit den Schultern. »Wenn es so wäre, würden hier ja überall tote Hunde und Katzen herumliegen.«

»Ih, du bist ekelhaft.« Lea verzog den Mund, um gleich darauf in Lachen auszubrechen. »Sag mal, was hast du denn damit vor?« Grinsend deutete sie auf das Netz mit Blumenzwiebeln in Maltes Hand. »Wolltest du damit etwa die *Insani* vermöbeln?«

Malte hob die Hand, in der das Netz baumelte. Vorhin war es ihm deutlich schwerer vorgekommen, aber jetzt sah es so bedrohlich aus wie eine halbvolle Tüte Butterkekse.

»Davon verstehst du nichts«, erklärte er um einen ernsten Ton bemüht. »Das nennt man Angriff der Killerzwiebeln.«

***

Per

Sie mussten sich vorsehen. Zwar hatte Ömer alle paar Meter einen Baum oder einen Stein mit seinem *Tag* markiert, doch Per traute den Geisterkindern jede Gemeinheit zu, um sie in die Irre zu führen. Karls Idee, sich in Zweiergruppen aufzuteilen und zu trennen, hatte Per nicht geschmeckt. Das wäre der Super-GAU, wenn sie auch die anderen beiden verlieren würden, aber es blieb ihnen keine andere Wahl.

»Da vorne hängt noch eine.« Alyssa ging zu einem Schlehenbusch und zerrte eine zerfledderte Stoffpuppe aus seinen Dornen hervor. Hastig versuchte sie, sie in ihren Rucksack zu stopfen, doch der quoll bereits über. Inzwischen mussten sie mehr als ein Dutzend Puppen beisammen haben. Auch wenn sie vor ihrem Aufbruch ihre Rücksäcke geleert hatten, so hatten sie bald keinen Platz mehr für weitere dieser Scheußlichkeiten. Vergeblich mühte sie sich damit ab, das Ding zu verstauen.

»Komm, gib sie mir.« Per streckte die Hand nach der Puppe aus. »Ich knote sie mit einer anderen zusammen und werfe sie mir über die Schulter.«

»Haben wir denn nicht langsam genug beisammen?« Mit einer fahrigen Handbewegung wischte Alyssa sich den Schweiß von der Stirn.

»Ella, wir müssen restlos alle einsammeln. Ich will nicht riskieren, dass wir scheitern.«

»Wenn es überhaupt funktioniert«, murmelte sie zu sich selbst und sprach damit das aus, was Per insgeheim auch fürchtete. Was, wenn ihr Plan danebenging und die Geisterkinder nicht auf ihren Trick hereinfielen? Dann war sowieso alles egal. Nachdem er seinen ersten Schock über Sentas Verlust verdaut hatte, stand sein Entschluss fest. Er würde entweder mit ihr zusammen nach Hause zurückkehren, oder gar nicht.

»Hier hat Ömer den Weg markiert.« Er zeigte auf ein weiteres *Tag* an einem Baum. »Da lang.« Sie gingen Ömers Markierungen nach und stießen auf immer mehr Puppen, die sie wie faules Obst von den Bäumen pflückten. Inzwischen störten sie sich nicht mehr an den Schimmelflecken oder den Ameisen, die die Dinger bedeckten und nur einmal stieß Alyssa ein entsetztes Quieken aus, als eine fette Spinne aus der leeren Augenhöhle einer Matrosenpuppe gekrabbelt und über ihre Hand gehuscht war. Mit verbissener Entschlossenheit klaubten sie eine Puppe nach der anderen auf, banden sie zu Bündeln zusammen und warfen sie sich über die Schulter. Nach einer Weile konnte Per seinen Packen nicht mehr tragen und schleifte ihn wie einen Kartoffelsack hinter sich her. Der Schweiß rann ihm in Strömen übers Gesicht und seine Kopfhaut unter den Dreads juckte höllisch. Wer weiß, welche Viecher sich inzwischen darin eingenistet hatten? Womöglich würde er sich den Schädel komplett kahl rasieren müssen, wenn sie wieder zu Hause waren. Malte würden die Augen aus dem Kopf fallen, wenn er ihn ohne sein Markenzeichen wiedersehen würde, aber letzten Endes waren es ja nur Haare. Bis vor Kurzem hätte er es nie für möglich gehalten, es so zu sehen. Außerdem: War es in Indien bei den Hindus nicht üblich, als äußeres Zeichen für einen neuen Lebensabschnitt sein Haar zu opfern? Vielleicht begann hier und heute ja ein neuer Lebensabschnitt für ihn. Aber vorher hatten sie noch eine Menge Arbeit zu erledigen, und nicht mehr viel Zeit dafür. Hoffentlich hatte Karl recht mit seiner Vermutung. Wenn die Geister Senta doch woanders hin verschleppt hatten, würden sie sie nie wiedersehen.

Seine Befürchtungen erwiesen sich als unbegründet, als wenig später Karl und Ömer zu ihnen stießen. Sie waren völlig erschöpft und pfiffen förmlich auf dem letzten Loch. Mit wachsender Ungeduld sah Per dabei zu, wie sie ihren Durst am brackigen Moorwasser aus ihren Wasserflaschen stillten. Endlich kamen sie wieder zu Atem.

»Sie ist tatsächlich wieder in der Fischerhütte.« Keuchend wischte Karl sich den Mund mit dem Handrücken ab.

»Dann lebt sie also noch!« Per sprang auf die Füße und tigerte ungeduldig auf und ab. »Wie geht es ihr? Konntet ihr euch bemerkbar machen?«

Ömer und Karl wechselten unbehagliche Blicke, bei denen sich Pers Magen schmerzhaft zusammenzog.

»Jetzt rede schon!« Per musste an sich halten, nicht jedes Wort einzeln aus Karl herauszuschütteln.

»Nun ja, sie verhält sich so ...« begann Karl gedehnt, worauf Ömer ihm ins Wort fiel.

»Sie ist total gaga!« Mit dem Zeigefinger machte er eine kreisende Bewegung an seiner Schläfe.

»Nein, ganz so ist es nicht«, beeilte Karl sich zu erklären. »Es ist nur, sie benimmt sich merkwürdig. Als wäre sie in einer Art Trance.«

Per hielt im Laufen inne. »Wie meinst du das?«

»Wir haben sie draußen vor der Hütte herumrennen sehen, als würde sie fangen spielen. Sie lachte und sprach mit jemandem, aber da war niemand außer ihr. Und sie hat so ein komisches Singspiel gespielt.« Karl stand auf und hielt beide Hände hoch. »So in etwa, und sie hat dazu gesungen. *Machet auf das Tor, machet auf das Tor, es kommt ein gold'ner Wagen.* Es sah aus, als würde sie die Hände von jemandem halten, der gar nicht da war.«

»Jedenfalls hatte sie jede Menge Spaß«, schloss Ömer. »Voll gruselig. Was haben sie nur mit ihr gemacht?«

Per ließ sich in den Schneidersitz sinken. »Diese miesen Kreaturen haben damit angefangen, sie in ihren Bann zu ziehen. Sie gaukeln ihr irgendeine heile Welt vor, aber das ist nur der Köder für ihre Falle.« Er lachte bitter auf. »Wie ein Sonnentau für Fliegen. Sie locken sie mit singen, spielen und Friede, Freude, Eierkuchen an, damit sie sie leichter töten können.«

»Klingt logisch«, stimmte Karl zu. »Unter diesen Voraussetzungen wird es nicht leicht, Senta wieder zurück in die Realität zu holen.«

»Wenn es nicht sogar schon zu spät ist«, unkte Ömer.

Alyssa warf ihm einen finsteren Blick zu, worauf er betreten den Kopf hängen ließ.

»Wir schaffen das schon.« Trotzig ließ sie sich neben Per nieder. Sie musste sich ein bisschen recken, um ihm den Arm um die Schulter zu legen, was ihm ein winziges Lächeln entlockte.

»Danke, Ella.« Er tätschelte ihre Hand und stand auf. »Also los, Leute, wir haben noch viel zu tun.«

Bis zur Fischerhütte war es nicht mehr weit, vielleicht eine Viertelstunde Fußmarsch. Sie deponierten ihre gesammelten Puppen an einer Biegung des Kanals, die in einer dichten Wand aus Röhricht versteckt lag. Der Ort war perfekt für ihr Vorhaben. Weit genug von der Hütte entfernt, um unbeobachtet agieren zu können, aber nahe genug, um ihren Plan schnell durchzuführen. Und Schnelligkeit war es, worauf es in erster Linie ankam. Sie schwärmten jeweils zu zweit aus und trugen immer mehr Puppen zusammen. Es waren hunderte und als die untergehende Sonne die Wipfel der Birken erreichte, war der Haufen bis auf Brusthöhe angewachsen. Sie mussten immer weitere Umwege zurücklegen, um restlos alle Puppen einzusammeln, und hätte Alyssa ihre Route nicht ebenfalls mit ihrem *Tag* markiert, hätte Per sich sicher hoffnungslos verirrt. Er zerrte gerade eine kahlköpfige Porzellanpuppe in Kniebundhosen und Rüschenhemd aus einem Gebüsch, als er dahinter nur einen Steinwurf entfernt einen alten Bretterverschlag bemerkte. Als er das Geäst beiseite bog, erkannte er zwischen Binsen und Schilf die Rückseite der Fischerhütte. Seine Kehle wurde eng. Da drüben war Senta. Mit angehaltenem Atem lauschte er ihrem fernen Lachen, das fröhlich und unbeschwert zu ihm herüberschallte. Es klang kein bisschen wahnsinnig und jagte ihm kalte Schauer über den Rücken. Und wenn er im Alleingang die Geister einfach überrumpelte und Senta rausholte? Einem ersten Impuls folgend machte er bereits einen Schritt in ihre Richtung, doch da legte Alyssa ihm die Hand auf den Arm.

»Noch nicht«, flüsterte sie. »Hab Geduld.«

Er schüttelte ihre Hand ab. »Aber wir müssen sie -«, begann er, dann besann er sich anders und nickte. »Ja, o. k. Du hast recht. Ohne Ablenkungsmanöver würden sie uns sowieso nicht entkommen lassen.« Schweren Herzens wandte er sich von der Hütte ab und folgte Alyssa zurück zum Puppenberg. Wenn bloß ihr Plan aufging und er nicht am Ende noch bereute, sich darauf eingelassen zu haben.

Kapitel 20

Malte

Sie schlugen den Weg zum Spielplatz ein, indem sie von einem Versteck zum nächsten huschten. Die Begegnung mit den *Insani* steckte ihnen noch in den Knochen und niemand hatte Lust auf eine weitere. Neben der Sorge um Anton machte Malte sich auch Gedanken um Vicky und die anderen. Wenn Amanda tatsächlich zurückgekehrt und auf der Suche nach ihrem Baby war, steckten sie in echten Schwierigkeiten. Sie hatten gerade hinter einem mit einem *King-Ömer-Tag* bekritzelten Bushäuschen Schutz gesucht, als sein Telefon den Eingang einer Nachricht vermeldete. Auch die Geräte der anderen gaben Laut, was nur bedeuten konnte, dass sich jemand aus dem Bergwerk gemeldet hatte.

Eilig las Malte die Mitteilung. *Sind im Pförtnerhaus. Schien sicherer. Alles ruhig*, lautete Kaans Nachricht, worauf Malte sich ein bisschen entspannte. Jetzt mussten sie nur noch Anton finden, doch wenn er nicht wie erhofft auf dem Spielplatz war, war Malte mit seinem Latein am Ende. Woher sollte er auch ahnen, was in so einem kleinen Kinderkopf steckte? Solche Zwerge konnten ja noch gar nicht richtig denken, wer wusste schon, was die vorhatten? Vielleicht war er zum Pering gewackelt, Enten gucken oder wer weiß was. Kleinkinder waren unberechenbar. Wenn er da ins Wasser geplumpst war – sein Pech. Malte schüttelte den Kopf. Hatte er das wirklich gerade gedacht? Der arme Bursche konnte doch am allerwenigsten für den Mist, den sie gerade durchmachten. Wenn jemand Schuld an seinem Verschwinden hatte, dann ja wohl die anderen. Vicky, Kaan,

Franzi und so, sie alle hatten nicht richtig aufgepasst. Kaum hatte er selbst mal kurz die Augen zugemacht, um sich nach dem Horrortrip im Schacht auszuruhen, lassen sie den Kleinen abhauen. Und nicht nur das – jetzt schoben sie es mal wieder ihm zu, den Tag zu retten, während sie gemütlich im Pförtnerhaus hockten und das ganze Eis auffraßen, das er für sie besorgt hatte. Geschah ihnen nur recht, wenn jetzt die *Insani* kämen und sie ein bisschen aufmischten.

»Malte, alles okay mit dir?«

Leas Stimme erreichte ihn wie aus einem roten Nebel. Die Hände, mit denen er die Killerzwiebeln umklammert hielt und fast zerquetscht hatte, lösten sich und er wurde wieder klar. Er nickte, ohne sie anzusehen.

»Ja, alles okay. Kommt, lasst uns weitergehen.« Er richtete sich auf und führte die Gruppe weiter zum Spielplatz. Hoffentlich war Anton da, denn sobald sie ihn gefunden hatten, musste er weg von hier. Eins war sonnenklar: Jede weitere Wutwelle konnte die letzte sein, und was danach geschah, wollte er sich lieber nicht ausmalen.

Sie huschten an einem mit ASSHOLE zerkratzten weißen Gartentor vorbei und bogen auf den Weg zum Spielplatz ab. Hinter dem großen Stromkasten neben dem Eingang gingen sie in Deckung und beobachteten die Umgebung. Aus der Ferne hörten sie scheppernde Geräusche und Johlen wie von einem Volksfest, aber in unmittelbarer Nähe schien alles vorerst ruhig zu sein. Ein besserer Zeitpunkt würde nicht kommen. Malte gab den anderen ein Zeichen und lief voraus zum Spielplatz. Zuerst verdeckte das hölzerne Spielhaus die Sicht, aber als er sich weiter vorgewagt hatte, konnte er den ganzen Bereich vom Gerüst mit der Rutsche über das Schaukelnest, den Wackeltellern bis hin zur Kletterspinne überblicken. Sein Herz hüpfte ihm bis zum Hals, als er Anton auf einem der unteren Seile der Spinne entdeckte. Direkt ihm zu Füßen lag Bella im Sand. Sie klopfte sachte mit dem Schwanz auf den Boden, als sie sie erblickte.

»*Allah* sei gepriesen«, hörte er Kaan neben sich sagen, und obwohl er selbst Atheist war, konnte Malte ihm nur zustimmen. Sie bildeten eine Reihe, an deren Enden die Zwillinge die Formation absicherten, und gingen zu Anton hinüber. Der hatte sie noch gar nicht bemerkt und summte ein Lied vor sich hin, dessen Worte Malte nicht verstand.

Kaan hingegen schien es zu kennen, denn er stimmte gleich mit ein: »*Daglar gibi dalgalari ben asarim, asarim.* Na, Anton? Alles gut mit dir, *Abi*?«

Anton blickte auf und grinste, als er sie erkannte. »Guckt mal, bin ganz alleine geklettert.« Wie um seinen Mut zu demonstrieren, hopste er auf dem Seil auf und ab.

»Das hast du klasse gemacht, kleiner Mann«, rief Lea und streckte die Hände nach ihm aus. »Na? Kommst du in meine Arme?«

Anton zog die Nase kraus. »Malte soll mich fangen.« Ohne zu zögern ließ er die Seile los und ließ sich im blinden Vertrauen darauf, dass Malte ihn rechtzeitig auffing, fallen. Reflexartig riss Malte die Arme hoch und fing den Jungen so selbstverständlich, als würde er den ganzen Tag nichts anderes tun. Gerührt drückte er Anton an sich. Offensichtlich hatte der Zwerg nicht die geringsten Zweifel an ihm.

»Komm, wir müssen zurück.«

»Wann kommt Mama wieder?« Anton verzog weinerlich den Mund.

Malte sah ratlos zu Lea, die kurz zusammengezuckt war.

»Deine Mama kommt bald zurück«, antwortete sie und zerzauste dem Kleinen die blonden Locken. »Na, magst du noch ein Eis?«

Normalerweise hätte Anton sich das nicht zweimal sagen lassen, aber diesmal begann er, sich in Maltes Armen zu winden.

»Will kein Eis mehr. Will meine Mama!«, wimmerte er. »Mama soll kommen! Will nach Hause.« Dicke Tränen rollten ihm über die Wangen und sein Jammern schwoll zu einem herzzerreißenden Schluchzen an.

Unbehaglich sah Malte sich um. Wenn der so weitermachte, lockte er bald sämtliche *Insani* der Stadt an.

»Scht, kleiner Mann, wir müssen leise sein, verstehst du? Wie die Mäuse unterm Katzentisch.« Er klopfte ihm sachte auf den Rücken, aber anstatt dass Anton sich beruhigte, geriet er nun richtig in Fahrt. Sein Schluchzen ging in Kreischen über, worauf Malte seine Bemühungen verstärkte.

»Ruhig, Anton!« Wenn der Bengel bloß endlich die Klappe hielt. »Dreh jetzt nicht durch, klar?«

Erst, als Kaan ihm den Kleinen aus den Armen nahm – nein, riss – bemerkte er, dass er ihn längst nicht mehr nur sachte den Rücken getätschelt hatte.

»Alles gut, *Abi*«, redete Kaan auf den Kleinen ein, während er Malte über Antons Kopf hinweg mit einer Mischung aus Ratlosigkeit und Verachtung ansah. Bella begann zu knurren.

»Seht!« Es war Sören, der sie wieder an ihr vordringlichstes Problem erinnerte. Mit einem Kopfnicken deutete er in Richtung der Sandgrube. Dort überstiegen gerade zwei Frauen den Zaun und scherten sich nicht im Geringsten darum, dass ihre Röcke dabei bis zum Ansatz ihrer Slips hochrutschten. In den Händen hielten sie Einkaufskörbe schlagbereit und eilten, so schnell es ihre Pumps zuließen, durch den Sand auf sie zu.

»Weg hier!« Erik rannte ihnen voraus zum Ausgang, als sich ihnen ein älteres Ehepaar in den Weg stellte. Sie schoben ihre Rollatoren zusammen und sahen ihnen grimmig entgegen.

Im Laufen schwenkte Erik nach rechts aus, durchbrach das Gebüsch hinter dem Stromkästchen und setzte über den Zaun. Die anderen folgten ihm blindlings und Malte war froh, dass nun jemand anderes als ihm die Führung übernahm. Anton auf Kaans Armen schrie wie am Spieß, Bella bellte wie irre und plötzlich schien es, als kämen aus allen Richtungen *Insani* auf sie zu. Bellas Kläffen und Antons Gebrüll mussten eine unheimliche Anziehungskraft auf sie haben, oder vielleicht gaben sie auch das Signal für die finale Jagd auf die letzten verbliebenen Kinder der Stadt.

***

Alyssa

Still saßen sie beisammen und warteten auf die Dunkelheit. Nur Ömer und Karl sprachen flüsternd miteinander, während Per stumm vor sich hin starrte und in seiner Regungslosigkeit beinahe einer Statue glich. Alleine seine Kieferknochen mahlten unaufhörlich. Alyssa hatte sich kurz Sorgen um ihn gemacht, vorhin, als sie auf die Hütte gestoßen waren. Er hatte so gequält ausgesehen, dass sie fürchtete, er würde sich von ihr losreißen und zu Senta hinüberrennen. Zum Glück hatte er nochmal die Kurve gekriegt und sah nun entschlossener denn je aus. Als die Schatten länger wurden und sein Gesicht in Dunkelheit tauchten, stand er auf.

»Es ist so weit«, sagte er ruhig, holte seine Taschenlampe aus dem Rucksack und leuchtete zum Test gegen seine Handfläche. Die Batterien machten bereits schlapp, aber mit etwas Glück hielten sie noch ein bisschen durch. Grimmig schob er die Lampe unter seinen Gürtel und nickte den anderen zu.

Alyssa, Karl und Ömer kamen ebenfalls auf die Füße, wobei Ömer sich nochmal bückte und mit den Fingern eine Handvoll Matsch aus dem Boden grub. Ehe Alyssa ihn fragen konnte, was er damit vorhatte, zog er sich mit den Fingerspitzen zwei dunkle Linien unter die Augen. Dann hielt er auch Karl den Matsch hin, worauf dieser sich ohne zu zögern dieselbe Bemalung ins Gesicht schmierte. Nie hätte Alyssa gedacht, dass ausgerechnet er sich freiwillig schmutzig machte – geschweige denn Dreck ins Gesicht rieb –, doch das entschlossene Funkeln seiner Augen belehrte sie eines Besseren. Er war nicht länger der pingelige kleine Junge mit eingestickten Initialen auf seinem Taschentuch, er war jetzt ein Krieger, mit dem nicht zu scherzen war.

»Darf ich auch?« Sie deutete auf Ömers Hand, worauf er seine Finger erneut in den Matsch tunkte und ihr je zwei Streifen unter die Augen malte. Zuletzt hielt er Per die Hand hin, der sich mit dem Rest des Lehms ebenfalls in einen Krieger verwandelte.

Im Gänsemarsch machten sie sich nahezu lautlos auf den Weg. Schon nach wenigen Metern hatte Alyssa die Orientierung verloren, doch Karl führte sie trotz der Dunkelheit so sicher ans Ziel, als ob er die letzten Stunden damit verbracht hatte, den Weg auswendig zu lernen - was wahrscheinlich auch stimmte.

In Sichtweite der Veranda kauerten sie sich hinter ein Gebüsch und beobachteten die Hütte. Ein schwacher Lichtschein fiel durch die zerbrochenen Fenster nach draußen, vermutlich hatte Senta die alte Petroleumlampe entzündet. Hin und wieder drang ihre Stimme zu ihnen herüber, und obwohl sie keine einzelnen Wörter verstehen konnten, so hörten sie doch zunehmende Müdigkeit heraus. Es konnte also nicht mehr lange dauern, und tatsächlich, nur wenige Minuten später erhellte ein breiter Lichtstreifen die Veranda.

Senta öffnete die Tür, räkelte sich gähnend und fragte: »Ist es denn weit?«

Irgendwer schien ihr geantwortet zu haben, denn sie nickte und streckte die Hand aus, als würde sie die eines kleinen Kindes fassen.

»Okay, aber danach gehe ich schlafen.« Sie hielt inne, lächelte und ging in die Hocke. »Na klar, wenn du unbedingt willst«, antwortete sie dem unsichtbaren Kind, streichelte die Luft an der Stelle, an der Alyssa dessen Wange vermutete, und richtete sich auf.

»Hey, nicht so schnell!« Mit vorgestrecktem Arm stolperte sie im Laufschritt die Stufen hinunter und verschwand in der Dunkelheit.

Einer stummen Übereinkunft folgend erhob sich Per und schlich Senta hinterher, während Alyssa, Ömer und Karl nun auch die Puppen hier im Umkreis der Hütte einsammelten. Zuerst hielt sie es für keine gute Idee, nochmal die Verandastufen hinaufzusteigen und die Hütte zu betreten, doch dann verließ sie sich doch auf Karls Einschätzung. Die Geisterkinder würden alle mit Senta gehen, keins von ihnen würde zurückbleiben und den heiß ersehnten Moment verpassen wollen, an dem sie eine von ihnen wurde.

Kurz schreckte Alyssa vor der Schwelle zurück, bevor sie zusammen mit Ömer den schäbigen Raum betrat und ihre erste Ladung Puppen hineinwarf. Alles lieb ruhig, kein Kreischen, das ihre Trommelfelle zum Bersten brachte und auch kein Sturm, der plötzlich aufbrauste. Ömer blies die Flamme der Petroleumlampe aus, nahm sie vom Haken und schüttelte sie. Das Plätschern in ihrem Blechbehälter quittierte er mit einem kalten Grinsen, bei dem Alyssa zum ersten Mal nicht mehr den Teddybären in ihm erkannte. Sie drehte sich um und machte sich daran, weitere Puppen einzusammeln und in die Hütte zu befördern. Karl half ihr, während Ömer damit begann, den Puppenberg abzutragen und ebenfalls herzuschleppen. Sie arbeiteten wie die Besessenen. Mit beiden Händen schaufelten sie die Puppen in die Hütte, stopften sie wahllos hinein und gönnten sich nicht eine Sekunde Pause. Nach kurzer Zeit waren sie schweißüberströmt und bedeckt von Staub, Spinnweben, toten Insekten und voller Schimmelsporen, die Alyssa zum Niesen brachten und in ihren Augen brannten. Schon bald quollen die scheußlichen Dinger über die Türschwelle. Alyssa beförderte sie mit einem Tritt hinein und stemmte sich gegen die Tür, die Karl mit einem losen Brett verkeilte. Danach gingen dazu über, die Puppen durch die zerborstenen Fenster hineinzuwerfen, aber als nach einer Weile auch hier nichts mehr hineinpasste, legten sie sie auf der Veranda ab, schmissen sie aufs Dach oder klemmten sie an das Geländer. Erst als sie auch die letzte Puppe untergebracht hatten, erlaubte Alyssa sich eine kurze Pause. Keuchend stemmte sie die Hände auf die Oberschenkel und betrachtete ihr Werk. Ja, das könnte tatsächlich klappen. Wenn es nur nicht schon zu spät war.

Kapitel 21

Malte

Überall wimmelte es von *Insani*, die aus allen Himmelsrichtungen zusammenkamen. Auf den öffentlichen Straßen und Wegen hatten sie keine Chance, sie mussten sich etwas anderes überlegen, und zwar schnell. Malte hatte gedacht, die Straßen seiner Heimatstadt wie die Linien auf seinen Handflächen in- und auswendig zu kennen, aber das war kein Vergleich zu den Ortskenntnissen von Sören und Erik. Sie schlugen einen Haken nach dem anderen, durchbrachen ordentlich geschnittene Gartenhecken, nutzten versteckte Verbindungswege und kletterten über Maschendrahtzäune, als hätten sie ein geheimes Wegenetz an Abkürzungen im Kopf, das den normalen Bewohnern verborgen blieb.

»Wo laufen wir eigentlich hin?«, keuchte Lea, als sie hinter einer zum Bücherhäuschen umgebauten Telefonzelle Schutz suchten.

»Siehst du die Garagen dort drüben?« Sören zeigte auf die andere Straßenseite. »Dahinter geht ein Pfad, der zum alten Rübenhof führt.«

»Da wohnt Per«, warf Malte ein. »Keine gute Idee, wenn seine Eltern noch dort sind.«

Sören schüttelte den Kopf. »Die werden uns nicht sehen. Der Weg geht auf der Rückseite am Rübenkeller vorbei. Das ist eine Abkürzung zum Gemeindehaus. Dort müssen wir nur über den alten Brunnenplatz, dann über den Zaun und die Böschung runter. Von dort aus geht ein schmaler Wirtschaftsweg an den Schrebergärten vorbei, durch das kleine Wäldchen und schließlich zum Bergwerk.«

»Wie weit ist das insgesamt?«, wollte Kaan wissen. Anton auf seinen Armen hatte aufgehört zu weinen und nuckelte angestrengt an seinem Fäustchen.

»Unter normalen Umständen wären wir in zehn Minuten da, aber mit ihm ...«, Sören hob ratlos die Schultern.

»Soll ich ihn mal nehmen?«, bot Malte an, doch Kaan zog den Kleinen sofort an sich.

»Ich mach das.« Erik streckte die Hände aus, worauf Kaan ihm den Jungen bereitwillig und mit einer guten Portion Erleichterung übergab. Malte konnte es ihnen nicht verdenken, dennoch spürte er eine Welle der Verärgerung heranschwappen. War er jetzt ein Aussätziger, dem man nicht einmal mehr ein Kind anvertrauen konnte?

»Na los, worauf warten wir?« Grimmig gab er Sören ein Zeichen, ihnen vorauszugehen.

Geduckt huschte Sören mit Bella im Schlepptau über die Straße und hockte sich an die Garagenmauer. Malte beobachtete, wie er nach links und rechts die Straße entlang spähte und ihnen einen Wink gab, ihm zu folgen. Als nächstes schlich Kaan hinüber, gefolgt von Erik mit Anton. Der schien zu ahnen, in welcher Gefahr sie sich befanden und vergrub still sein Gesicht in Eriks Halsbeuge.

»So, jetzt du.« Lea legte Malte eine Hand in den Rücken und versuchte, ihn Richtung Straße zu schieben.

Von der anderen Seite beobachtete Sören mit besorgter Miene die Straße und winkte sie mit einer ungeduldigen Geste heran. Malte schüttelte den Kopf. »Nein, du zuerst. Na los, es wird langsam eng.«

»Aber ich bin ...«, setzte sie zu einem Protest an, den er barsch unterbrach.

»Du bist was? Eine bessere Rückendeckung für die anderen als ich?« Er sah sie grimmig an. Hielt sie ihn inzwischen für ein unkalkulierbares Risiko, das man lieber im Auge behielt?

»Nein.« Sie lächelte verlegen. »Ich bin viel flinker als du. Falls wir nicht in einem Rutsch rüberkommen, kann ich euch später viel leichter einholen, als du.«

Zu verblüfft, um etwas erwidern zu können, starrte Malte sie an. Noch immer hielt sie unerschütterlich zu ihm und schaute so vertrauensvoll zu ihm auf, dass er es kaum ertragen konnte. Was auch immer sie in ihm sah, er war sicher, dem nicht einmal unter normalen Umständen gerecht werden zu können. Sollten sie das alles heil überstehen, würde er in Zukunft sehr viel Zeit mit dem Versuch verbringen, der Mann zu werden, den sie in ihm sah. Jetzt aber konnte er sich nur zu ihr herunterbeugen und ihr einen scheuen Kuss auf den Mundwinkel setzen.

Ehe sie darauf reagieren konnte, ertönte Sörens Warnpfiff. Sie blickten hinüber und sahen ihn und Kaan, die ihnen aufgeregt zuwinkten. In ihren Gesichtern stand der blanke Schrecken.

»Bitte, geh«, drängte Malte. »Ich werd mich schon irgendwie durchschlagen.«

»Nicht ohne dich.«

»Doch, du musst. Ich lenke sie von euch ab und komme dann nach. Ich weiß, du bist schneller als ich, aber ich bin stärker, falls …«

»Falls sie angreifen und du dich wehren musst.« Sie nickte schwach. Tränen traten ihr in die Augen, die sie unwirsch mit dem Handrücken wegwischte.

»Ich komme nach. Versprochen.« Er zwang sich zu einem Lächeln. Im Hintergrund sah er, wie Sören immer panischer wurde. Sanft, aber bestimmt nahm er sie bei den Schultern, drehte sie herum und schob sie auf die Straße.

Sie strauchelte, fing sich wieder und rannte hinüber, wo sie mit einem letzten verzweifelten Blick zurück hinter der Garagenmauer verschwand.

Sogleich hörte Malte rasche Schritte näherkommen. Er schob den Kopf hinter der Telefonzelle hervor und sah vier *Insani* näherkommen. Sie waren unbewaffnet, aber dafür verdammt schnell. Alle vier kannte er von der Schule, sie waren gerade einmal zwei Jahrgänge über ihm gewesen und gehörten der örtlichen Blaskapelle an. Jedes Jahr zum Schützenfest marschierten sie zusammen mit den Jägerzügen, dem Königspaar und dem Tambourcorps unter dem Jubel der Schaulustigen durch die Straßen. Heute jubelte ihnen niemand zu, und anstatt eines fröhlichen *Hoch auf dem gelben Wagen* hatten sie etwas ganz anderes im Sinn. Ob sie die anderen beim Überqueren der Straße bemerkt hatten, konnte Malte nicht sagen, und er wollte keine Zeit damit verschwenden, es herauszufinden. So nahm er allen Mut zusammen, atmete tief durch und sprang hinter der Telefonzelle hervor auf die Straße.

»Hey, ihr Arschlöcher«, schrie er und hob beide Arme winkend über den Kopf. »Lust auf 'ne Runde Fangenspielen?«

Die vier blieben so abrupt stehen, dass sie ineinander stolperten. Zwei von ihnen fielen hin und schlugen sich die Knie auf, aber im Nu waren sie wieder auf den Beinen. Blut sickerte den beiden die Schienbeine herunter, aber sie schienen es nicht zu bemerken. Stattdessen fixierten sie Malte mit hasserfüllten Blicken und deuteten auf ihn.

»Der da! Den schnappen wir uns«, schrie einer, dann liefen sie los.

Malte drehte sich herum und machte, dass er wegkam. Perfekt. Falls die Trompetentypen vorgehabt hatten, Lea und die anderen zu verfolgen, so hatten sie jetzt ein neues Ziel – ihn. Er rannte die Straße entlang und versuchte, sie alleine durch sein Tempo abzuschütteln. Aus den Augenwinkeln bemerkte er hier und da Gestalten, die in Vorgärten herumstreiften, durch zerbrochene Fenster in die Häuser spähten oder einfach nur ihrer Zerstörungswut freien Lauf ließen. Ein paar Autos am Straßenrand waren verbeult, zerkratzt und hatten zertrümmerte Scheiben, hier und da stieg Qualm auf und aus einem der Häuser schrillte ein Rauchmelder. Malte fragte sich, wie die Leute das ihren Versicherungen erklären würden und spürte, wie bei dem Gedanken der irre Drang zu lachen in ihm aufstieg. Übernimmt das die Vollkasko, wenn die Stoßstange abgefallen ist beim Versuch, das eigene Kind zu überfahren? Er versuchte, die vier Typen abzuschütteln und bog in eine Spielstraße ab. Die Hüpfekästchen und Kreidemalereien auf dem Asphalt waren zwar vom Regen verwaschen, aber inzwischen abgetrocknet und noch immer gut erkennbar. Wie es den kleinen Malerinnen und Malern wohl ging? Hatten sie es rechtzeitig in Sicherheit geschafft? Scheißegal, er hatte jetzt andere Probleme. Hinter ihm kamen die Schritte immer näher, er musste sich etwas einfallen lassen. Alleine über Tempo und Ausdauer würde er sie nicht loswerden. Schweiß rann ihm in die Augen und sein Herz pumpte wie ein altersschwacher Dampfkessel. Zu wenig Sport, zu viel Gras, jetzt bekam er die Quittung. Hektisch sah er sich nach einem Versteck um. Nur um ein bisschen durchzuatmen, dann nichts wie weiter. In seiner linken Seite begann es zu stechen, lange würde er das nicht mehr durchhalten. Er schlug einen Haken, durchbrach eine Thujahecke und fand sich in einem gepflegten Vorgarten wieder. Auf dem Rasen lag eine umgekippte Plastikrutsche und daneben ein halbvolles Planschbecken. Das reinste Kinderparadies. Vermutlich waren es die kleinen Hosenscheißer aus diesem Haus, die sich auf der Straße mit Kreide verewigt hatten. Er ging hinter der Rutsche in Deckung, beobachtete die Hecke und wartete darauf, dass die vier Kapellenbrüder hindurchstießen. Mit zusammengebissenen Zähnen hielt er sich die schmerzende Seite. Was hatte er sich da nur eingebrockt? Er hätte auf Leas Angebot eingehen und sie an seiner Stelle zurücklassen sollen. Sie war viel schneller als er und hatte auch mehr Kondition. Nun kauerte er hier keuchend und wie ein Schwein schwitzend hinter so einer bescheuerten Kleinkinderrutsche. Eigentlich sollte er aufstehen und einfach verschwinden, was konnte schon groß passieren?

Aber dann würden die Typen sicher wieder die Verfolgung seiner Freunde aufnehmen, und er wollte sie doch von ihnen weglocken. Von ihnen weglocken und zu ihnen zurückkehren ins alte Bergwerk, das war der Plan. Er hatte es Lea versprochen. Sie hatte zu ihm gehalten und vertraute darauf, dass er das Richtige tat. Er durfte sie nicht enttäuschen, nicht jetzt, wo er begann, sie nicht mehr nur als Freundin seiner kleinen Schwester zu sehen. Er rieb mit den Handballen über seine Augen, bis er Sterne sah. Ja, an Lea musste er denken. Sie war der Anker, der ihn bei Verstand hielt.

Wenn nur diese scheiß Kinder nicht wären. Dauernd stellten sie Forderungen. Malte, tu dies, Malte, tu das, rette uns, löse unsere Probleme, besorge was zu essen, bring den Förderkorb in Ordnung, finde Anton. Und nichts, aber auch gar nichts konnten sie richtig machen. Nicht einmal auf diesen kleinen Scheißer konnten sie aufpassen. Es war Franziskas Aufgabe gewesen. Franzi. Fraaaanzi. Wenn er den Namen schon hörte! Arrogante Göre. Und erst dieser Kaan mit seinem Machogehabe. Noch nichts im Leben geleistet, aber spielte sich auf wie Graf Rotz. Ihnen gehörte längst mal eine Lektion erteilt.

Nein. Was hatte er da gerade gedacht? Malte schlug sich mit den Fäusten gegen die Schläfen. Nein, so war das doch gar nicht. So war er doch gar nicht. Die Kinder hatten doch nur Angst, genau wie er.

Hinter sich hörte er, wie es in den Büschen raschelte und wagte nicht, nachzusehen. Er presste sich dicht hinter der Rutsche auf den Boden und zwang sich, flach zu atmen. Lea. Er beschwor ihr Bild vor seinem inneren Auge herauf. Ihre zarten Gesichtszüge und ihre großen blauen Augen, das Gefühl, wenn seine Finger durch ihre braunen Haare strichen. Wenn er nur ganz fest an sie dachte, würde er bei sich bleiben.

»Der ist weg!«, brüllte jemand aus Richtung der Hecke.

»Nee, der ist noch hier!«, kam die Antwort von weiter rechts.

Scheiße, sie kreisten ihn ein.

Und in der Zwischenzeit lachten sich die Pickelgesichter darüber kaputt, dass sie Malte losgeworden waren. Hatten die Zwillinge nicht schon die ganze Zeit versucht, ihn auszuschalten? Das mit dem Förderkorb war doch sicher kein Zufall gewesen. Und Vic. Die kleine süße Vicky. Vickyschääätzchen. Sie war doch sowieso der Liebling ihrer Eltern und sicher froh, wenn sie ihren Thronanspruch nicht mehr teilen musste.

Malte ballte die Fäuste und ging in die Hocke.

Nein, alles falsch. Alles durcheinander.

Jetzt platschte jemand durch das Planschbecken.

Vicky liebte ihn, hatte immer Partei für ihn ergriffen, wenn es zu Hause Beef gab.

Beef, ja, den konnte sie haben. Dann war endlich Ruhe.

Tränen rannen ihm über die Wangen. Er presste die Augen zusammen.

Zeit, für Ruhe zu sorgen.

Er richtete sich auf und sah die vier *Insani* an. Einer hatte die Rutsche fast erreicht, ein anderer stand tatsächlich im Planschbecken und die beiden anderen hielten von der Hecke aus nach ihm Ausschau.

»Hey ihr!«, rief Malte und spürte, wie sich ein Grinsen auf seinem Gesicht ausbreitete. »In letzter Zeit schon mal im Bergwerk gewesen?«

***

Senta

»Wo bringst du mich hin?«, fragte Senta den kleinen Anton, der sie immer tiefer in den Wald führte.

»Das ist eine Überraschung«, antwortete er geheimnisvoll und legte den Finger an die Lippen.

Auch den anderen Kindern, die sie begleiteten, konnte sie keine brauchbaren Antworten entlocken. Stattdessen tollten sie ausgelassen herum, pflückten hier und da ein paar Blumen und steckten sie ihr ins Haar. Anne, die stets an ihrer Seite blieb, flocht aus Binsengras einen Kranz und legte ihn ihr um den Hals.

»Du siehst hübsch aus!« Lachend gab sie ihr einen Kuss auf die Wange.

Senta spürte, wie sie errötete. »Danke. Warum tut ihr das?«

»Du bist etwas ganz Besonderes. Wir wollen, dass du glücklich bist.« Sie sah Senta von der Seite an. »Du bist doch glücklich, oder?«

Senta spürte tief in sich hinein. Da war etwas, ganz verschwommen und unfassbar, wie dunkler Rauch, der sich verflüchtigte. Ein Gefühl, als ob es einmal eine große Angst in ihrem Leben gegeben hatte.

Damals.

Dabei konnte sie sich an dieses Damals überhaupt nicht erinnern. Bevor sie Anne, Anton und den anderen Kindern begegnet war, gab es nichts, keine Vergangenheit und keine Herkunft. Nur diese vage Ahnung einer alten Angst, die hier und jetzt, zusammen mit ihren neuen Freunden, mehr und mehr zerfaserte. Welche Bedeutung hatte mit ihnen an ihrer Seite da noch das Damals? Was es auch war, es spielte keine Rolle mehr.

»Ja, ich bin glücklich«, antwortete sie und das war die Wahrheit.

Per

Per versuchte, den Abstand zu Senta nicht zu groß werden zu lassen. Gleichzeitig durfte er ihr nicht zu nahe kommen. Sie war zwar augenscheinlich alleine unterwegs, aber ihrem Benehmen nach umringte sie eine Schar Geister. Wenn sie ihn bemerkten, würde das unweigerlich in einer Katastrophe enden. Immer wieder lachte Senta fröhlich auf, unterhielt sich mit jemandem und nahm unsichtbare Geschenke entgegen. Alles wirkte, als würde sie einen harmlosen kleinen Sommerspaziergang machen, aber dem war nicht so. In welcher Welt auch immer sie gerade ihren Spaß hatte, vor seinen Augen wurde ein Schaf zur Schlachtbank geführt. Zwar schwebte Senta im Moment noch nicht in akuter Gefahr, aber irgendwann würden sie an ihrem Ziel ankommen, und dann musste er zur Stelle sein. Bis dahin blieb ihm nichts anderes übrig, als ihr im sicheren Abstand zu folgen und zu hoffen, dass er nachher in der Dunkelheit den Rückweg fand.

Die Geister führten Senta immer tiefer ins Moor und achteten rücksichtsvoll darauf, dass sie auf sicheren Wegen blieb. Manchmal nahmen sie dazu große Umwege in Kauf, und Per fragte sich, warum sie sich so viel Mühe machten. Es wäre doch so viel einfacher, sie in einen der vielen Tümpel zu locken, an denen sie Senta vorsichtig vorbeilotsten. Gehörte das zu ihrem Spiel? Wie bei einer Katze, die erst ausgiebig mit der Maus spielte, ehe sie sie am Ende doch tötete? Regte das auf kranke Art den Appetit der Geister an? Per fühlte, wie sich zur Angst um Senta noch etwas anderes gesellte. Bei allem Mitgefühl für die Kinder, die hier so elend ums Leben gekommen waren, auf deren Geister schob er echt Hass. Was sie hier abzogen, hatte niemand verdient. Mühsam kämpfte er sich durch das Schilf, um den Anschluss nicht zu verpassen. Inzwischen konnte er in der Dämmerung kaum noch die Hand vor Augen erkennen und nahm Senta nur noch als vagen Schatten wahr. Leichtfüßig bewegte sie sich auf verwurzelten Pfaden und wich geschickt den Wasserläufen aus, die tückisch unter Binsengras verborgen mäanderten. Er folgte mehr dem Rascheln im Gebüsch als ihrer Silhouette, bis sie plötzlich außer Hörweite war. Eine Schrecksekunde lang fürchtete er schon, sie verloren zu haben, da hörte er ihre Stimme.

»Oh, hier ist es aber hübsch!« Sie jauchzte vor Begeisterung. »Ihr habt mir nicht zu viel versprochen!«

Offenbar waren sie am Ziel ihrer Reise angekommen. Per duckte sich und schob sich ganz langsam näher heran. Das Schilf versperrte seinen Blick, und so blieb ihm keine andere

Wahl, als sich seinen Weg durch den Wasserlauf zu bahnen. Vorsichtig zog er sich zurück und glitt bäuchlings in das modrige Wasser. Es stank gottserbärmlich nach Fäulnis und altem Fisch, und einen Moment lang fragte er sich, wann er seine Tetanusimpfung zuletzt aufgefrischt hatte. Klebrige Nässe durchdrang seine Kleidung und zog an seinen Gliedmaßen. Per hatte sich auf eine Kältewelle gefasst gemacht, doch das Wasser fühlte sich wärmer an als erwartet. Vermutlich fanden darin irgendwelche Gärungsprozesse statt, und er achtete sorgfältig darauf, nichts von der Brühe in den Mund zu bekommen. Er presste die Lippen zusammen und tauchte so weit unter, dass nur noch Nase und Augen herausragten. Mit lautlosen Zügen schwamm er an den Schilfrohren vorbei, bis der Wasserlauf hinter einer Biegung in einem Teich mündete. Braune Schaumflocken dümpelten auf der Oberfläche und an manchen Stellen sprudelten wie an einer Perlenkette winzige Gasblasen nach oben. Von dem Gestank einmal abgesehen, irritierte Per noch etwas anderes. Er kam nicht sofort drauf, aber dann fiel es ihm auf: Er hörte keinerlei Tiergeräusche. Kein Froschkonzert, keine Grillen, nichts. Er suchte das Ufer nach Senta ab und fand sie auf einem umgekippten Baumstamm hockend. Der Baum musste vor etlichen Jahren ins Wasser gestürzt sein, die Rinde glänzte wie mit Teer bestrichen. Wie ein Steg ragte er mehrere Meter in den Teich hinein, verzweigte sich und verschwand dann unter der Wasseroberfläche. Senta lachte und hörte augenscheinlich jemandem zu.

»Das glaube ich nicht!«, rief sie mit gespielter Empörung. Mit den Augen folgte sie einer unsichtbaren Gestalt bis ans Ende des Baumstamms, weiter darüber hinaus und zum gegenüberliegenden Ufer. Dabei streifte ihr Blick kurz über die Stelle, an der Per sich verbarg. Instinktiv duckte er sich tiefer ins Schilf hinein, doch Senta hatte ihn nicht bemerkt. Ihr Augenmerk wanderte denselben Weg zurück, bis zu einer Stelle direkt neben ihr.

»Bravo!« Begeistert klatschte sie in die Hände. »Das hast du wirklich ganz toll gemacht, Siegfried!« Sie nahm den unsichtbaren Geist namens Siegfried in den Arm und drückte ihn zärtlich an ihre Brust. Er hatte offenbar etwas vorgeschlagen, denn plötzlich hielt sie ihn eine Armlänge von sich.

»Nein, ich kann nicht«, rief sie, halb empört, halb geschmeichelt. Sie schaute lächelnd um sich und machte abwehrende Handbewegungen. »Nein, wirklich, ihr ... wieso Feigling? Ach komm, Clara! Ich bin nicht zu alt.« Sie wandte sich jemand anderem zu und drohte ihm spielerisch mit dem Finger. »Sei nicht so frech, Johannes!«

Ein anderes Geisterkind schien einen Vorschlag gemacht zu haben, denn Senta verzog kapitulierend den Mund. »Also gut. Aber nur, wenn du vorgehst, Hildegard.«

Erst als sie sich aufrichtete und die Arme ausbreitete, kapierte Per, um was es bei dieser seltsamen Unterhaltung gegangen war. Sein Magen krampfte sich zusammen. Nein! Das war noch viel zu früh, Alyssa, Ömer und Karl waren noch nicht fertig mit ihrer Arbeit! Hilflos sah er mit an, wie Senta sich ein letztes Mal nach den Geisterkindern umdrehte. Anscheinend feuerten sie sie lautstark an.

»Also gut. Aber nachher spielen wir etwas anderes!« Lachend gab sie sich geschlagen, schaute nach vorne und machte den ersten Schritt. »Warte, Hildegard! Ich kann nicht so schnell wie du.«

Kapitel 22

Malte

Er rannte ihnen voraus durch die Straßen. Vorbei am Supermarkt, vor dessen gläserner Schiebetür der Metzger stand und ihnen zuwinkte.

»Na, Jungs? Wohin so eilig?«

»Zum Bergwerk«, rief Malte ihm im Laufen zu. »Da sind ein paar Blagen, die bestraft gehören. Komm doch mit!«

Der Metzger band seine Schürze los und setzte ihnen nach. Anders als Malte und die Jungs der Blaskapelle hatte er gut zwanzig Kilo zu viel auf den Rippen und konnte nicht lange mithalten. Ihr Vorsprung vergrößerte sich und schon hinter dem Kindergarten hatten sie den Metzger abgehängt. Egal, wer zuerst kam, mahlte zuerst. Sollte der Fettsack schauen, was sie für ihn übrig ließen. Malte schlug den Weg zum Gemeindehaus ein und lief Richtung Stadtrand. Der Geruch von brennendem Gummi stieg ihm in die Nase und als er sich umsah, entdeckte er eine schwarze Rauchwolke, die über dem Gemeindehaus hing. Super, ein kleines Freudenfeuer war genau die richtige Motivation. Falls er eben noch erschöpft gewesen war, so spürte er nun das Adrenalin durch seine Blutbahn pulsieren. Noch nie hatte er sich so energiegeladen gefühlt. Nichts war nun noch von Bedeutung, keine Probleme, keine Ängste, es zählte nur noch die alles beherrschende Wut. Sie reinigte ihn wie ein Fegefeuer von allem, was ihn belastete. Keine Schuld, keine Zwänge, keine Zugeständnisse mehr. Zugleich peitschte sie ihn kompromisslos voran, verbrannte ihn innerlich und versprach nur auf eine einzige Art Erlösung: Erst, wenn sie die Kinder für den Frevel an der Puppe bestraft hatten, würde er Ruhe finden.

Inzwischen hatten sich ihnen weitere Leute angeschlossen. Malte erkannte unter ihnen den Pfarrer, die Zeitungsfrau und den Tankwart. Niemand hatte sie hinzugerufen. Es steuerte sie alleine der Instinkt, der ihnen leichte Beute versprach, wenn sie der immer größer werdenden Gruppe folgten. Als Malte über die Schulter sah, blickte er in wild entschlossene Gesichter. Umso besser, dann würden sie leichtes Spiel haben und schon bald alle Kinder der Stadt bestrafen können. Dann hatte das alles endlich ein Ende.

Sie hasteten weiter Richtung Schrebergartenkolonie. Inzwischen war die Horde auf gut fünfzig Leute angewachsen. Es herrschte eine fiebrige Gier, nachdem sie schon viel zu lange erfolglos durch die Stadt gestreift waren. Die Aussicht, nun endlich das Versteck der verbliebenen Kinder auszuheben, stachelte sie an und lockte selbst diejenigen auf die Straße, die vor Schwäche kaum noch laufen konnten. Vor einer Hauseinfahrt schob eine Greisin hastig ihren Rollator über die Bordsteinkante. Malte nickte ihr im Vorbeilaufen zu, worauf die Frau grimmig die falschen Zähne fletschte und ihnen mit flatterndem Rock hinterher rumpelte.

Bis zur Ruine war es nicht mehr weit. Malte schätzte, dass die anderen Kinder jeden Moment wieder dort sein und auf seine Rückkehr hoffen würden. Oh ja, er würde zurückkehren, aber nicht so, wie sie dachten. Als erstes würde er sich die Zwillinge vornehmen, aber im Grunde war es egal. Sie alle sollten für den Diebstahl der Puppe büßen. Ihre Eltern hatten sie gestohlen, und wie bestraft man die Eltern am härtesten? Indem man sie ihre eigenen Kinder töten lässt. Die Geister ihrer eigenen Kinder als Spielzeugersatz für die gestohlene Puppe. Ja, so ist es gerecht.

»Hier entlang!« Er gab den anderen einen Wink und bog in die Schrebergartensiedlung ein. Kein Verstecken mehr, kein Kauern hinter Sträuchern und keine Angst mehr vor Entdeckung. Jetzt war er es, vor dem man sich besser versteckte und vor dem man Angst haben sollte. Malte spürte, wie sich ein Grinsen auf seinem Gesicht ausbreitete. Er konnte sich nicht erinnern, wann er sich zuletzt so euphorisch gefühlt hatte. Bald waren alle seine Probleme gelöst, dann musste er sich keine Sorgen mehr darüber machen, was er mit seinem Leben anstellen sollte. Sobald sie alle Kinder erledigt hatten, war er endlich frei von allen Zwängen. Er hatte keine konkrete Vorstellung davon, was das bedeutete, aber diese Freiheit schien ihm verheißungsvoller als alles, was er sich je gewünscht hatte.

Sie preschten an der Parzelle vorbei, in der er sich kurz zuvor noch mit Lea und den anderen versteckt hatte. Der Kerl mit dem grauen Bart und die Frau in Khakishorts waren noch dort und schlossen sich ihnen ohne zu zögern an. Malte dachte daran, wie er sie vor nicht einmal einer Stunde noch mit einem Beutel Blumenzwiebeln verjagen wollte. Er hob die Hand und staunte, dass er den Beutel noch immer umklammert hielt. Angriff der Killerzwiebeln. Was hatte Lea gelacht, als er das gesagt hatte. Lea. Wie es ihr wohl gerade ging? Malte schüttelte den Kopf. Egal. Sie war eine von denen und gehörte genauso bestraft. Er ließ das lächerliche Netz fallen, ballte die Hände zu Fäusten, verjagte den leisen Anflug von Bedauern in den hintersten Winkel seines Verstandes und bog in den Pfad zum Wäldchen und dem dahinter liegenden Bergwerk ein. Hier war es für die Menge an Leuten viel zu eng, und nach wenigen Metern blieb die Horde wie in einem Flaschenhals stecken. Drängelnd und schubsend fielen sie übereinander. Malte blieb stehen und sah sich besorgt um. Bei dem Krach, den sie machten, würden die im Bergwerk schnell Wind von ihnen bekommen. Dann konnten sie einen Überraschungsangriff vergessen.

Beschwichtigend hob er die Hände. »Pst, leise, ihr Idioten! Die hören uns doch.«

Zu seinen Füßen wand sich ein Knäuel aus Leibern, auf das von hinten immer weitere stürzten. Malte stemmte sich gegen die Nachrücker und endlich kam der Strom zum Erliegen. Aus dem Gewusel hob sich ein verschwitztes Gesicht. Es gehörte seinem Fahrlehrer, der aus einem Cut an der Unterlippe blutete.

»Er hat recht«, krächzte dieser. »Einer nach dem anderen.«

Malte half ihm auf. Nach und nach rappelten sich auch die anderen hoch und sahen Malte erwartungsvoll an. Er ahnte, lange würden sie sich nicht mehr beherrschen können, aber für den Moment hatte er ihre Aufmerksamkeit.

»Ihr müsst unbedingt leise sein«, mahnte er sie. »Ich gehe vor und tu so, als wäre ich einer von denen und lenke sie ab. Ihr kommt leise nach und kreist das Pförtnerhaus ein. Lasst mir ein paar Minuten Zeit, dann öffne ich das Tor und gebe euch ein Zeichen.« Er grinste breit. »Das wird ein Spaß!«

***

Alyssa

Ömer kippte den Inhalt der Lampe durchs Fenster über den Puppenberg. In grimmiger Entschlossenheit nickte Alyssa ihm zu. Wenn das kein schönes Grillfest abgab, dann wusste sie es auch nicht. Sie zückte das Feuerzeug und ließ es aufflammen. »Das hier ist für Senta und Per«, zischte sie und hielt die Flamme an das Kleid der letzten Puppe, die sie extra für diesen Zweck zurückbehalten hatten. Mit ihr hatte es angefangen, und mit ihr sollte es enden. Zum zweiten Mal sah sie dabei zu, wie das Feuer sich durch ihr Kleid fraß und die Haare erreichte.

»Mit dir Miststück schließt sich der Kreis, jetzt ist endlich Schluss.«

»Und zwar ein für alle Mal«, setzte Ömer hinzu.

Alyssa machte sich bereit, das Ding durchs Fenster zu werfen, doch als sie ausholte, erlosch es in einer schwarzen Rauchwolke.

»Mist! Ist sie etwa zu feucht geworden?« Ömer klang nervös.

Alyssa spürte ein unangenehmes Kribbeln in ihrer Handfläche. Es schien direkt aus der Puppe zu kommen und sich auf sie zu übertragen. Ekel stieg ihr die Kehle hinauf und ließ sie würgen.

»Nein, es ist die Puppe«, ächzte sie. »Sie wehrt sich.«

Um ein Haar hätte sie sie wie schleimiges Gewürm von sich geschleudert, aber Karl war schneller. Beherzt griff er zu, packte die Puppe am Genick und deutete auf die Lampe in Ömers Hand.

»Ist da noch was drin?«

»Kein einziger Tropfen.« Zum Beweis schüttelte Ömer die leere Lampe.

»Dann machen wir es anders. Alyssa, hast du noch deinen Edding?«

»Ja sicher. Hier. Nimm.« Sie zog den Stift aus ihrer Hosentasche und hielt ihn Karl hin. »Willst du eine Grußbotschaft an die Hölle drauf schreiben?«

»So was in der Art.« Karl zog die Kappe mit den Zähnen ab und schrieb der Puppe FUCK YOU auf die Stirn.

Alyssa schnaufte. »Und das soll es jetzt bringen?«

»Abwarten.« Karl schob die Kappe wieder auf den Stift, um ihn sich dann seitlich in den Mund zu stecken. Mit den Backenzähnen schraubte er das Ende mitsamt der Kappe und der darunterliegenden Schreibspitze ab und spuckte es achtlos weg.

Ehe Alyssa es sich versah, rammte er die Schreibhülse mit dem geschlossenen Ende ins linke Auge der Puppe. Es knirschte hässlich, als das Glasauge unter der rohen Gewalt zersplitterte.

»Scheiße, *Abi*!« Ömer schlug sich die Hand vor den Mund. Auch Alyssa kämpfte mit ihrem Mageninhalt beim Anblick, der sich ihr bot. Wie ein groteskes Fernrohr ragte der Edding aus der Augenhöhle der Puppe. Alyssa ertappte sich dabei, wie sie ihr linkes Auge unwillkürlich zusammenkniff.

Karl hielt ihr seine Handfläche hin. »Das Feuerzeug, bitte.«

Halb entsetzt, halb fasziniert überreichte Alyssa es ihm und sah dabei zu, wie er die Flamme an das offene Ende des Eddings hielt. Die Flüssigkeit darin fing augenblicklich Feuer und verwandelte den Stift in eine Leuchtfackel. Rasch breiteten sich die Flammen über die Haare und das Kleid aus.

»Gutes altes Methoxypropanol«, sinnierte Karl. »Liebe Kinder, zu Hause bitte nicht nachmachen. Und jetzt, gute Reise in die Hölle!«

Er holte aus und warf das Ding durchs Fenster. Kaum war es im Innern der Hütte verschwunden, erklang ein Geräusch, fast wie ein Husten. Im selben Moment schlugen helle Flammen hoch und erleuchteten für einen Augenblick den Raum wie eine riesige Laterne, ehe sie zusammenschrumpften und sich in den Scheiterhaufen aus Puppen fraßen.

Zuerst fürchtete Alyssa, dass das Feuer ausgehen könnte, doch schon bald loderten die Flammen wieder auf und ein ohrenbetäubendes Knistern und Knacken setzte ein. Bald schlugen Feuerzungen aus den Fensteröffnungen und sie mussten vor der sich ausbreitenden Hitze ein paar Schritte zurückweichen.

Alyssa sah zu den beiden Jungs hinüber. Ihre Gesichter leuchteten im Schein des Feuers und auf beiden spiegelte sich dieselbe Sorge, die auch sie umtrieb. Ob sie es noch rechtzeitig geschafft hatten?

Senta

Sie hatten sie zu einem wunderschönen See geführt. Seerosen trieben auf den Wellen und farbenprächtige Libellen tanzten wie Lichtreflexe darüber hinweg.

»Oh, hier ist es aber hübsch! Ihr habt mir nicht zu viel versprochen.« Begeistert klatschte Senta in die Hände und ließ sich an einem Steg nieder, der weit auf den See hinausführte. Er war kaum einen Fußbreit schmal und Senta fragte sich, wer wohl mutig genug wäre, ihn zu betreten. An dessen Ende dümpelte ein kleines Boot, gerade groß genug für ihre kleine Schar.

»Kommt, wir wollen eine Bootspartie machen«, schlug Anne vor.

Senta, die den Kopf in den Nacken gelegt hatte und zufrieden den süßen Duft der Seerosen einsog, beschirmte die Augen mit der Hand gegen das Sonnenlicht.

»Was, über diesen schmalen Steg sollen wir bis zu dem Boot laufen?« Sie schüttelte den Kopf. »Ohne mich.«

»Das kann doch jedes Kind«, rief Siegfried und hüpfte aufgeregt auf und ab. »Soll ich es dir vormachen?« Er war voller Eifer, Senta von seinen Kunststücken zu beeindrucken, soviel hatte sie bereits mitbekommen. Aber das hier war zu riskant. Der Steg war ja kaum breiter als eine Dachlatte.

»Lass das lieber bleiben, sonst fällst du noch hinein«, riet sie ihm, aber so schnell wollte er nicht aufgeben.

»Ich habe das schon tausendmillionenmal gemacht«, krähte er im Brustton der Überzeugung.

Senta schüttelte den Kopf. »Das glaube ich nicht«, rief sie und zwang sich, empört zu klingen.

»Schau her!« Ehe Senta es sich versah, breitete Siegfried die Arme aus und setzte beherzt einen Fuß vor den anderen. Sie musste sich das Kichern verkneifen beim Anblick seines konzentrierten Gesichtchens. Die Zungenspitze fest zwischen die Lippen geklemmt, die Stirn gekräuselt, machte er sich leichtfüßig auf den Weg. Am Ende des Stegs drehte er sich um, winkte und eilte zu ihnen zurück. Seine Wangen glühten vor Stolz, als er neben Senta stehenblieb und breitbeinig die Hände in die Hüften stemmte.

»Bravo!« Überschwänglich applaudierte sie ihm. »Das hast du wirklich ganz toll gemacht, Siegfried!« Sie nahm den kleinen Burschen fest in den Arm. Er ließ sich gerade so lange drücken, dass sie seinen Herzschlag und seine zappelige Energie spüren konnte. Etwas daran fühlte sich vage vertraut an, aber bevor sie dem Gefühl nachspüren konnte, wand Siegfried sich bereits wieder aus der Umarmung.

»Und jetzt du!« Er strahlte sie herausfordernd an.

Bei ihm hatte es ganz leicht ausgesehen und sie traute sich durchaus zu, es ihm nachzutun, aber sie wollte seine Leistung nicht schmälern, indem sie zu früh zustimmte.

»Nein, ich kann nicht«, wehrte sie ab, worauf sich ein Proteststurm erhob.

»Doch, bitte!«, drängte nun auch Anton.

»Nein, wirklich, ihr …«, wehrte sie ab, doch Anne unterbrach sie.

»Bist du etwa ein Feigling?« In ihrem Blick funkelte es spöttisch.

»Wieso Feigling? Ich hab nur keine Lust.« Senta tat gelangweilt.

»Lasst sie doch«, kam Clara ihr zu Hilfe. »Sie ist doch dafür schon viel zu alt.« Mit spitzbübischem Grinsen sah die Kleine zu ihr auf.

»Ach komm, Clara! Ich bin doch nicht zu alt«, antwortete Senta mit gespielter Strenge.

»Sie hat Angst, nass zu werden«, stellte Johannes sachlich fest.

Sie drohte ihm mit dem Finger. »Sei nicht so frech, Johannes!«

»Und wenn wir beide zusammen gehen?«, schlug Hildegard vor. »Also gut. Aber nur, wenn du vorgehst.«

Begeistert nickend sprang das Mädchen auf und breitete genau wie zuvor Siegfried, die Arme aus. Wie eine Seiltänzerin ging sie ein paar Schritte voran und drehte sich dann zu ihr um.

»Kommst du?«

Unter dem begeisterten Beifall der anderen Kinder erhob Senta sich und folgte Hildegard auf den Fersen. Die schmale Planke unter ihren Füßen wippte bei jedem Schritt und Senta fragte sich, ob sie sich nicht etwas vorschnell auf dieses Kunststück eingelassen hatte. Sie heftete ihren Blick auf die geblümte Schleife, die Hildegards Spitzenkleid in der Taille umspannte, und setzte behutsam einen Fuß vor den anderen.

»Es ist nicht mehr weit«, rief die Kleine über die Schulter und stimmte mit glockenheller Stimme ein Lied an. »In einem Bächlein helle, da schoss in froher Eil, die launische Forelle vorüber wie ein Pfeil.«

Der Gesang übte eine beruhigende Wirkung auf Senta aus. Seltsam, irgendwann hatte irgendwer schon einmal ein Lied gesungen, um jemanden zu beruhigen.

Jemanden, der ihr sehr nahestand, und der Angst hatte.

Angst wovor?

Es war ein Junge gewesen. Ein kleiner Junge, und er hatte weinend nach ihr gerufen.

Anton, so hatte er geheißen, aber es war ein anderer Anton als dieser hier.

Es war ihr Bruder!

Ihr kleiner Bruder Anton, und er saß auf der Spinne! Ömer hatte für ihn gesungen, während Per ...

»Per!«

Eine Welle brackigen Wassers spülte den Schrei aus ihrem Mund, als sie versank.

Per

Senta machte einen Schritt ins Leere.

»Per!«, schrie sie noch, da schlug das Wasser über ihr zusammen.

Pers Herz setzte einen Schlag aus. Ohne einen Gedanken an die Geister zu verschwenden, schwamm er aus seiner Deckung zwischen dem Schilf heraus und kraulte auf die Stelle zu, an der Senta ins Wasser gestürzt war.

Die Geister mussten ihn bemerkt haben, denn kaum hatte er zwei Kraulzüge getan, peitschte das Wasser um ihn herum auf und ein ohrenbetäubendes Kreischen gellte in seinen Ohren.

»Nein! Du wirst sie uns nicht wegnehmen!«

Schaumige Gischt klatschte ihm ins Gesicht und machte ihn fast blind. Transparente Schemen wirbelten schwerelos über die Oberfläche des Tümpels, griffen nach ihm und versuchten, ihn unter Wasser zu drücken.

»Verschwinde! Du hast kein Recht dazu!«, zeterte es aus unzähligen Kehlen. »Sie gehört uns!«

Per rieb sich das stinkende Wasser aus den Augen. Es brannte wie Hölle. Blinzelnd sah er sich um und fand die Stelle, an der Senta verschwunden war. Der Sturm hatte ihn etwas zu weit in die Mitte des Sees getrieben. Er orientierte sich neu und kraulte weiter. Schaumberge türmten sich vor ihm auf und nahmen ihm die Sicht. Immer wieder schlug ihm das Wasser entgegen und warf ihn zurück. Mit verzweifelter Entschlossenheit stemmte er sich dagegen. Nur langsam näherte er sich dem Ende des Stamms, und als er es endlich erreichte, entdecke er darauf weitere Silhouetten der Geisterkinder. Zornfluchend traten sie nach ihm und trafen ihn an der Stirn. Zwar hatten ihre Tritte nicht die Kraft, ihn ernsthaft zu verletzen, aber sie reichten aus, ihn kurz benommen zu machen. Er schirmte sein Gesicht mit dem Arm ab, holte tief Luft und tauchte unter. Blind tastete er am Stamm entlang nach unten und erreichte schnell den schleimigen Grund des Tümpels. Seine Hände fuhren durch glitschiges Geäst und kugelige Steine. Verdammt, wo steckte sie? Panisch wühlte er im Morast herum und bekam Sentas Hand eher zufällig zu fassen. Er packte zu, worauf sie seinen Griff erwiderte. Gott sei Dank, sie war noch bei Bewusstsein. Wild strampelnd zog er sie hinauf und durchbrach prustend mit ihr die Wasseroberfläche. In den wenigen Sekunden, die er unter Wasser gewesen war, hatte sich der Zorn der Geisterkinder zu einem gewaltigen Unwetter aufgebaut. Blitze zuckten grell am Himmel, Regen klatschte ihnen ins Gesicht. Sturmböen pflügten meterhohe Wellen in den Teich und trieben sie auseinander. Um sie herum wirbelten die Umrisse der Geisterkinder, und es schien, als hätte ihnen die Wut über ihr Scheitern neue Kräfte verliehen. Sie fluchten wie Ausgeburten der Hölle und trafen sie hart mit Tritten und Faustschlägen.

Verzweifelt versuchte Per, sie abzuwehren, aber sie kamen von allen Seiten. Eine Faust erwischte ihn übel am Kinn, ein Fußtritt an der Schläfe. Senta schrie auf, als eine Serie von Ohrfeigen in ihr Gesicht einprasselte. Immer wieder ging sie unter. Es war nur eine Frage der Zeit, bis ihr die Kraft ausging und sie sich nicht mehr halten konnte. Per schwamm zu ihr hinüber, fasste sie unter den Achseln und zog sie zu dem Baumstamm. Verzweifelt klammerten sie sich an seine morsche Rinde.

»Ruh dich kurz aus!«, rief Per über das Tosen hinweg. »Dann versuchen wir, ans Ufer zu kommen!«

Sentas blasses Gesicht war gezeichnet von roten Schwellungen auf den Wangen. Ihre Brille hing schief auf ihrer Nase, das rechte Brillenglas hatte einen Sprung. Trotzdem versuchte sie ein Lächeln, als sie nickte.

Es schien, als würden die Geisterkinder ihre Strategie ändern. Ihre Schläge ließen nach und auch ihr Gebrüll ebbte zu einem wütenden Wispern ab. Zuerst wusste Per sich keinen Reim darauf zu machen, aber dann erkannte er, dass die Geister miteinander flüsterten. Er verstand nicht, was sie sagten, aber als plötzlich ein Beben den Baumstamm erschütterte, ahnte er, was sie besprochen hatten. Mit vereinten Kräften zogen sie an dem Baum und rüttelten daran, als gäbe es lästige Insekten abzuschütteln. Senta schrie in heller Panik, als ihr die Rinde unter den Händen fortglitt und der ganze Baum sich mit einem lauten Schmatzen aus dem Wasser hob, sich aufrichtete und zu seinem ursprünglichen Standplatz zurückbewegte. Das Wasser um sie herum brodelte. Verrottete Algenschlingen trieben an die Oberfläche und rissen Äste und jede Menge modriges Zeug mit sich. Seltsame kugelige Gebilde poppten eins nach dem anderen auf und trieben auf Per zu. Wie Kokosnüsse tanzten die Dinger in den Wellen auf und ab. Eins davon dümpelte vor Pers Gesicht und drehte sich um die eigene Achse. Drei tiefe Höhlen wurden sichtbar, darunter eine Reihe Zähne. Schlagartig wurde ihm klar, was er da vor sich hatte.

Totenschädel!

Immer mehr davon tauchten auf und grinsten ihn mit gebleckten Zähnen an, während das braune Wasser des Tümpels aus ihren Augenhöhlen schwappte. Schockiert versuchte er, von den Dingern fortzuschwimmen, aber sie waren überall.

Senta schrie, als hätte sie den Verstand verloren. Sie starrte auf einen Ast, den sie in der Hand hielt. Nein, kein Ast, verbesserte sich Per. Was sie da hielt, war der Oberschenkelknochen eines Kindes. Mit dem Baum waren die Gebeine der toten Kinder an die Oberfläche gezogen worden.

Angeekelt schleuderte sie den Knochen von sich, da tauchte im selben Moment vor ihr ein Stück Wirbelsäule mit einem Beckenbogen auf. Das war doch gar nicht möglich! Knochen schwammen nicht. Ganz offensichtlich hatten da die Geister ihre Hände im Spiel. Ein weiterer Versuch, sie in den Wahnsinn zu treiben. Per sah noch, wie Senta die Augen verdrehte, bevor sie versank.

Nein!

Beherzt griff er nach ihrem Haarschopf, zerrte sie zu sich und schüttelte sie.

»Senta, komm zu dir!« Er wollte ihr nicht weh tun, aber es blieb ihm keine andere Wahl. Mit ein paar kräftigen Ohrfeigen brachte er sie wieder zu Bewusstsein.

Mit seltsam glasigen Augen blickte sie ihn an. »Danke, dass du es versucht hast.« Obwohl sie vor Erschöpfung bebte, versuchte sie ein Lächeln.

Entsetzt begriff er, was sie damit meinte. »Nein! Du darfst jetzt nicht aufgeben!«

Ihr Kopf sackte nach vorne.

»Bitte nicht«, flehte er, da knirschte es hölzern am Ufer. Der Baum, den die Geisterkinder aufgerichtet hatten, stürzte zurück in den Tümpel. Dicht neben Per und Senta schlug er auf und sog sie in die Tiefe. Wieder wirbelten sie haltlos im brodelnden Wasser herum, bis Per den Stamm zu fassen bekam und sich daran hochzog. Würgend und spuckend stieß er mit Senta im Arm durch die Oberfläche. Er erwartete einen weiteren Angriff, stattdessen lag der ganze See still und friedvoll im Mondlicht. Von den Geisterkindern keine Spur mehr, bis auf ihre beklagenswerten Gerippe, die lautlos eins nach dem anderen wieder im Moor versanken. Sie hatten Sentas Opfer angenommen, der Spuk war vorbei. Tränenblind zog er ihren reglosen Körper zu sich heran und wischte ihr ein Stück verrottete Alge aus dem Gesicht. Er hatte versprochen, sie zu retten und war jämmerlich gescheitert. Wie sollte er je damit klarkommen? So zärtlich, wie es im Anbetracht ihrer Lage möglich war, küsste er sie.

Er gab ihren Mund erst wieder frei, als ihre Lippen seinen Kuss erwiderten.

Ungläubig nahm er ihr Gesicht zwischen die Hände und starrte sie an. »Ich dachte, ich hätte dich verloren«, stammelte er zwischen Lachen und Weinen. »Bist du okay?«

»Was ist passiert?« Verwirrt sah sie sich um. »Ist es vorbei?«

»Ja.« Er drückte ihr einen Kuss auf die Stirn. »Jetzt ist es vorbei. Dank Alyssa, Ömer und Karl. Sie müssen es geschafft haben, anders kann ich mir das nicht erklären. Komm, wir müssen uns beeilen.«

Aufgeweicht wie nasse Windeln und ebenso kraftlos krabbelten sie an Land. Beim Aufstehen knickten Sentas Beine unter ihr ein. Per musste sie unterhaken, damit sie nicht stürzte.

Mit der Taschenlampe, die noch immer unter seinem Gürtel steckte, fanden sie nach kurzem Suchen die erste Filzstiftmarkierung und machten sich auf den Weg zurück zu den anderen.

Alyssa

Kaum hatten die Flammen sich durchs Dach der Hütte gefressen, brauste ein gewaltiges Tosen heran. Die Schilfrohre beugten sich tief unter den Sturmböen und das Wasser im Kanal peitschte in Fontänen auf.

»Sie kommen! Versteckt euch!«, rief Karl über den Lärm hinweg und nahm die Beine in die Hand.

»Aber was ist mit Per und Senta?« Alyssas Magen zog sich zusammen. Sie hatten viel zu lange gebraucht, um die Puppen zusammenzutragen und anzuzünden. Was, wenn es längst zu spät war und die beiden inzwischen mit den Geisterkindern Seilchen sprangen? Sie ballte die Fäuste, bis sich ihre Nägel schmerzhaft in die Handballen gruben. Nein, das durfte nicht sein! Ein Bild drängte sich ihr auf, bei dem Senta und Per nur noch blasse Schatten waren. Unwirsch schüttelte sie den Kopf.

»Die kommen später nach! Schon vergessen? Sie müssen einen Umweg nehmen, um den Spukis nicht hier wieder in die Arme zu laufen!«, erinnerte Ömer sie. »Sie stoßen am Treffpunkt zu uns, und jetzt komm!«

Mit einem ohrenbetäubenden Krachen stürzte das Dach der Fischerhütte ein. Funken stoben auf und setzten ein paar umliegende Büsche in Brand. Eine neue Hitzewelle drängte Alyssa und Ömer noch weiter zurück. Feuer züngelte zwischen den Brettern der Seitenwände, fraß sich immer weiter durch und ließ sie bersten. Beißender Rauch brannte in Alyssas Augen. Unter Tränen entdeckte sie helle Schemen auf der anderen Seite des Kanals.

»Da sind die Biester! Los, weg hier.«

Ömer fluchte, dann packte er ihre Hand und zog sie mit sich zur Biegung des Kanals, wo Karl bereits hinter einem Baum hockte und die Szene mit vor Schweiß glänzendem Gesicht beobachtete.

»Es klappt!« Mit einem Kopfnicken deutete er zurück zur brennenden Hütte. Alyssa und Ömer kauerten sich neben ihn und lugten durch die Äste. Tatsächlich! Ein leuchtender Nebel wirbelte um die brennende Hütte herum, aus dem nach und nach die Schemen der Geisterkinder heraustraten. In heller Aufregung liefen sie planlos umher, schrien und beweinten ihre Puppen, die sich vor ihren Augen in Asche verwandelten.

»Hab ich's mir doch gedacht«, presste Karl zähneknirschend hervor. »Letzten Endes sind sie doch nur Kinder, und Kinder können nicht ertragen, wenn man ihnen ihre Spielsachen wegnimmt. Selbst wenn sie gar nicht mehr damit spielen wollen. Da lassen sie alles stehen und liegen.«

Alyssa nickte, ohne den Blick von dem Schauspiel abzuwenden, das sich ihnen bot. Immer wieder stürzten sich die

Geister in die Hütte und versuchten zu retten, was nicht mehr zu retten war. So blieb ihnen nichts anderes übrig, als kopflos herum zu irren und mit anzusehen, wie das Feuer ihr Spielzeug verschlang. Keins von ihnen bemerkte sie, sie hatten nur Augen für das Inferno, das sich nach und nach auf die umliegenden Büsche ausbreitete und sich zu einem Waldbrand entwickelte.

»Wir müssen weg hier.« Geduckt wagte sich Karl aus ihrem Versteck und bahnte sich seinen Weg durchs Röhricht. Mit schlafwandlerischer Sicherheit führte er sie auf den Pfad, den Ömer zuvor mit seinen *Tags* markiert hatte.

Kapitel 23

Malte

Mit zusammengebissenen Zähnen schlich Malte am Tor zur Kleiderkaue vorbei Richtung Hauptzufahrt. Neben dem Lieferwagen der Schlosserei ging er in Deckung und spähte hinüber zum Pförtnerhaus. Hinter dem halb geöffneten Fensterladen glaubte er, einen Schemen zu erkennen. Der Haarfarbe nach konnte das nur Vicky sein. Malte presste die Fäuste gegen die Schläfen. Verdammt, sein Kopf fühlte sich wie eine Walnuss an, die in einem riesigen Nussknacker steckte. Er hatte keine Ahnung, wo dieser Schmerz so plötzlich herkam, der seine Schädeldecke unter Spannung setzte. Fast meinte er, sie knirschen zu hören. Noch vor wenigen Minuten hatte er gedacht, die Stimmen in seinem Kopf, die schon seit Tagen ununterbrochen miteinander gestritten hatten, wären verstummt. Dann aber war der Gedanke an Lea zurückgekehrt und mit ihm dieser unerträgliche Druck, der ihm die Tränen in die Augen trieb. Was war nur los mit ihm? Bis vorhin war doch alles cool gewesen. Er rieb sich mit den Handballen über die Augen und blinzelte. Bald würden die Kopfschmerzen aufhören. Dazu musste er nur noch ein paar Minuten durchhalten und denen da drüben in der Ruine eine gute Show abliefern. Ihnen vorgaukeln, er sei noch der alte Malte, um dann die Tür aufzusperren, um die anderen einzulassen. Ja, genau. Dann würden seine neuen Freunde kommen und dem ein Ende bereiten. Er richtete sich auf, zwang sich zu einem neutralen Gesichtsausdruck und ging zum Eingang.

Es war tatsächlich seine Schwester, die ihm öffnete, noch ehe er anklopfen konnte.

»Mensch Malte«, begrüßte sie ihn, zog ihn hastig hinein und schloss die Tür hinter ihm. »Die anderen sind schon längst zurück. Wir hatten schon Sorge, die *Insani* hätten dich gekriegt.« Sie nahm ihn näher in Augenschein und stutzte. »Mist, wie siehst du denn aus? Geht's dir nicht gut?«

Der schockierte Gesichtsausdruck, mit dem sie ihn bedachte, versetzte ihn erneut in Wut. Dachte sie wirklich, sie könnte ihn mit ihrer Mitleidsnummer täuschen? Er wusste doch ganz genau, dass sie ihn am liebsten los sein wollte.

»Alles okay«, log er und setzte ein falsches Lächeln auf. »Hab nur ziemliche Kopfschmerzen. Die Rennerei durch die Stadt, und dann hab ich vermutlich zu wenig getrunken.«

Sie nickte verständnisvoll. »Ja klar, das muss echt schlimm gewesen sein. Die anderen haben schon erzählt, was los war. Komm, iss und trink etwas, dann geht es dir gleich besser.« Sie hakte ihn unter, nickte Kaan zu, damit er die Türwache übernahm, und führte ihn in den hinteren Teil des Raums, wo ihn die anderen erleichtert begrüßten. Sogar Bella, die unter einem verrosteten Schreibtisch lag, hob den Kopf und klopfte freudig mit der Rute auf den Boden. Sehr gut, wenn sich sogar der Köter täuschen ließ, musste er wohl ziemlich glaubwürdig sein.

Lea fiel ihm gleich um den Hals. »Um Himmels willen, Malte«, schluchzte sie. »Ich dachte schon, ich seh dich nie wieder. Komm, setz dich. Erzähl, wie ist es dir ergangen?«

Wie eine Motte schwirrte sie um ihn herum, drückte ihm eine halbvolle Wasserflasche in die Hand und zog ihn neben sich auf einen Spind, den sie zu einer Bank umgekippt hatten. Emre, Franzi, Rebecca und die Zwillinge eilten herbei, setzten sich dazu und schauten ihn erwartungsvoll an. Anton kletterte ihm arglos auf den Schoß und umschlang seinen Nacken mit aller Kraft. Von einem Lager aus Jacken am

Boden quengelte das Baby. Vicky nahm es hoch, tätschelte ihm den Rücken und sah zu, wie Malte einen langen Zug aus der Wasserflasche nahm. Die Fürsorge, mit der sie ihm begegneten, ließ seine Kopfschmerzen zu einem lautlosen Kreischen anschwellen. Wenn sie doch endlich die Fressen hielten. Er hatte das Gefühl, jeden Moment würde es ihm die Augäpfel aus den Höhlen pressen. Nur mit Mühe konnte er unterdrücken, nach dem nächstbesten Knüppel zu greifen und um sich zu schlagen. Stattdessen winkte er Kaan heran. »Komm, *Abi*. Draußen ist es im Moment sicher, sie sind auf dem Weg Richtung Industriegebiet. Setz dich dazu, dann muss ich nicht alles zweimal erzählen.«

Kaan spähte unentschlossen durch den Fensterladen nach draußen, und einen Moment lang fürchtete Malte, er würde ablehnen. Dann schien er sich zu entspannen, lehnte die Dachlatte an die Wand und gesellte sich zu ihnen. Gut, der Teil des Plans war erledigt. Jetzt musste Malte denen da draußen nur noch ein wenig Zeit verschaffen, sich zu postieren.

»Also, nachdem wir uns getrennt haben, bin ich rüber zum Neubaugebiet«, begann er seine Geschichte. Es war völlig egal, dass sie frei erfunden war. Hauptsache, sie war spannend genug, um die Aufmerksamkeit der anderen auf sich zu ziehen. Er plapperte einfach drauflos, musterte die Zwillinge und stellte sich insgeheim vor, wie er das geheuchelte Mitgefühl aus ihren pickeligen Gesichtern prügelte. Soeben war er dabei zu erzählen, wie er ein paar *Insani* am Gemeindehaus abgeschüttelt hatte, als Sören die Stirn krauszog.

»Du warst am Gemeindehaus?«, fragte er und wechselte einen kurzen Blick mit seinem Bruder.

»Ja, von da bin ich dann weiter über den Brunnenplatz. Wieso?« Malte zwang sich, Sören offen ins Gesicht zu sehen, aber irgendetwas stimmte nicht.

»Da ist dir nichts aufgefallen?«, hakte nun Erik nach. Den Zwillingen zu Füßen hob Bella den Kopf und gab ein leises Knurren von sich.

»Ein paar *Insani*«, fuhr Malte achselzuckend fort. »Aber die habe ich schnell abgeschüttelt.«

Neben ihm begann Lea, unruhig herumzurutschen. »Und wie bist du über die Barriere gekommen?«, fragte sie, ohne ihn anzusehen.

»Ach, die!«, winkte Malte ab, ohne den geringsten Schimmer zu haben, wovon sie sprach. »Einfach drüber geklettert. War ein Kinderspiel.«

»Malte?« Lea, hob fragend den Kopf und sah ihm in die Augen. »Über eine drei Meter hohe Barriere aus lichterloh brennenden Autoreifen? Warum lügst du uns an?«

Erschrocken sah er in die Runde. Alle starrten ihn misstrauisch und voller Verachtung an. Sie hatten ihn durchschaut, so viel stand fest, trotzdem startete er einen letzten Versuch. »Ach kommt schon!« Er hob grinsend die Hände. »Dann bin ich halt dran vorbei. Spielt doch keine Rolle. Hauptsache, ich bin jetzt hier. Hey, was soll das? Stehe ich hier vor Gericht, oder was?«

Er sprang auf die Füße und verschränkte die Arme vor der Brust. Bella, die den Stimmungswandel mitbekommen hatte, hob die Lefzen und knurrte. Ihr Nackenfell stellte sich auf. Mit gesenktem Kopf baute sie sich vor ihm auf.

Malte erstarrte. Ein schneidender Schmerz schoss ihm wie ein Blitz durch den Kopf. Irgendwo in weiter Ferne hörte er ein Baby weinen, Bella kläffte sich die Seele aus dem Leib und hinter einem Schleier aus Schweiß, Tränen und pulsierendem Rot sah er, wie die Welt zur Seite kippte. Hände griffen nach ihm, hoben ihn hoch und legten ihn auf den Spind. Von überall drangen Stimmen auf ihn ein, riefen seinen

Namen und er hatte nur den einen Wunsch, dass der Schmerz endlich aufhörte und es leise wurde. Leas Gesicht erschien vor seinem, Lea, die so um ihn gekämpft hatte, die zu ihm hielt und an ihn glaubte. Lea, die er liebte.

Mit aller Kraft stemmte er sich hoch, rieb sich die Schläfen und sah in die besorgten Gesichter seiner Freunde. »Die *Insani*«, presste er hervor. »Sie sind jeden Moment da. Ihr müsst hier weg. Jetzt!«

»Wie meinst du das? Soll das etwa heißen …?« Sörens Gesicht kam in sein Blickfeld. Die blanke Angst spiegelte sich darin.

»Sie haben uns umzingelt.« Schwankend richtete Malte sich auf. Der Boden unter seinen Füßen fühlte sich wie Schaumstoff an.

»Aber wie haben sie uns gefunden?« Erik trat an seine Seite und hakte ihn unter.

Malte zwang sich, ihn anzusehen. »Ich war es. Ich habe sie hergeführt.«

»Du hast was?« Franziskas Stimme gellte schmerzhaft in Maltes Ohren. »Bist du jetzt auf deren Seite?«

Rebecca neben ihr riss entsetzt die Augen auf und klammerte sich an ihren Arm.

Ehe er etwas erwidern konnte, schob Lea sich schützend vor ihn. »Es gibt hier keine Seite, auf der man sein kann.« Entnervt schüttelte sie den Kopf. »Und für eine davon entscheiden kann man sich erst recht nicht. Wir alle machen hier die Hölle durch, auch die Erwachsenen. Oder denkst du etwa, die sind freiwillig so drauf? Denkst du, deine Eltern sind eines Morgens aufgewacht und dachten: Hey, warum ziehen wir nicht los, schlagen alles kurz und klein und bringen unsere Töchter um? Wie, denkst du, werden sie sich fühlen, wenn sie wieder klar im Kopf sind und begreifen, was hier abgegangen ist? Sie sind genauso Opfer, wie wir. Wann kapierst du das endlich?«

Einen Moment lang sah es so aus, als würde Franziska in Tränen ausbrechen. Dann biss sie sich auf die Unterlippe, zog ihre Schwester an sich und senkte den Blick.

»Wir haben dafür jetzt keine Zeit«, rief Kaan. »Wir müssen raus hier, und zwar schnell.«

Die Zwillinge hakten Malte unter und halfen ihm auf die Beine. »Komm schon, mach dich nicht so schwer.«

Unwirsch versuchte er, sie abzuschütteln. »Was soll das? Habt ihr nicht kapiert? Die *Insani* müssen jeden Augenblick hier sein.«

»Richtig«, pflichtete Sören ihm bei. »Und darum müssen wir uns auch beeilen.«

»Oder denkst du, wir lassen dich hier zurück?«, ergänzte Erik.

Ehe Malte wusste, wie ihm geschah, packten sie ihn und schleppten ihn zur Tür hinaus. Sein Kopf war ein einziger Feuerball, der sein komplettes Empfinden bestimmte. Er bekam kaum mit, was sie mit ihm machten oder was um ihn herum passierte.

Erst, als sie ihn absetzten und jemand ihm die Hand an die Stirn legte, wurde er halbwegs klar. Er begriff, dass sie wieder in der Kleiderkaue waren und dass es Leas Berührung war, die ihn wieder ins Bewusstsein geholt hatte. Um ihn herum schienen alle in höchster Alarmbereitschaft, aber ohne rechten Plan, was sie tun sollten.

»Ihr hättet mich zurücklassen sollen«, krächzte er heiser. »Ich bringe euch alle in Gefahr.«

Im nächsten Moment rumpelte es an der Eingangstür. Eine schmale Silhouette erschien im Gegenlicht. Schockiert hielten sie inne.

»Hallo?«, rief eine weibliche Stimme zaghaft. »Habt ihr meinen Louis?«

Wie aufs Stichwort begann das Baby in Vickys Armen zu weinen.

Die Silhouette der jungen Frau vergrößerte sich, als sie näher kam. »Gott sei Dank, da bist du ja.« Schluchzend kam sie ins Dämmerlicht der Kleiderkaue. In ihrem bleichen Gesicht zeichneten sich die Schatten unter ihren Augen wie schwarze Halbmonde ab. Einer ihrer Füße steckte in einem lila-gelben Sneaker, der andere in einer zerfetzten und blutigen Socke.

Vicky presste das weinende Bündel an sich und wich vor ihr zurück.

»Bitte, gib mir meinen Jungen«, bettelte Louis' Mutter und streckte die schmutzigen Hände nach ihm aus. »Bitte, er braucht doch seine Mama.« Ihr flehender Gesichtsausdruck wechselte im Sekundenbruchteil zu einer Fratze des Hasses. »Gib ihn mir, du Schlampe, sonst schlage ich dich tot!«

Ehe die anderen reagieren konnten, preschte Kaan vor und rempelte die Frau wie ein Footballspieler nieder.

»Helft mir mal!«, keuchte er, rangelte mit ihr und presste ihre Handgelenke auf den Boden.

Sofort sprang Emre ihm bei und hielt ihre Beine. »Na los«, rief er über die Schulter. »Macht, dass ihr wegkommt!«

Hektisch sah Malte sich um. Sie hatten keine Zeit mehr, es blieb nur ein einziger Ausweg.

»Los!«, schrie er. »In den Förderkorb. Alle!« Er packte Lea am Arm und zog sie mit. In seinem Kopf tobte ein Orkan aus widerstreitenden Emotionen, der alles mit sich zerrte. Wie Fetzen wirbelten seine Gedanken herum, blieben für Sekundenbruchteile greifbar, rissen sich los und verschwanden in dem ohrenbetäubenden Tosen, das nur er hören konnte. Der Förderkorb. Er musste sie runterbringen. Mit aller Kraft klammerte er sich an diesen letzten Zipfel seines alten Ichs. Der Schmerz in seinem Schädel ließ ihn aufstöhnen. Wie durch einen feurigen Nebel bemerkte er, wie Lea die anderen vor sich hertrieb. Lea retten. Lea retten. Lea retten. Immer wieder betete er diesen einen Satz vor sich her. Nur das zählte noch, alles andere hörte auf zu existieren.

Mühsam schleppte er sich die Treppe hinauf zum Steuerungskasten. Unter ihm ratterte das Gitter des Förderkorbs. Voller Qual presste er die Fäuste gegen die Schläfen.

»Kaan, Emre, kommt endlich!«, rief jemand. Weder erkannte Malte die Stimme, noch erinnerte er sich, wen sie meinte. Irgendwo unter ihm erklang ein Weinen, es rumpelte im Korb.

»Malte, wir sind so weit!«

Das war Lea.

Malte nahm die Fäuste von den Schläfen und betrachtete ratlos die Schaltanlage. Was? Was sollte er tun? Es war wichtig, so viel ahnte er, aber was war es?

Töte sie! Töte sie! Töte sie!

Nein! Lea war da unten. Lea und Anton und das Baby und die anderen. Seine Freunde. Mit dem Handrücken wischte er den Tränenschleier weg und versuchte, die Buchstaben auf den Emailleschildchen zu entziffern. ABFAHRT stand auf einem davon. Er streckte den Zeigefinger aus und ließ ihn über dem Knopf daneben schweben. Sollte er da draufdrücken? War es das, was er so dringend tun musste? Im Förderkorb schrie ein Baby. Jemand redete beruhigend auf es ein. Vicky, das war die Stimme seiner Schwester. Endlich begriff er.

Er stieß den Finger vor, drückte den Knopf, doch nichts geschah. Im selben Moment krachte es vom Eingang her.

Grölen schallte durch die Kaue. Sein Herz schien einen Schlag auszusetzen, dann fiel es ihm ein. Mit beiden Händen umklammerte er den Hebel, der für die Stromversorgung zuständig war, und stemmte ihn nach unten. Ein elektrisches Summen ertönte, überall auf der Anlage sprangen Lämpchen an.

Von weiter hinten rumpelte es am Tor.

»Malte! Bitte!«

Hektisch suchte er nach dem Knopf für die Abfahrt. Einen hysterischen Moment lang dachte er, er sei verschwunden, dann fanden seine Augen ihr Ziel. Er schlug mit dem Handballen dagegen und hielt ihn noch gedrückt, als der Korb unter ihm längst in der Tiefe verschwunden war.

Er sank auf die Knie, ließ den Knopf los und kippte auf die Seite. Kurz flackerte Leas Gesicht vor seinem inneren Auge auf, dann verglühte es und hinterließ nichts als einen feurigen Schemen, der sachte pulsierend erlosch.

***

Senta

So kalt. Sentas Zähne schlugen bei jedem Schritt aufeinander. Sie konnte nicht genau sagen, ob es bloß die Nässe und die Müdigkeit waren, die alle Wärme aus ihr herausgesogen hatten, oder auch das Grauen, dem sie gerade so entkommen waren.

Sie waren so lieb zu ihr gewesen! Alles hatte sich so echt angefühlt. Beinahe hatte sie Mitleid mit Anna und den anderen Kindern, aber nur beinahe. Sie hatten ihr eine heile Welt vorgegaukelt, ihr sämtliche Erinnerungen genommen und darauf gewartet, dass sie wie ein dummer Schmetterling in ihr glitzerndes Netz flog. Wenn Per nicht gewesen wäre! Sie drückte seine Hand und er strich ihr im Laufen mit dem Daumen über den Handrücken. Zielsicher bahnte er ihnen beiden den Weg, den er mit Edding markiert hatte. Sie hatte zwar keine Ahnung, welchen Plan er verfolgte, aber sie gab sich mit seinen knappen Beteuerungen zufrieden, dass alles in Ordnung sei und die anderen drei auf sie warten würden. Nach einiger Zeit bemerkte sie Brandgeruch und wenig später entdeckte sie einen flackernden Lichtschein zwischen den Büschen.

»Per, was ist hier los?«

Statt einer Antwort schlug Per einen Haken und wich vor der Rauchwand zurück, die sich ihnen entgegen wölbte. »Verdammt, es ist außer Kontrolle geraten.« Hektisch sah er sich um.

»Habt ihr etwa das Feuer gelegt?« Senta fasste sich an die Stirn. Wieso sollte jemand absichtlich das Moor anzünden?

»Ömer, Alyssa und Karl. Ja, genau. Sie haben alle Puppen eingesammelt und in der Fischerhütte angezündet. Sie haben so die Geister von uns abgelenkt, damit wir ihnen entkommen können.«

Senta klappte der Mund auf vor so viel Wagemut. Ihre Freunde hatten sich mit einer ganzen Horde mordlustiger Geister angelegt, nur um sie zu retten.

»Ihr hättet längst in Sicherheit sein können. Das ist doch total irre!«

»Hattest du ernsthaft geglaubt, wir würden einfach so nach Hause gehen und dich deinem Schicksal überlassen?« Per sah sie von der Seite an. »Du hast ja eine tolle Meinung von uns.«

Ein warmes Gefühl breitete sich in Sentas Brust aus. Ihre Freunde waren bereit gewesen, für sie ihr Leben zu riskieren.

So etwas kannte sie bisher nur aus Büchern, nie hätte sie gedacht, das mal in Wirklichkeit zu erleben. Sie schluckte den Kloß herunter, der ihre Kehle eng machte und formte mit den Lippen ein leises Danke.

Nichtsdestotrotz verdichteten sich die Rauchschwaden von Sekunde zu Sekunde und brannten in Sentas Lungen. Das Atmen fiel ihr schwer, ihre Augen tränten und bald stolperte sie Per nur noch blind hinterher. Die Kälte war einer stickigen Hitze gewichen, die ihr bald den Schweiß aus den Poren trieb. Immer wieder versperrten Glutnester ihnen den Weg und zwangen sie zur Umkehr. Die Markierungen hatte Per längst aus den Augen verloren und ihre Flucht entwickelte sich zu einem planlosen Herumirren, bei dem Senta nicht mehr sagen konnte, wovor sie sich mehr fürchtete: den Geistern in die Hände zu fallen, oder bei lebendigem Leibe zu verbrennen. Von allen Seiten drangen orange flackernde Rauchschwaden auf sie zu, es knisterte und fauchte ohrenbetäubend und über allem lag ein beißender Gestank. Senta zog sich die Vorderseite ihres Tops vor den Mund, aber es half nichts. Hustend und würgend sackte sie in die Knie und schaffte es nicht mehr auf die Füße.

»Steh auf, wir müssen weiter!« Keuchend zog Per an ihrem Arm. Seine Augen quollen blutunterlaufen aus dem rußgeschwärzten Gesicht. Rotz und Tränen hatten unregelmäßige Streifen hineingewaschen, in denen die Haut rot glänzte.

Senta wand sich aus seinem Griff. »Ich ... kann ... nicht mehr«, brachte sie hustend hervor und spuckte einen Brocken Schleim aus.

Er machte Anstalten, sie sich auf die Schulter zu heben, doch seine Beine brachen ein und er fiel von Hustenkrämpfen geschüttelt neben ihr auf die Knie.

War es das? Um ein Haar hätte Senta laut gelacht. Was für eine Ironie. Nachdem sie in einem stinkigen Tümpel beinahe ertrunken und auf der Flucht vor mordlüsternen Geistern halb erfroren war, würde sie nun in einem Feuer verbrennen, das ihre Freunde zu ihrer Rettung selbst gelegt hatten. Verdammt doof gelaufen. Sie rieb sich mit dem Handrücken über die Augen und sah sich um. Die Flammen waren nun schon ganz nahe. Die Bäume und Sträucher ringsherum hoben sich schwarz vor dem roten Schein ab, der qualmend und funkenspeiend immer näher kam. Nur ein schmaler Korridor entlang eines von Wollgras überwucherten Bachlaufs war noch frei, aber ihn zu erreichen, dazu fehlte ihnen die Kraft. Wenigstens war sie nicht alleine. Ihre Hand suchte und fand die Pers. Mit fest ineinander verschlungenen Fingern saßen sie da und klammerten sich an die Hoffnung, wenigstens bald ohnmächtig zu werden. Bei vollem Bewusstsein zu verbrennen, das war inzwischen Sentas größte Angst.

Kapitel 24

Alyssa

»Wir müssen umkehren!« Alyssa blieb so plötzlich stehen, dass sie beinahe ins Stolpern geriet.

»Bist du verrückt?« Ömer nahm sie bei den Schultern und schüttelte sie. »Es brennt überall, falls du es noch nicht bemerkt hast!«

Unwirsch schlug sie seine Hände weg. »Aber was ist mit Per und Senta? Das Feuer wird den markierten Pfad erreichen und ihnen den Weg abschneiden!«

Ömer machte große Augen. Offenbar war ihm dieses Szenario gar nicht in den Sinn gekommen.

»Ich gehe zurück.« Ohne zu zögern machte Karl schon kehrt, doch Ömer hielt ihn am Arm fest.

»Und wenn sie verletzt sind? Nichts für Ungut, *Abi*, aber wie willst du ihnen beim Tragen helfen?« Er wandte sich zu Alyssa um. »Karl und ich gehen sie suchen. Du läufst weiter zum Treffpunkt und wartest auf uns!«

»Vergiss es! Alle oder keiner.« Seinen Widerspruch würgte sie mit erhobenen Händen ab und folgte Karl ohne ein weiteres Wort.

Ömer knurrte etwas, das wie »stures Weib« klang, und schloss im Laufschritt zu ihnen auf. Wann würde er endlich raffen, dass sie nicht aus Zucker war? Es war ja süß von ihm gemeint, dass er sie schützen wollte, aber hier war echt der falsche Ort für Ritterlichkeit. Wenn er ihr später die Türen aufhalten oder sie zum Eis einladen würde, hätte sie bestimmt nichts dagegen. Sie ließ sich gerne von einem Jungen wie eine Prinzessin behandeln, aber hier konnte er sich das verkneifen. Karl hingegen schien überhaupt keinen Sinn für solche Spielchen zu haben. Kein Wunder, mit seinen gerade einmal zehn Jahren. Er fand das ganze Getue zwischen Jungs und Mädchen sicher völlig affig und würde erst in ein paar Jahren verstehen, welchen komplizierten Regeln dieses ganze Theater folgte. Wenn überhaupt, denn er wirkte von Natur aus eher pragmatisch veranlagt. Alyssa konnte sich beim besten Willen kaum vorstellen, dass er seine Energie auf etwas so Widerspruchsvolles wie Mädchenlogik richten konnte. Sofern sie es je schafften, diesem Inferno zu entkommen. Zwar schien Karl genau zu wissen, was er tat, aber Alyssa wurde den Verdacht nicht los, dass er sie geradewegs zurück in die Hölle führte. Das Knacken und Bersten der Bäume wurde lauter, der Rauch verdichtete sich und mit jedem Schritt wurde es heißer. Um sie herum stand alles in Flammen und es war Alyssa schleierhaft, wie Karl in diesem Chaos überhaupt noch einen sicheren Pfad finden konnte. Geschickt wich er den Glutnestern aus, lotste sie über verschlammte Bachläufe und umging die Flammen, bis sie nur noch einen schmalen Streifen freien Buschwerks vor sich hatten. Dort, umzingelt von einer lodernden Feuersbrunst, kauerten dicht aneinandergedrängt zwei Gestalten.

Sie schienen kaum noch bei Bewusstsein, als sie sich endlich zu ihnen durchgekämpft hatten. Leblos baumelte Pers Kopf hin und her, als Ömer unter seinen Achseln hindurch fasste und ihn rückwärts mit sich schleifte. Karl und Alyssa nahmen Senta zwischen sich, legten sich ihre Arme um den Nacken und folgten Ömer. Der hatte inzwischen sein Basecap verloren und schwankte unter Pers Gewicht wie ein angeschlagener Boxer. Vor Anstrengung grunzend kämpfte er um jeden Schritt, während die Flammen immer näher kamen und gierig nach ihnen schnappten. Ein paar fürchterliche Minuten lang glaubte Alyssa, dass sie es nicht schaffen würden, doch dann wurde es dunkler, das Knistern entfernte sich und irgendwann wagten sie eine kurze Rast. Viel Zeit zum Verschnaufen blieb ihnen nicht, denn das Feuer würde sie schon bald einholen. Sie setzten Per und Senta ab und rieben sich den Ruß aus den Augen. Die beiden waren noch immer ziemlich wackelig auf den Beinen, aber zumindest wieder einigermaßen klar im Kopf.

Mit Ömers Hilfe stemmte Per sich auf die Beine.

Seine Zähne leuchteten gespenstisch im rußgeschwärzten Gesicht, als er ein Grinsen versuchte. »Ihr habt euch aber Zeit gelassen.«

»Du mich auch, *Abi*«, antwortete Ömer, aber er grinste ebenfalls.

Senta hingegen starrte nur mit großen Augen vor sich hin. Das Grauen, das sie erlebt hatte, klang offenbar noch deutlich in ihr nach. Alyssa hockte sich vor sie hin und nahm ihre Hände.

»Alles okay mit dir?«

Langsam richtete Senta ihren Blick auf Alyssa und schüttelte den Kopf. »Nein«, schluchzte sie. »Gar nichts ist okay.« Ihr Kinn zuckte, als würde sie jeden Moment losheulen, trotzdem versuchte sie ein Lächeln. »Aber bestimmt bald wieder.«

Überwältigt von Zuneigung zog Alyssa sie in ihre Arme und drückte sie. Ihr Körper bebte wie unter Fieberkrämpfen, die Alyssa anzustecken drohten. Dennoch presste sie Senta nur noch fester an sich. Sie würde die Freundin erst wieder freigeben, bis sie das Schaudern für sie niedergekämpft hatte. Nach einer Weile ebbte das Zittern tatsächlich ab und Senta entspannte sich.

»Komm, ich mach dich mal sauber. Du siehst ja aus wie ein Gespenst.« Sie goss etwas Wasser aus der Trinkflasche in ihre Handfläche und wusch Senta das Gesicht ab. Richtig runter bekam sie den Ruß nicht, aber immerhin erkannte man sie jetzt wieder.

»Keine schlechte Idee, das Zeug brennt in den Augen.« Ömer benetzte den Saum seines Shirts und rieb sich ebenfalls den Dreck ab. Die anderen machten es ihm nach.

»Wir müssen weiter.« Karl nahm Pers Taschenlampe an sich und sah sich nach einer geeigneten Route um.

Alyssa half Senta auf die Füße und hakte sie unter. Wie zwei Betrunkene eierten sie hinter den Jungs her. Jede Faser in Alyssas Körper schrie nach Schlaf, aber die Angst vor den herannahenden Flammen verlieh ihr ungeahnte Kräfte. Schritt für Schritt schleppte sie sich weiter, den Blick nur auf Ömers Rücken geheftet, bis sie jedes Zeitgefühl verlor. Erst als sich der Himmel zwischen den Zweigen rosa zu färben begann, begriff sie, dass sich die Nacht ihrem Ende näherte. Auf einer Kuppe blieben sie stehen und beobachteten ungläubig staunend, wie die Sonne über dem Moor aufging. Sie glänzte blank und unschuldig, als hätte es die Schrecken der vergangenen Nacht nie gegeben. Nur ein paar Rauchsäulen am Horizont zeugten wie Mahnmale von den Ereignissen, die sie wohl Zeit ihres Lebens nie mehr vergessen würden.

»Leute, erkennt ihr, wo wir hier sind?«, fragte Ömer in die andächtige Stille hinein.

Alyssa riss sich vom Anblick des Sonnenaufgangs los und nahm zum ersten Mal seit Stunden ihre Umgebung genauer in Augenschein.

»Na klar! Hier sind wir auf die ersten Puppen gestoßen.« Sie drückte Karl einen Kuss auf die Wange, worauf ihm zum ersten Mal seit Beginn ihrer Reise die Worte fehlten.

»Kleiner, du hast es tatsächlich geschafft, wir sind wieder auf dem Heimweg.«

Zögernd gingen sie auf die Eberesche zu, in deren Zweigen sie die Babypuppe entdeckt hatten. Beim letzten Mal hatten sich an dieser Stelle die Geisterkinder über sie hergemacht. Für Alyssa war klar, dass hier die Grenze zu ihrem Totenreich verlief, und so beklommen, wie die anderen aus der Wäsche guckten, war sie da nicht die einzige. An einer Wurzel, die knotig wie eine riesige Krampfader über den Weg führte, blieben sie stehen.

»Ich bin ganz sicher, hier ist die Schwelle zur Geisterwelt.« Sie lachte unsicher. »Alle oder keiner, richtig?«

»Richtig«, antworteten die anderen wie aus einem Munde und fassten einander an den Händen. Per begann zu zählen.

»Eins.«

Alyssa hob den rechten Fuß.

»Zwei.«

Sie kniff die Augen zusammen.

»Drei.«

Gemeinsam mit ihren Freunden überschritt sie die Wurzel und öffnete ungläubig erst das linke, dann das rechte Auge. Blinzelnd schaute sie sich um. Sie wusste nicht genau, was sie erwartet hatte, vielleicht ein Kribbeln in ihrem Innern, oder ein Gefühl, durch eine unsichtbare Barriere zu schreiten. Mit dem, was hier passierte, hatte sie am allerwenigsten gerechnet.

Nämlich gar nichts.

»Wow, und das war es jetzt?« Ömer klang beinahe enttäuscht.

»Ziemlich ernüchternd, oder?«, fragte Karl.

»Lasst uns weitergehen.« Per sah sich unbehaglich um. »Wir stehen hier ja händchenhaltend rum wie Idioten.«

Senta neben ihr kicherte. Es war das schönste Geräusch, das Alyssa sich vorstellen konnte. Ihr Kichern weitete sich zu einem Lachen aus, in das zuerst Karl, dann Ömer, Per und zuletzt auch Alyssa mit einfielen. Erst, als Karl Schluckauf bekam und Alyssa sich die Lachtränen aus den Augen rieb, setzten sie ihren Weg fort. Nichts hielt sie auf, weder Geister, noch Desorientierung. Der Heimweg lag klar vor ihnen, sie mussten ihn nur noch zu Ende gehen.

Zuerst weiter durchs Moor, dann wurde der Untergrund fester und die Pfade breiter. Gegen Mittag gelangten sie zu der Wiese, die an den Wald grenzte. Hier hatten sie vor einer gefühlten Ewigkeit den Weg zum Moor eingeschlagen. Kurz darauf entdeckten sie die erste Wegmarkierung: ein mit weißer Farbe an einen Baumstamm gemaltes A1. Es erschien Alyssa wie ein Relikt aus einer fremden Zivilisation.

Als ihnen am Nachmittag ein Förster begegnete, der bei ihrem Anblick missbilligend den Kopf schüttelte, hätte sie ihn am liebsten umarmt. In einem Mischmasch aus Deutsch und Französisch mahnte er sie, auf schnellstem Wege den Wald zu verlassen. Ein paar Kilometer weiter im Moor würde es brennen, die Feuerwehr sei bereits mit Löschflugzeugen unterwegs. Ob sie das noch nicht mitbekommen hätten?

Sie taten ahnungslos und bedankten sich für die Warnung, als der Mann aber außer Hörweite war, brachen sie erneut in Gelächter aus. Kurz darauf zweigte der Weg ab und eine Stunde später erreichten sie den Parkplatz.

Der Wagen von Sentas Eltern stand noch genauso an seinem Platz, wie sie ihn verlassen hatten. Nur ein Zettel mit einem roten Ausrufezeichen klemmte hinter dem Scheibenwischer. Per nahm ihn ab und las ihn laut vor.

»Vorsicht vor Autoknackern! Ihr Wagen ist kein Tresor. Lassen Sie keine Wertsachen darin zurück, damit Sie die

Schönheit der Naturlandschaft Hohes Venn ohne Reue genießen können!«

Alyssa nahm ihm den Zettel ab und betrachtete ihn eingehend. Unfassbar. Während sie ein paar Kilometer weiter in einer Parallelwelt gegen mordlustige Geisterkinder gekämpft hatten, war hier jemand vom Tourismusamt oder einem Fremdenverkehrsverein vorbeigegangen und hatte sie vor so etwas Banalem wie Autoeinbrüchen gewarnt.

»Also, wenn das nicht beweist, dass wir wieder unter den Lebenden sind, dann weiß ich es auch nicht.« Sie faltete den Zettel wie einen Talisman zusammen und schob ihn in die Hosentasche.

Mit einem Schlüsselklick entriegelte Per die Wagentüren und sie stiegen ein. Die Sitze des Autos erschienen Alyssa wie kostbare Polstermöbel. Sachte strich sie über die Veloursoberfläche und lehnte sich zurück. Jetzt, im bequemen Fond zwischen Ömer und Karl, fiel alle Anspannung von ihr ab. Am liebsten wollte sie nie wieder aussteigen.

Per drehte den Zündschlüssel, und der Wagen sprang schnurrend an. Während Senta die Rückroute ins Navi eintippte, kramte Ömer in der Tasche hinter dem Beifahrersitz und förderte unter großem Hallo eine angebrochene Tüte M&Ms zutage. Mit feierlichem Ernst teilte er den Inhalt in fünf Portionen. Alle warteten, bis jeder seinen Anteil bekommen hatte, bevor sie sich die erste Schokonuss in den Mund schoben. In andächtigem Schweigen ließ Alyssa den süßen Schokoladengeschmack auf der Zunge zergehen und beobachtete, wie draußen zuerst der Wald und dann die ersten Häuser vorbeiglitten.

***

Er wusste nicht, ob er eingeschlafen oder bewusstlos geworden war. Lange konnte es nicht gewesen sein, denn als er sich wie ein Fötus zusammengekauert auf der Seite liegend wiederfand, rasselte es noch immer tief unter ihm im Schacht. Der Förderkorb. Er war noch immer unterwegs. Oder schon wieder? Er lauschte in die Tiefe, das Geräusch schien sich zu entfernen und war kaum noch wahrnehmbar. Das war es nicht, was ihn geweckt hatte. Es war ein Schrei gewesen, und während er sich noch fragte, ob er echt oder er nur das Produkt seines verwirrten Geistes gewesen war, hörte er ihn erneut.

»Hilfe, ist da jemand? Verdammt, es tut so weh!«

Malte setzte sich auf. Die Stimme klang jämmerlich und kam ihm vage bekannt vor. Wer auch immer da so erbärmlich schrie, er brauchte seine Hilfe. Schwankend stand er auf, hielt sich den Kopf, in dem es sich wie bei einem Greenout drehte, und versuchte, sich krampfhaft an die letzten Ereignisse zu erinnern. Etwas mit seinen Freunden und dem Förderkorb, so viel stand fest. Aber sonst? Mit steifen Beinen stakste er die Treppe hinunter, kämpfte die aufsteigende Übelkeit und den Schwindel nieder und folgte dem Rufen, das aus der Schwarzkaue zu kommen schien. Auf halber Strecke wankten ihm ein paar Leute entgegen, einer von ihnen war sein Fahrlehrer, ein anderer der Metzger aus dem Supermarkt. Sie alle blickten verwirrt drein, als wachten sie gerade aus einem ziemlich lebhaften Traum auf. Keiner schien zu begreifen, was vor sich ging.

An der Wand der Schwarzkaue bildeten drei Umkleidebänke ein Rechteck, in dem er eine Gestalt liegen sah. Zuerst konnte er sich keinen Reim darauf machen, dann brach die

Erinnerung so plötzlich über ihn herein, dass er auf die Knie fiel.

»Mitri!«, rief er. »Bist du wieder du?«

Unter Stöhnen drehte Mitri sich zu ihm um. »Wer bist du?«, krächzte er schwach. »Und woher kennst du meinen Namen?«

Malte richtete sich auf, überkletterte die Bänke und hockte sich neben ihn. Sein Atem keuchte, er hatte offensichtlich Fieber und Schmerzen, aber keine Spur von Mordlust in seinen Augen.

»Spielt jetzt keine Rolle.« Malte grinste. »Sagen wir mal so: Wir haben in den letzten Tagen viel Scheiß zusammen durchgemacht.«

Beim Anblick von Mitris Bein sog Malte die Luft durch die Zähne. Es hatte sich in der Zwischenzeit bläulich verfärbt und war auf die Größe einer Melone angeschwollen.

»Komm, ich helfe dir auf.« Er hakte ihn unter, zog ihn auf eine der Bänke und lagerte das verletzte Bein vorsichtig hoch. »Bin gleich wieder da.«

Beim Lager der Mädchen fand er eine halbvolle Wasserflasche und einen angebissenen Rest Dauerwurst. Nicht gerade ein Festmahl, aber vorerst würde das genügen. Er nahm die Sachen an sich und wollte gerade gehen, als er eine Bewegung zwischen all den Decken und Jacken bemerkte. Erschrocken fuhr er zurück, da schob sich ein Fuß aus dem Knäuel – ein Fuß in einem lila-gelben Sneaker. Augenblicklich ließ er die Sachen fallen und befreite sie. Als er ihren flehenden, beinahe kindlichen Blick über dem mit einer Windel geknebelten Mund sah, konnte er nicht anders. Er ließ sich neben ihr auf die Bank fallen und schüttelte sich aus vor Lachen.

Es war vorbei! Es war endlich überstanden.

Kapitel 25

Per

Die Tankanzeige näherte sich zwar dem roten Bereich, aber Pers Schätzung nach müssten sie es noch bis Gremmershoven schaffen. Mit einem unwirklichen Gefühl steuerte er den Wagen über die Autobahn. Die Menschen in den überholenden Autos, die Reklametafeln am Straßenrand, alles wirkte so normal, dass er sich selbst wie ein Fremdkörper fühlte. Noch vor wenigen Stunden hatte er sich fast vor Angst in die Hosen gemacht, nur weil er über eine scheiß Baumwurzel steigen musste. Jetzt bestand seine größte Sorge darin, die richtige Ausfahrt nicht zu verpassen. Würde er je wieder an sein altes Leben anknüpfen können? Wollte er das überhaupt?

Im Auto herrschte nachdenkliches Schweigen, vermutlich gingen allen ähnliche Gedanken durch den Kopf. Ob Malte und die anderen noch im Bergwerk ausharrten?

»Sag mal, deine Eltern haben nicht zufällig ein Ladekabel für den Zigarettenanzünder im Wagen?«

Senta öffnete das Handschuhfach und kramte tatsächlich ein Ladekabel heraus. »Ist ein Micro-USB, geht das?«

Per warf einen kurzen Blick auf den Stecker und nickte. Der würde in sein Smartphone passen. Mit einer Hand fummelte er den Stecker in sein Handy, und Senta stöpselte das andere Ende in den Zigarettenanzünder. Per hatte zwar wenig Hoffnung, aber nachdem Senta für ihn den PIN eingegeben und das Gerät hochgefahren hatte, vermeldete die Anzeige zwei neue Sprachnachrichten auf seiner Mailbox. Mit angehaltenem Atem wechselte er einen knappen Blick mit Senta, und auch die anderen drei schauten nervös aus dem Rückspiegel zu ihm zurück.

»Schalte auf Lautsprecher«, forderte Karl und beugte sich vor.

Senta tippte auf das Display und hielt das Telefon in die Runde. Atemlos warteten sie sie Ansage der Computerstimme ab, bis nach dem Signalton die erste Sprachnachricht begann. Sie war rund zehn Stunden alt.

»Hey Diggah!«

Per hatte das Gefühl, durch eine tiefe Bodenwelle zu fahren. Das war unverkennbar Malte, und er klang gepresst und angespannt.

»Ich hoffe, du hörst das. Die Zwillinge und ich haben den Fahrstuhl in Gang gebracht. Ansonsten läuft es hier gerade ziemlich beschissen. Die Erwachsenen drehen völlig durch und sind extrem aggro. Dann haben wir jetzt auch noch einen Verletzten von ihnen am Hals und ein Baby. Louis heißt der. Den hat uns seine Mutter in die Arme gedrückt, ehe sie selbst auch ...«

Vom anderen Ende ertönte irgendein metallischer Lärm, Schreie und Keuchen, als würde jemand rennen. Senta schlug sich die Hände vor den Mund.

»Sorry, ich musste mich verstecken«, setzte Malte hastig fort. »Ich bin von den anderen getrennt worden. Wir waren in der Stadt unterwegs und haben Anton gesucht. Der war abgehauen, aber wir haben ihn wiedergefunden. Also alles gut mit ihm, keine Sorge, Senta. Diggah, wenn du das hier hörst, dann wäre es gut, wenn ihr euch beeilt. Irgendwas passiert mit mir, ich weiß nicht, wie lange ich noch – verdammt!«

Ende der ersten Sprachnachricht.

»Ach du Scheiße«, wisperte Ömer.

Senta stöhnte gequält auf.

»Meint er etwa meinen Neffen Louis?« Alyssa wimmerte. »Oh, bitte! Lass es nicht Amanda mit Louis gewesen sein.«

Pers Hände zitterten so sehr, dass er nur mit Mühe den Wagen auf Spur halten konnte. Sie hatten zu lange gebraucht. Selbst wenn inzwischen alle Erwachsenen wieder bei Verstand waren, so hatten sie doch inzwischen genug Zeit gehabt, die anderen aufzuspüren, oder vielleicht war Malte selbst – nein, den Gedanken wollte er gar nicht zu Ende denken. Er lenkte das Auto rechts auf die Standspur, schaltete die Warnblinkanlage an und drehte den Motor ab. Kraftlos umklammerte er die Oberkante des Lenkrads und ließ die Stirn dagegen sinken. Malte, der alte Ganjabruder. Bestimmt hatte er bis zuletzt versucht, die Gruppe zu schützen. Wenn es ihn am Ende selbst erwischt hatte, während er versucht hatte, die anderen zu retten? Und wenn er dabei umgekommen war? Was für eine verkackte Ironie, dass ausgerechnet er am Ende als Held abtreten würde.

Ihr Wagen schaukelte im Luftzug der vorbeirauschenden Fahrzeuge. Einmal brauste sogar laut hupend ein Sattelzug an ihnen vorüber. Offenbar passte es dem Fahrer nicht, dass sie hier die Standspur blockierten, aber drauf geschissen. Sollte ruhig einer von hinten kommen und sie platt fahren. Wenn sie versagt hatten, wäre ein Vierzigtonner mit Tempo hundert genau das Richtige.

»Wir sollten auch die nächste Nachricht abspielen«, schlug Karl vor.

Per schnaubte verächtlich. »Und was glaubst du, was wir da zu hören bekommen? Eine Meldung darüber, wie viele es schon erwischt hat und ein paar letzte Grüße an die Hinterbliebenen? Vergiss es, das muss ich nicht haben.«

Den Protest der anderen ignorierend wollte er bereits den Zündschlüssel drehen, da legte Senta ihre Hand auf seine.

»Wir müssen uns alles anhören. Das sind wir Malte und den anderen schuldig.« Sie schluckte hart. »Anton. Ich muss wissen, was mit ihm passiert ist.«

Per drehte sich zu ihr um und sah ihr ins Gesicht. Was war er doch nur für ein armseliges Würstchen. Da jammerte er hier herum, weil er vermutlich seinen besten Freund verloren hatte, aber was war mit den anderen? Sie alle hatten Freunde und Familie da draußen. Und Senta? Die Angst um ihren kleinen Bruder stand ihr förmlich ins Gesicht gemeißelt. Der Kleine war doch fast noch ein Baby. Und dann Alyssa. Wenn das wirklich ihr Neffe war, von dem Malte gesprochen hatte ... Beschämt wandte er sich ab und nickte. »Lass hören.«

Senta tippte auf das Display und hielt ihnen das Telefon hin.

Zweite Sprachnachricht. Heute, sechzehn Uhr vierunddreißig.

Der Piepton drang schrill in Pers Ohren, dann begann die Aufzeichnung.

»Diggah«, kreischte es aus dem Kasten.

Pers Hände umkrampften das Steuer. Im Hintergrund vernahm er wildes Geheul und Grölen, sodass Maltes Worte kaum zu verstehen waren.

»Es ist vorbei! Hörst du das?«

Vermutlich hielt Malte das Handy in die Richtung, aus der der Lärm kam. Es klang, als würden reihenweise Leute abgeschlachtet werden. Alle schrien durcheinander. Es war unerträglich mit anzuhören. Am liebsten hätte Per sich die Hände auf die Ohren gepresst, da hörte er unter dem Krach Sprechchöre heraus.

»Hi, ha, ho, der Spuk, der ist k. o.!«

»Nie mehr Puppenmonster! Nie mehr, nie mehr!«

Verblüfft schaute er in den Rückspiegel.

»Ich fass es nicht, die feiern ja!« Ömer jauchzte vergnügt.

»Keine Ahnung, wie ihr das geschafft habt, aber anscheinend sind hier alle wieder normal!«, jubelte Malte kaum verständlich ins Telefon. »Allen geht es gut. Alyssa, viele Grüße von deiner Schwester! Stellt euch vor, sie ist die Mutter von dem kleinen Louis, von dem ich in meiner letzten Nachricht erzählt habe. Ist das zu fassen? Sie war hier, weil sie sich Sorgen um dich gemacht hat. Per! Deine Eltern haben nach dir gefragt, sie sind total stolz auf dich! Wenn du das hörst, sieh zu, dass du nach Hause kommst. Hier herrscht zwar das totale Chaos, überall Feuerwehr, Rettungswagen und das THW, aber niemand ist ernsthaft verletzt worden. Bis auf Mitri, den hat es übel am Bein erwischt, aber im Krankenhaus sagen sie, er wird wieder.« Im Hintergrund jaulten Sirenen, Männerstimmen in der Nähe bellten Kommandos und von irgendwo ertönte das Knacken von Funkgeräten. Dann brach die Verbindung ab. Alyssa begann vor Erleichterung zu weinen.

Hastig tippte Per auf Rückruf, und schon nach dem zweiten Klingeln nahm Malte ab.

»Mensch, ich bin so froh, deine Stimme zu hören«, begrüßte er ihn. »Seid ihr okay?«

»Alles gut bei uns, wir sind unverletzt und auf dem Rückweg. Wir treffen uns morgen bei mir im Rübenkeller zum Lagebericht. Und hey – ich kann es kaum erwarten, dein dämliches Gesicht zu sehen.«

»Ich dich auch«, antwortete Malte lachend und legte auf.

Per lehnte den Kopf gegen die Nackenstütze, schloss die Augen und atmete tief durch. Sie hatten es überstanden. Erst jetzt, nachdem er mit Malte gesprochen hatte, war der letzte Rest Anspannung von ihm abgefallen. Okay, zu Hause herrschte das absolute Chaos und vermutlich würde es einige Zeit dauern, bis alles wieder normal lief. Vielleicht würde das auch nie der Fall sein, aber war das überhaupt nötig? Ein Neustart mit neuen Zielen, neuer Verantwortung und neuen Freunden hatte auch was für sich. Er griff Sentas Hand, führte sie an den Mund und küsste sie. Das hier, neben ihr zu sitzen, ihre Hand zu halten und seine Freunde bei sich zu haben, fühlte sich viel normaler an, als sein altes Leben. Ein guter Neubeginn, wie er fand.

Inzwischen dämmerte es bereits, und Per schaltete die Scheinwerfer an, bevor er den Blinker setzte und sich in den Feierabendverkehr einfädelte.

Kapitel 26

Senta

»Ach du meine Güte!« Senta starrte gebannt aus dem Seitenfenster. Sie hatten soeben das Ortsschild Gremmershoven passiert, und was dahinter auf sie wartete, schien ihr so unwirklich wie eine Filmkulisse. Die Stadt sah aus, als hätten Wacken, 28 Days Later und Silvester zugleich stattgefunden.

Der Straßenrand war von ausgebrannten Autowracks gesäumt. Löschschaum lief über die geschwärzten Gerippe und sammelte sich in schmierigen Strömen im Rinnstein. Überall flog Abfall herum, in den Häuserfronten klafften zertrümmerte Fensterscheiben und in der Luft hing ein brenzliger Dunst. Hier und da qualmte es noch, aber die Feuerwehr hatte offenbar ganze Arbeit geleistet. Rot-weißes Flatterband versperrte den Eingangsbereich des zerstörten Supermarkts. Viele der Fenster waren bereits mit Spanplatten notdürftig vernagelt.

Niemand schien großartig Notiz von ihrer Ankunft zu nehmen, alle waren viel zu sehr mit Aufräumen beschäftigt. Trotz der einbrechenden Dunkelheit schoben im Schein der Baustellenscheinwerfer Leute Schubkarren mit Schutt herum, schleppten Bretter oder harkten Müll zusammen. Gegenüber der Kirche hatten sie eine Art Feldküche eingerichtet, in der fleißige Hände die freiwilligen Helfer mit Kaffee, heißer Suppe und belegten Broten versorgten.

»Guckt mal. Da.« Alyssa deutete auf einen kräftigen Mann, der mit einer großen Servierplatte herumging und Frikadellen an die Menschen verteilte.

»Das ist der Metzger, der mich im Supermarkt kaltmachen wollte.«

Senta betrachtete den Mann genauer. Er wirkte in sich gekehrt, ruhig und freundlich.

»Sieht völlig harmlos aus«, bemerkte Ömer.

Einen grüblerischen Gesichtsausdruck entdeckte Senta auch bei vielen anderen Leuten. Sie taten zwar, was in Anbetracht der Lage getan werden musste, aber mit den Gedanken wirkten sie ganz woanders. Welche Erklärung sie wohl für das alles gefunden hatten?

Per bog von der Hauptstraße in das nahe gelegene Villenviertel ab. Vor einem weißen Gartentor blieb er stehen und ließ Karl aussteigen. Unschlüssig betrachtete Karl das Haus, dessen Auffahrt von herausgerissenen Pflastersteinen und Unrat übersät war, und beugte sich durch das geöffnete Seitenfenster zu Ömer.

»Also wie besprochen, Ömer. Morgen früh am Spielplatz. Danach zum Rübenkeller.« Er schüttelte ihm die Hand, als gälte es einen Vertrag zu besiegeln. Dann wandte er sich Senta und den anderen beiden zu. Er rang nach den richtigen Worten, bis er sich endlich einen Ruck gab. »Wir bleiben doch in Kontakt, oder? Wir alle fünf? Ihr seid nämlich meine besten Freunde, wisst ihr?«

Per stellte den Motor ab, öffnete seinen Sicherheitsgurt und stieg aus. Auch Senta und die anderen hielt es nicht mehr auf den Sitzen. Sie alle kletterten aus dem Auto und umarmten zu fünft einander, bis Karl in der Mitte lachend protestierte, er würde keine Luft mehr bekommen. Schließlich lösten sie sich voneinander und Karl rannte ohne ein weiteres Wort die Einfahrt hinauf. Er hatte kaum die Hälfte der Strecke hinter sich gebracht, da öffnete sich die mit Sperrholz verstärkte Haustür und seine Eltern stürzten ihm entgegen.

Halb jubelnd, halb weinend nahmen sie ihn in die Arme, deckten ihn mit Küssen ein und trugen ihn schließlich hinein.

Als nächstes brachten sie Ömer nach Hause, der ähnlich wie Karl empfangen wurde. Auf Alyssas Türschwelle wartete bereits eine junge Frau mit einem Baby im Arm auf sie. Der Ähnlichkeit nach musste das ihre Schwester sein. Sie winkten ihr zu, ehe sie weiter zu Sentas Haus fuhren.

Zwischen umgekippten Mülltonnen und einem entwurzelten Rosenbusch stellte Per das Auto ab. Sie stiegen aus, er verriegelte die Türen vorschriftsmäßig und drückte ihr den Autoschlüssel in die Hand.

»Sag deinen Eltern, dass sie unbedingt tanken müssen«, erinnerte er sie und grinste verlegen.

Senta schmunzelte. »Ich wette, du machst deine Führerscheinprüfung mit links.« Sie stellte sich auf die Zehenspitzen und gab ihm einen Kuss. »Danke, dass du uns heile nach Hause gebracht hast.«

Er zuckte gleichgültig die Achseln. »Kleinigkeit. Nur den Schulterblick muss ich noch üben. Dann morgen bei mir?«

Sie tat, als müsse sie überlegen. »Wenn ich nichts Besseres vorhabe.« Lachend zog ihn nochmal zu sich herunter und küsste ihn, bevor sie sich umdrehte und zum Haus ging.

Für die Erwachsenen blieben die Ereignisse nichts weiter als ein nebulöser Alptraum, aus dem sie schlagartig alle zugleich erwacht waren. In genau dem Moment, als Karl die Puppen in der Fischerhütte angezündet hatte. Zwar konnte sich keiner der Bewohner an Details erinnern, aber die Spuren wiesen ganz klar darauf hin, dass sie selbst es gewesen waren, die die Zerstörung angerichtet hatten. Keiner konnte sich das erklären, und darum kamen schon am Freitag weiß bekittelte Wissenschaftler in die Stadt und nahmen alle möglichen Proben von Luft, Wasser, Erdreich und so weiter, und rannten überall mit Geigerzählern herum. Vermutungen für den Auslöser des *Gremmershoven-Phänomens*, wie man die Geschehnisse in Ermangelung eines besseren Begriffs nannte, gab es viele. Beweise fanden sich jedoch keine, und so einigte man sich darauf, dass Sonnenexplosionen für vorübergehende Störungen der elektromagnetischen Hirnströme bei den Erwachsenen gesorgt hatten. Erstaunlicherweise fand man nichts von alldem in der Presse, und Senta vermutete, dass jemand aus der Politik den Daumen auf der Geschichte hatte. Was sie allerdings in der Zeitung entdeckte, war ein kurzer Bericht auf Seite drei, der von einem Flächenbrand im Hohen Venn nahe der belgischen Grenze handelte. Zwar hatte die Feuerwehr den Brand schnell unter Kontrolle gebracht, dennoch war ein großer Teil des Naturschutzgebiets ein Opfer der Flammen geworden. Man vermutete Brandstiftung als Ursache, denn man hatte in den Resten einer alten Fischerhütte Spuren von Brandbeschleuniger gefunden. Allerdings zog man auch Selbstentzündung als Möglichkeit in Erwägung, denn die Hütte war offenbar mit Abfällen und Gerümpel vollgestopft.

Eine Woche später erinnerte kaum noch etwas an den Albtraum, den die Stadt kollektiv erlitten hatte. Ein frisch geteertes Schlagloch, dort, wo der Lupo von Leas Mutter ausgebrannt war. Eine freie Sandfläche, da, wo sie den Zeitungskiosk abgerissen hatten. Wo es ging, hatten sie die Rußspuren mit Fassadenfarbe übermalt, aber hinten bei den Garagen war man noch nicht dazu gekommen.

Die Schule hatte am Montag nach ihrer Rückkehr den Unterricht wieder aufgenommen. Anfangs hatte noch ein ziemliches Durcheinander geherrscht, aber spätestens nach der Verkündung der ersten Klausurtermine waren die meisten wieder im Alltagstrott angekommen.

Wie gewohnt läutete am folgenden Freitag der Schulgong das Wochenende ein. Senta klemmte ihre Tasche auf den Gepäckträger, schwang sich auf ihr Fahrrad und winkte im Vorbeifahren Alyssa zu. Breit grinsend und mit nagelneuen Beats auf den Ohren wartete sie an Ömers Fahrrad und winkte zurück. Beim Mittagessen überraschte Anton sie mit einem selbst gemalten Bild. Die krakelige Buntstiftzeichnung zeigte eine knubbelige Gestalt, die über einem spinnenartigen Gebilde schwebte. Ganz eindeutig ein Selbstbildnis. Kurz darauf kam auch Sentas Vater aus dem Büro und gesellte sich zu ihnen an den Tisch.

Die Ereignisse rund um das *Phänomen* erwähnten sie mit keiner Silbe, bis Sentas Mutter beim Essen mit einer Frage herausrückte. Offenbar hatte sie ihr schon länger auf der Seele gelegen.

»Sag mal«, begann sie zwischen zwei Bissen. »Erinnerst du dich noch an diese Puppe, die ich neulich beim Wandern gefunden habe?«

Senta würgte mühevoll das Stück Hackfleisch herunter. »Ja?« Mit schwitzenden Händen nahm sie die Serviette und zerknüllte sie in ihrem Schoß. »Was ist damit?«

Ihre Mutter schüttelte den Kopf. »Keine Ahnung. Sie geht mir nur nicht aus dem Sinn. Ich kann sie nirgends finden und dachte, du wüstest, was es damit auf sich hat.«

»Yvonne, lass doch«, warf Sentas Vater ein, doch Senta ignorierte seinen Einwand.

»Sie ist weg«, antwortete sie. »Sie ist während des *Phänomens* kaputt gegangen und dann haben wir sie in den Müll geworfen.«

Ihre Mutter sah sie erstaunt an. »Ach, wirklich?« Sie musterte Senta einen Augenblick lang durchdringend und zuckte dann mit den Schultern. »Na, egal. Die war sowieso ziemlich schrottreif, für die hätten wir sicher nichts mehr auf Ebay bekommen. Reichst du mir bitte mal den Parmesan?«

Epilog

Zwei Monate später

Alyssa

»Vorsicht, Mama! Die Schokolade läuft doch überall herunter.« Alyssa versuchte, die Kuvertüre mit dem Finger zu stoppen, aber ihre Mutter lachte nur.

»Na und? Mit Schokolade sollte man nie geizen.« Mit einem Spachtel strich sie die Glasur auf dem Kuchen glatt und verteilte sie geschickt bis über den Rand. Alyssa schleckte sich die Finger sauber und betrachtete ihr Werk. Nun noch die Zuckerschrift und die Kerze mit der Vier drauf, und Anton würde begeistert sein.

»Habt ihr denn auch noch etwas anderes außer Kuchen für den Kleinen?« Ihre Mutter tippte ihr im Vorbeigehen mit dem schokoverschmierten Spachtel auf die Nasenspitze, ehe sie ihn in den Geschirrspüler stellte.

»He, du Freche!« Lachend wischte Alyssa mit dem Handrücken die Schokolade ab. »Ja klar. Er bekommt von uns allen einen Son Goku. Ömer und Karl besorgen ihn. Eigentlich müssten sie schon längst hier sein.«

Ihre Mutter legte eine Reinigungstablette ein und startete das Spülprogramm. »Was ist denn ein Son Goku?«

»Das ist ein Superheld aus einer japanischen Mangaserie. Anton liebt ihn heiß und innig.«

»Eine Art von Puppe also.« Ihre Mutter zog die Stirn kraus.

Alyssa seufzte. Seit sie ihrer Mutter von der Sache mit der Puppe erzählt hatte, machte sie alles nervös, was nur ansatzweise mit einer zu tun hatte. Jede Schaufensterfigur bereitete ihr Übelkeit und sogar die hölzerne Matroschka, die immer auf dem Sideboard in der Küche gestanden hatte, war in den Müll gewandert.

Dabei war das alles schon acht Wochen her, und seitdem hatte sich so viel verändert. Überall waren die Familien zusammengerückt, man sprach schwelende Konflikte an, räumte Missverständnisse aus, und nach ein paar Wochen voller schmerzhafter Wahrheiten war es, als hätte sich die ganze Stadt gehäutet.

Auch an Alyssas Mutter war diese Veränderung nicht spurlos vorbeigegangen. Eines Nachmittags, als Alyssa aus der Schule nach Hause gekommen war, hatte sie sich über eine Reihe blauer Müllsäcke vor der Haustür gewundert. Sie waren wahllos vollgestopft mit Klamotten, DVDs, Handyzubehör, angebrochenen Tabaksbeuteln, Autozeitschriften und dergleichen mehr. Ganz eindeutig Patricks Krempel.

»Ich hab den Müll rausgebracht«, hatte ihre Mutter auf Alyssas fragenden Blick hin erklärt und zufrieden ihr Werk betrachtet.

Kurz darauf war ein Mann vom Schlüsseldienst vorbeigekommen, um die Schlösser von der Haustür, dem Garagentor und der Hintertür auszutauschen.

Als Patrick gegen Abend nach Hause gekommen war, hatte er einen Riesenterz veranstaltet. Zuerst hatte er wie ein Irrsinniger gegen Türen und Fenster gepoltert, wüste Beschimpfungen geschrien und damit gedroht, dass es ordentlich Kirmes gäbe, wenn sie ihn nicht sofort hineinließen. Alyssa und ihre Mutter hatten eng aneinander geschmiegt auf dem Sofa gesessen und waren bei jedem Hämmern gegen die heruntergelassenen Jalousien zusammengezuckt. Irgendwann war ihre Mutter aufgestanden und zur Haustür gegangen. Alyssa war das Herz in die Hose gerutscht, weil sie dachte,

Patrick hätte ihre Mutter doch noch weichgekocht, aber sie hatte ihm nur durch die geschlossene Tür zugerufen, dass sie die Polizei alarmieren würde, wenn er nicht innerhalb von zehn Sekunden verschwunden sei. Da hatte er seine Taktik geändert und gewinselt, dass er es nicht so gemeint hätte, und dass er von nun an ein neues Leben anfangen würde.

»Dann sind wir ja schon drei«, hatte ihre Mutter knapp geantwortet, war hinauf in Amandas altes Kinderzimmer gleich über der Haustür gegangen und hatte einen Eimer Wasser aus dem Fenster gekippt. Patrick war buchstäblich wie ein begossener Pudel mit eingeklemmtem Schwanz davongeschlichen. In dieser Nacht hatte Alyssa zum ersten Mal seit vielen Jahren bei ihrer Mutter im Bett geschlafen, und als sie am nächsten Morgen aufgestanden waren, waren die blauen Säcke vor der Haustür verschwunden. Das war das letzte Mal, dass sie von Patrick irgendetwas gehört oder gesehen hatte.

»Mach dir wegen der Son Goku-Figur keine Gedanken. Es ist vorbei. Sieh dich doch mal um. Ist das nicht der beste Beweis?« Alyssa machte eine Geste, die nicht nur die nach Kuchen duftende Küche mit einschloss, sondern auch den Rest des blitzblank geputzten Hauses und den Garten mit seinen frisch bepflanzten Blumenkästen. Zuletzt wies sie auf ihre Mutter. Sie war längst nicht mehr so erschreckend mager und hatte sich zu den neuen Pfunden auch gleich eine neue Frisur zugelegt. Sie sah viel frischer aus, ihr Teint schimmerte dank einiger Besuche im Kosmetikstudio rosig und auch ihre Garderobe hatte eine Verjüngungskur durchlaufen.

Ihre Mutter schaute an sich herunter und lächelte achselzuckend. »Vermutlich hast du recht. Holst du bitte mal die Zuckerschrift, bevor Ömer und Karl kommen?«

Sie hatten den Kuchen gerade fertig dekoriert, als es klingelte.

»Ich geh schon!« Alyssa lief zu Haustür und öffnete. »Habt ihr sie bekommen?«, begrüßte sie die Jungs und gab Ömer einen Kuss.

Wie immer wandte sich Karl peinlich berührt ab, dabei hatte er doch schon tausendmal gesehen, wie sie Zärtlichkeiten austauschten.

»Einen original Son Goku«, sagte er zum Briefkasten und hielt eine Schachtel hoch. »Sogar als Super-Saiyajin, der dicke Muskeln bekommt, wenn man die Arme knickt.«

Alyssa nahm ihm das bunt umwickelte Päckchen aus der Hand. »Aber er läuft doch nicht auf Batterien, oder?« Vorsichtig legte sie das Ohr an die Schachtel und lauschte.

»Natürlich nicht.« Karl schüttelte den Kopf. »Was hältst du von uns?«

Sie waren sich einig gewesen, dass eine einfache Actionfigur kein Problem darstellte, aber eine, die wie eine Sprechpuppe mit Batterien funktionierte, davon wollten sie doch lieber die Finger lassen. Nur zur Sicherheit.

Ömer machte Anstalten, wie üblich vor Betreten des Hauses die Schuhe abzustreifen, doch Alyssa hielt ihn zurück.

»Lass sie ruhig an, wir gehen gleich los. Per ist bestimmt auch schon da.« Sie pflückte ihre Jacke vom Garderobenständer, als ihre Mutter mit einer Tortenhaube in die Diele kam.

»Schön gerade halten, die Schokolade ist noch nicht ganz fest.« Sie drückte Karl die Haube in die Hand. »Sag mal, Karl, was ist denn mit deinem Kopf passiert?«

Karl hob die Hand an die Stirn, auf der ein Pflaster klebte und winkte ab. »Ach, das ist nichts, Frau Bolten.« Er warf Ömer einen vernichtenden Blick zu. »Da hat nur einer vorgestern beim Krabi Krabong Training nicht richtig aufgepasst.«

Ömer errötete bis zum Rand seines Basecaps und pfiff betont unbeteiligt vor sich hin.

»Wir müssen jetzt wirklich los«, half Alyssa ihm aus der Verlegenheit und erntete dafür seinen dankbaren Blick. »Bis später, Mama!«

Sie hauchte ihrer Mutter einen Kuss auf die Wange, hakte sich zwischen Ömer und Karl ein und machte sich auf den Weg.

Per

»Ich bin dann weg«, rief Per und winkte seiner Mutter durch das offene Atelierfenster zu.

Sie sah von ihrer Staffelei auf und rieb sich mit dem Handrücken über die Stirn. »Alles klar. Ist Papa schon vom Baumarkt zurück?«

»Er hat vorhin angerufen und gesagt, dass es später wird. Sie müssen anscheinend auf einen Anhänger warten. Die Gipsplatten passen nicht in den Kofferraum.«

Seine Mutter warf einen Blick auf ihre Armbanduhr und nickte. »Okay, dann habe ich ja noch ein bisschen Zeit. Und? Wie findest du es?« Sie wies mit dem Pinsel auf ihr neuestes Werk. Es zeigte eine noch unvollendete Szene aus üppigen Pflanzen, die sich in bunter Vielfalt um eine schemenhafte nackte Männergestalt rankten.

»Mama, du solltest besser die Finger vom Gras lassen.«

»Unverschämter Bengel!« Lachend warf sie einen fleckigen Putzlumpen nach ihm, der ihn meilenweit verfehlte.

»Ich hab dich auch lieb. Also dann bis später.« Er steckte die Finger zum Peacezeichen aus und ging zu seinem Fahrrad, das neben der Treppe zum Rübenkeller lehnte. Nach dem Umbau würde der Raum eine perfekte Partylocation abgeben.

Es hatte ihm nicht im Geringsten leidgetan, dass seine Plantage ruiniert war und er den Keller aufgeben musste. Zwar hätte er sie zusammen mit Malte wieder aufbauen können, aber nach der Geschichte mit der Puppe war er sich darüber klar geworden, wie kostbar sein Verstand war. Die Geisterkinder hatten ihm so massiv im Hirn herumgepfuscht, dass es ihn beinahe das Leben gekostet hätte. Wie konnte er nach dieser Erfahrung noch freiwillig sein Bewusstsein mit Gras benebeln? Mal ganz abgesehen davon, dass er es gar nicht mehr nötig hatte, auf diese Weise den Kick zu suchen. Kein Gras der Welt konnte mit dem Kick mithalten, den Senta ihm gab. Sie pumpte ihn so voll mit Glück, dass er sich grenzenlos fühlte. Mit ihr an seiner Seite schien ihm alles möglich, sogar das Abi und ein Studium in Sozialpädagogik. Er schwang sich auf sein Fahrrad und radelte die Straße entlang. An der Abzweigung zum Getränkemarkt entdeckte er vor sich drei vertraute Gestalten, die den Gehweg entlangschlenderten. Mit ein paar kräftigen Tritten in die Pedalen schloss er zu ihnen auf und stieg vom Rad.

»Super, ihr habt ihn bekommen!«, begrüßte er seine Freunde und deutete auf das Geburtstagsgeschenk in Alyssas Hand. »Aber er läuft doch nicht etwa ...«

»... auf Batterien?«, vollendeten Alyssa, Ömer und Karl aus einem Munde den Satz.

Per grinste. Nein, natürlich nicht. Wie konnte er überhaupt fragen?

Senta

»Wenn ich nur noch einen einzigen Ballon aufpusten muss, kippe ich auf der Stelle um.« Japsend hielt Senta ihrem Vater den letzten Luftballon hin.

Mit einer Reißzwecke befestigte er den Ballon über der Wohnzimmertür und betrachtete zufrieden sein Werk. »Ich glaube, das genügt.« Er nickte. »Oder sollen wir vielleicht doch noch ein paar ...?«

»Papa!« Mit gespielter Empörung rammte Senta ihrem Vater den Ellbogen in die Seite. »Um welche Uhrzeit kommen nochmal die Zwerge?«

Ihr Vater klappte den Deckel auf die Schachtel mit den Reißzwecken und schob sie in seine Hosentasche. »Um halb vier. Ihr habt also noch eine gute Stunde, bevor sich das Haus in ein Schlachtfeld verwandelt.« Es sollte ein Witz sein, doch Senta sog bei seinen Worten unwillkürlich die Luft ein. Ein Schlachtfeld, das hatte sie auch vor zwei Monaten vorgefunden, als sie nach ihrer Rückkehr das Haus betreten hatte. Auch ihr Vater schien sich der Brisanz seiner Worte bewusst zu werden, denn kaum dass er sie ausgesprochen hatte, verzog er den Mund. »Entschuldige, das war unpassend.« Betreten legte er seine Hand an ihre Wange.

Senta zuckte mit den Schultern. »Ach, vergiss es, Papa. Das haben wir hinter uns, oder willst du jetzt für alle Zeiten jedes Wort auf die Goldwaage legen?«

Ihr Vater sah sie liebevoll an und nickte. »Vollkommen richtig.« Er atmete tief durch und sammelte die leere Luftballontüte auf. »Und wann kommt mein Herr Schwiegersohn?«

»Papa!« Wieder machte sie Anstalten, ihm in die Seite zu knuffen, aber er brachte sich lachend in Sicherheit.

Sie hatte gerade den Kaffeetisch fertig gedeckt, als es klingelte.

»Mein Besuch!«, jauchzte Anton und flitzte zur Tür. Die Krone aus goldenem Tonkarton mit der blauen Vier rutschte ihm fast vom Kopf, als er sich zur Klinke reckte und öffnete. »Per! Ella! Ömi! Karl!«, Jubelnd warf er sich den Neuankömmlingen in die Arme. »Wir haben ganz viel Kuchen und Saft und sogar Sahne! Und ganz viele Luftebongs!«, sprudelte er drauflos und zog ungeduldig an ihnen herum.

Senta legte ihm die Hände auf die Schultern. »He, lass sie doch erst mal hereinkommen!« Sie schob Anton ins Haus und ließ ihre Freunde ein. In der Diele umarmte sie Alyssa, Karl und Ömer und drückte Per einen Kuss auf den Mund.

»Bist du vom Mähdrescher gefallen?« Neckend strich sie ihm über den raspelkurz geschorenen Schädel. »Ich dachte, du wolltest sie wieder wachsen lassen und bist heute nur zum Spitzen schneiden zum Frisör gegangen.« Dass er seine Dreads gleich nach ihrer Rückkehr abgeschnitten hatte, dafür hatte sie ja Verständnis gehabt - sie hatten vor Dreck und Ungeziefer gestarrt. An das hier musste sie sich erst gewöhnen. »Sieht ziemlich, äh, konsequent aus. Sexy, zugegeben, aber konsequent.«

»Mein Hirn brauchte ein bisschen Frischluft.« Sanft zog er sie an sich. »Gefällt's dir etwa nicht?«

Sie ließ ihre Hand von seinem Schädel hinunter auf seine Brust wandern. »Sieht heiß aus«, raunte sie so leise, dass nur er es hören konnte.

Inzwischen hatte Anton das Geburtstagsgeschenk in Alyssas Händen entdeckt und beäugte es mit leuchtenden Augen. »Was ist denn da drinnen?«

Alyssa tat, als hätte sie jetzt erst das Päckchen in ihren Händen bemerkt. »Worin? Ach, du meinst hier drin?« Sie hielt ihm das Geschenk hin. »Ich würde mal vorschlagen, du schaust einfach mal nach! Das ist von Per, Ömer, Karl, deiner Schwester und von mir. Herzlichen Glückwunsch zum Geburtstag.«

Ehe Senta es sich versah, hatte Anton das Geschenk gegrapscht und das bunte Papier mit einem einzigen Ratsch abgerissen. Als er begriff, was er da in Händen hielt, fielen ihm fast die Augen aus dem Kopf.

»Son Goku!«, quietschte er und versuchte, die durchsichtige Plastikverpackung zu öffnen. »Son Goku! Mama, Papa, ich hab Son Goku!« Seine kleinen Fingerchen mühten sich erfolglos an der Plastikhülle ab, bis Karl sie ihm schließlich abnahm, die Figur aus der Verdrahtung befreite und sie ihm reichte. Anton, der während der Prozedur ungeduldig auf und ab gehüpft war, presste seinen neuen Schatz an sich.

»Danke! Danke! Danke!«, quietschte er und ließ den Plastikmann wie einen Düsenjet durch die Luft sausen.

»Hat jemand Lust auf Torte?«, rief Sentas Mutter aus der Küche, worauf Anton laut wie ein Triebwerk fauchend die Richtung zur Kaffeetafel einschlug.

Sie folgten ihm in die Küche, wo bereits eine riesige Sahnetorte in Form eines orangefarbenen Dragonballs den Tisch krönte. Inmitten seiner vier roten Sterne steckten vier Kerzen, die Sentas Mutter soeben anzündete. Unter großem Applaus und mit Karls Hilfe pustete Anton sie in einem Atemzug aus und vergrub seine Kuchengabel in das erste Stück. Der Dragonball und Alyssas Schokoladenkuchen verschwanden in Rekordzeit in ihren Mägen. Nachdem der letzte Happen verspeist war, lehnte Senta sich zufrieden zurück und beobachtete in stiller Freude die Geburtstagsgesellschaft. Wie sehr sich alle verändert hatten. Karl, der längst nicht mehr die Nase nur in Bücher steckte, sondern zusammen mit Ömer zum Fußballplatz ging, auf Inlinern die Gegend unsicher machte und mehr als einmal ölverschmiert aus der Autowerkstatt von Ömers Vater nach Hause kam. Ömer hingegen hatte in ihm den Bruder gefunden, den er bei vier Schwestern so schmerzlich vermisst hatte. Karl nahm ihn mit zum Krabi Krabong, half ihm bei Physik und Mathe und zeigte ihm, dass man seinen Stempel auch auf andere Weise hinterlassen konnte, als nur mit *Tags* auf jeder Hauswand. So begleitete Ömer ihn zur Gremmershovener Tafel, wo er einmal die Woche beim Verteilen der Lebensmittel half. Er und Alyssa hatten sich gesucht und gefunden. Was sich im Puppenmoor bereits angedeutet hatte, war inzwischen längst Alltag.

Wenn Ömer nicht mit Karl unterwegs war, schnurrte er wie ein verliebter Kater um Alyssa herum. Seine Familie hatte sie mit offenen Armen empfangen. Anfangs war sie von der herzlichen Gastlichkeit innerhalb der türkischen Großfamilie irritiert gewesen. Nie zuvor war sie zum Mitessen regelrecht genötigt worden oder auf ehrliches Interesse an ihrer Person gestoßen. Ömers Mutter fragte sie regelmäßig noch in der Haustür, wie es in der Schule lief und wie es ihr und ihrer Mutter ging. Seit dieser fürchterliche Lebensgefährte ihrer Mutter das Weite gesucht hatte, konnte Alyssa jede dieser Fragen mit einem ehrlichen »gut« beantworten. Genau wie Per hatte sie endlich den Sinn und Zweck eines regelmäßigen Schulbesuchs erkannt und strebte nun den 10B-Abschluss an.

Was Per und sie selbst betraf, so hätte es sich nicht besser fügen können. Die gemeinsam durchgestandene Gefahr hatte sie zusammengeführt und anfangs hatte Senta befürchtet, dass dies nicht ausreichen könnte für eine Beziehung. Eine Extremsituation wie jene, die sie damals im

Puppenmoor ausgestanden hatten, konnte ja nicht den Alltag widerspiegeln. Was, wenn sie sich unter normalen Bedingungen nicht mehr viel zu sagen hatten? Glücklicherweise hatten sich ihre Bedenken rasch in Luft aufgelöst, denn zusammen mit Per bekam sogar ein banaler Netflix-Abend einen besonderen Glanz.

Als die anderen begannen, das schmutzige Geschirr in die Küche zu tragen, beugte Per sich zu ihr rüber. »Was hältst du davon, wenn wir nachher zu mir fahren, und ich dir meine Pokémon-Sammelkarten zeige?« Er zwinkerte ihr vielsagend zu und verkniff sich ein Grinsen.

Senta räusperte sich. Hoffentlich merkte niemand, wie sie errötete. »Erst helfen wir meiner Mama, den Tisch neu zu decken. Gleich kommt eine Horde Kindergartenkinder, dann sind wir sowieso für Anton abgeschrieben.«

Sie erhoben sich und räumten den Tisch ab. Während ihre Mutter eine Ladung mit Smarties verzierter Brownies auf einer Platte anrichtete, klingelte es, und die ersten Kinder stürmten ins Haus. Wie vorausgesagt, hatte Anton nur noch Augen für seine neuen Gäste.

»Mama, wir sind dann auch gleich weg«, rief Senta und begleitete Alyssa, Ömer und Karl zur Tür.

»Alles klar!« Sentas Mutter platzierte bunte Pappteller auf dem Tisch. »Seid ihr nur bitte so gut und räumt vorher ein bisschen im Wohnzimmer auf?«

»Machen wir.« Senta ging zum Sofa und sammelte das zerfetzte Geschenkpapier ein, während Per den Sessel gerade rückte und die Verpackung einer Kindertaucherbrille zerknüllte.

»Komm, gib mir das, ich bringe es in die Mülltonne.« Er nahm ihr das Geschenkpapier ab und ging damit hinaus in den Garten.

In der Zwischenzeit suchte Senta die Taucherbrille unter dem Tisch hervor und langte nach Son Goku auf dem Fußboden. Bestimmt würde Anton ihn später noch seinen kleinen Freunden präsentieren. Sie drapierte ihn auf dem Tisch und wandte sich um, da bemerkte sie etwas, das sie erstarren ließ.

Nein.

Das konnte nicht sein.

Er lief doch ohne Batterien, das hatte Karl versprochen.

Er konnte nicht von alleine die Muskeln seiner Oberarme anspannen!

Er konnte nicht!!

ENDE

Nachwort

Puppenmoor? Puppenmoor!

„Ein Moor voller verrotteter Puppen, die den Geist ertrunkener Kinder besänftigen sollen? Mensch Heike, auf so schräges Zeug muss man erst mal kommen.“ Oder anders formuliert: „Was stimmt denn nicht mit dir, dir sowas auszudenken?“

Tja, das habe ich während der Entstehung dieses Buches öfter gehört, aber leider kann ich dieses Kompliment nicht ganz für mich in Anspruch nehmen. Tatsächlich gibt es im Süden Mexicos inmitten eines versumpften Sees eine kleine Insel, die unter dem Namen „Isla de las Muñechas“ bekannt ist. Dort hat vor rund siebzig Jahren der Fischer Julián Santana Barrera die Leiche eines kleinen Mädchens samt seiner Puppe gefunden. Weil er sich fortan für den Rest seines Lebens vom Geist des Mädchens verfolgt fühlte, hängte er zu dessen Abschreckung lauter verstümmelte Puppen in die Bäume. Kurioserweise ertrank er vor zwanzig Jahren genau an jener Stelle, an der er fünfzig Jahre zuvor die Mädchenleiche gefunden hatte.

Mein Neffe René und seine damalige Freundin Steffie haben mich auf diese Geschichte aufmerksam gemacht und gefragt, ob ich sie nicht als Grundidee für einen Roman gebrauchen könnte. Klar konnte ich das, schließlich haben die meisten Gruselgeschichten unserer Zeit ihren Ursprung in wahren Ereignissen. Außerdem fand ich Puppen schon als kleines Mädchen ziemlich creepy. Ich habe dann immer die Vorstellung, wie ein irrer Präparator ... äh, nein, das geht zu weit.

Wer also Lust hat, das Puppenmoor mit eigenen Augen zu sehen, kann dies tatsächlich tun. Inzwischen ist die „Isla de las Muñechas“ touristisch erschlossen und es gibt mehrmals täglich Führungen und Bootsausflüge dorthin. Ich weiß nicht, was ich dabei verstörender finden soll – dass es diese Insel tatsächlich gibt, oder dass man zum Vergnügen Ausflüge dorthin machen kann.

Danksagung

Da bedanke ich mich recht herzlich!

Man sagt, es braucht ein Dorf, um ein Kind großzuziehen. Dasselbe gilt auch für Buchkinder. Darum möchte ich mich hier ganz herzlich bei den Menschen bedanken, die mich bei der Arbeit an diesem Buch unterstützt und inspiriert haben. Allen voran bei meiner stetig wachsenden Familie, bestehend aus meinem Mann Willi, meiner Tochter Alena mit ihrem Mann Bastian und meinen Enkeln Oskar und dem zu diesem Zeitpunkt noch ungeborenen Kaspar, meinem Sohn Yanik und Lena, der Frau an seiner Seite, die auch ohne Trauschein meine Schwiegertochter ist.

Kein Buch ohne Angelika Lauriel, meiner Kollegin und Schreibschwester. Jede meiner Ideen muss zuerst an ihr vorbei, ehe sie ihren Weg ins Buch findet. Was sie nicht absegnet, fliegt raus.

Danke an Ramona „Mo“ Feldmann, Doula, Seelenverwandte und Wahlfamilie. Ich kenne niemanden, der mehr über die Eigenschaften und Anwendungsgebiete von Heilkräutern allgemein und der Cannabispflanze im Speziellen weiß.

Sie alle sind Ohana.

René Giese und Steffie Erken haben mich überhaupt erst auf die Idee zu „Puppenmoor“ gebracht. Sie gaben die Initialzündung, ohne sie wäre das Buch nie geschrieben worden. (Ja, Steffie, jetzt isses tatsächlich fertig)

Dem Team vom Hybrid Verlag um Paul Lung, der das Potential der Geschichte erkannt und mich dazu gebracht hat, sie so zu erzählen, wie sie jetzt hier vorliegt.

Danke, Melli, für das Cover! Ich liebe es, du wusstest genau, was ich meine.

Meinen Freundinnen und Freunden, die ich namentlich nicht alle erwähnen kann, die aber mit vielen Kleinigkeiten – Gesten, Wesenszügen, Redensarten, Besonderheiten und dergleichen mehr – in die Figuren dieser Geschichte eingeflossen sind. Vielleicht entdeckt sich ja jemand in Fragmenten wieder?

Zu guter Letzt meinen Leserinnen und Lesern. Sie sind der Motor, der dafür sorgt, dass sich das Rad stetig weiterdreht.

Die Autorin

Heike Schulz, Jahrgang 1968 und Mutter zweier erwachsener Kinder, lebt mit ihrer Familie in der Nähe von Köln. Neben ihrer Arbeit als Autorin ist sie als Betreuungskraft einer offenen Ganztagsschule tätig.

Sie ist Mitglied des Autorenkreises Rhein-Erft (ARE), der Vereinigung deutschsprachiger Liebesromanautoren und -autorinnen (DELIA) und des Montségur Autorenforums.

Wenn sie nicht gerade schreibt, liest oder wandert, läuft sie Marathons und Trailläufe. Die Freude an der Bewegung in der freien Natur spiegelt sich ebenso in ihren Romanen wider, wie ihr Faible für mystische Geschichten und geheimnisvolle Orte.

Weitere Werke der Autorin

ZEITLOSWELT

Mines Wunsch, Familie und Freunde nicht mehr zu sehen, geht schneller in Erfüllung als erwartet.
Sie findet sich in einem Wald wieder, fernab jeglicher Zivilisation und nur von zwei merkwürdigen Jugendlichen begleitet.
Als dann auch noch ein bunt zusammengewürfelter Trupp Jugendlicher Jagd auf sie macht, muss Mine sich den Gegebenheiten stellen – und ihrer eigenen Persönlichkeit.

ISBN: 978-3-96741-026-6

Hybrid Verlag ...

für Weltenwanderer und Zeilentänzer

WONDERS MACHT
(Mika Jänisen)

Der Silvesterabend ist für die Polizeischülerin Kaido bereits eine Katastrophe, bevor er beginnt. Gemeinsam mit Kollegen soll sie ein altes Herrenhaus überprüfen, das seit dem mysteriösen Verschwinden des Eigentümers leer steht. Doch die eigentliche Routinekontrolle wird zum nicht enden wollenden Albtraum und das Haus zur tödlichen Falle.

ISBN: 978-3-946-82025-3

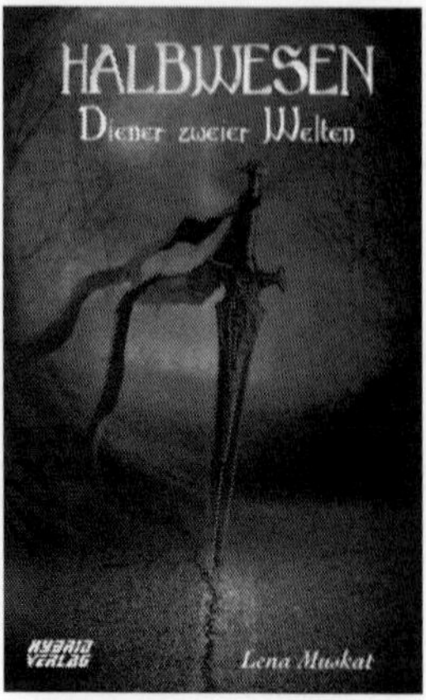

HALBWESEN – DIENER ZWEIER WELTEN (Lena Muskat)

Der Halbdämon Alec kämpft gemeinsam mit dem Halbengel Tyler gegen Dämonen, die Kontrolle über Menschen übernehmen.
Während ein Dämonenfürst sein Netz enger um die Akademie der Halbwesen spinnt und sie zu vernichten droht, wird das Auftauchen der Halbdämonin Anna zur Zerreißprobe für die beiden Kampfpartner und Freunde.

ISBN: 978-3-946-82031-4

PHÖNIXERWACHEN
(J. T. Sabo)

Blaue Flammen auf der Haut, Hitze im ganzen Körper und ihr Klassenkamerad Pascal, der mit einem Messer auf sie einsticht.
Am nächsten Morgen wacht Lexa im Haus von Pascals Eltern auf. War alles nur Einbildung? Als Pascal und seine Eltern ihr erzählen, sie sei ein Phönix, erklärt sie sie für verrückt und haut ab. Doch seinem Schicksal kann man nicht entkommen.

ISBN: 978-3-96741-094-5

CATALEYA – DER DRACHE IN DIR
(Jacqueline V. Droullier)

Die 17-jährige Leya wünscht sich nichts sehnlicher, als aus ihrer Existenz auszubrechen. Als ihr Kuschelhase zum Leben erwacht und ihr den Weg in eine andere Welt zeigt, ein Königreich, aus dem auch ihr Vater stammt, bietet sich ihr die Möglichkeit und Leya nutzt die Chance auf einen Neuanfang.

ISBN: 978-3-96741-109-6